# Pour un peu d'espoir

**Du même auteur**

*Au fil des sentiments*
Mes premiers billets, tome I

*Pour un peu d'espoir…*
Mes plus beaux billets, tome II

*Les chemins de la vie…*
Mes plus beaux billets, tome III

*Le partage du cœur*
Mes plus beaux billets, tome IV

*Au gré des émotions*
Mes plus beaux billets, tome V

*Les sentiers du bonheur*
Mes derniers billets, tome VI

Denis Monette

# Pour un peu d'espoir

## Mes plus beaux billets

Tome II

**Catalogage avant publication de Bibliothèque et Archives Canada**

Monette, Denis

Mes plus beaux billets

Nouv. éd.

Éd. originale : Montréal : Éditions Le Manuscrit, 1985?-2003.

Sommaire : t. 1. Au fil des sentiments — t. 2. Pour un peu d'espoir — t. 3. Les chemins de la vie — t. 4. Le partage du cœur.

ISBN 2-89381-930-3 (v. 1)
ISBN 2-89381-931-1 (v. 2)
ISBN 2-89381-909-5 (v. 3)
ISBN 2-89381-923-0 (v. 4)

I. Titre.

PN6332.M66 2004 C848'.54 C2004-940-894-1

Correction d'épreuves : Michèle Constantineau
Mise en pages : Édiscript enr.
Photo de la couverture : Masterfile
Graphisme de la couverture : Gaston Dugas
Photo de l'auteur : Guy Beaupré

LOGIQUES est une maison d'édition agréée et reconnue par les organismes d'État responsables de la culture et des communications. Nous remercions le Conseil des Arts du Canada, le ministère du Patrimoine canadien et la Société de développement des entreprises culturelles du Québec pour leur appui à notre programme de publication. Nous reconnaissons l'aide financière du gouvernement du Canada par l'entremise du Programme d'aide à l'industrie de l'édition (PADIÉ) pour nos activités d'édition. Gouvernement du Québec — Programme de crédit d'impôt pour l'édition de livres — Gestion SODEC.



Les Éditions LOGIQUES
7, chemin Bates, Outremont (Québec) H2V 4V7
Téléphone : (514) 270-0208 Télécopieur : (514) 270-3515

**Distribution au Canada**
Québec-Livres
2185, autoroute des Laurentides, Laval
(Québec) H7S 1Z6
Téléphone : (450) 687-1210
Télécopieur : (450) 687-1331

**Distribution en France**
Casteilla/Chiron
10, rue Léon-Foucault, 78184
Saint-Quentin-en-Yvelines
Téléphone : (33) 1 30 14 19 30
Télécopieur : (33) 1 34 60 31 32

**Distribution en Belgique**
Diffusion Vander
avenue des Volontaires, 321
B-1150 Bruxelles
Téléphone : (32-2) 761-1216
Télécopieur : (32-2) 761-1213

**Distribution en Suisse**
TRANSAT SA
Distribution Servidis s.a.
Chemin des Chalets
CH-1279 Chavannes-de-Bogis
Suisse
Téléphone : (022) 960-9510
Télécopieur : (022) 776-3527


Dépôt légal : troisième trimestre 2004
Bibliothèque nationale du Québec
Bibliothèque nationale du Canada
ISBN : 2-89381-931-1

*À celle qui m'a donné la vie*
*et qui m'a appris sur ses genoux*
*... à la partager avec vous !*

## *En guise de préface...*

« Si vous saviez combien de fois, en lisant vos billets, j'ai été réconfortée. »

Raymonde C.

« Je suis une jeune maman de vingt-sept ans qui vient vous dire que vos écrits me touchent profondément. J'ai appris beaucoup en lisant vos billets empreints d'amour, de sagesse et de raison et j'espère atteindre un jour votre grandeur d'âme. »

Danielle Tanguay, République fédérale d'Allemagne

« Votre ouvrage *Au fil des sentiments* est un livre qui détend, qui réconforte et qui ajoute un gai rayon de soleil dans ma vie. Mon mari, pour sa part, vous considère comme un maître à penser. Longue vie à vous, Denis, et merci de tout cœur. »

Madame Joan A. Goulet, Normandin, Québec

« Denis, je t'aime et te lis, mais chut... n'écoute pas. J'ai soixante-quinze ans et ton livre vient souvent couper ma solitude. Le soir, lorsque je tourne en rond avant de me mettre au lit, je me dis : Denis, qu'as-tu à me dire ce soir ? J'espère vivre encore assez longtemps pour voir un second livre rempli d'aussi beaux billets. »

Bella Casavant

« Le chemin que vous suivez, ne le changez pas, car c'est celui qui conduit au Sauveur. Vos billets sont un baume bienfaisant à nos cœurs. »

Une épouse et une mère

« Dans chaque billet, je trouve un peu de force pour gravir ma pente difficile. Au comble de ma douleur, je sentais au-delà de vos mots si beaux, des battements de cœur qui m'atteignaient profondément. Comme vous aimez les êtres humains ! »

Marie D.

« Denis, je tiens à vous dire mon admiration, car vos billets me servent beaucoup dans mon travail de pédagogue. J'aime ce que vous écrivez. Continuez… la société a besoin de gens comme vous ! »

Gaston Landry, Chicoutimi

« À soixante-dix-sept ans, il fait chaud au cœur de constater qu'il y a encore des gens pour écrire des propos propres, rafraîchissants et respectueux. C'est une denrée rare et je vous en remercie. »

Laurette Cousineau Verdy,
mère de dix enfants

« Denis, ah ! que je t'aime ! Au fil de « mes » sentiments, moi, je ne t'oublierai jamais. Petits écrits précieux, réconfortants, chaque semaine je les attends. Avec ta belle philosophie de la vie, ton amour de tout ce qui est beau, tu m'as aidée à vivre un décès atroce, celui de mon époux parti à cinquante-trois ans, il y a à peine deux ans. Merci de m'aider à aimer la vie avec tout ce qu'elle offre. »

Laurette de Beauport

« Je suis passée par plusieurs émotions en vous lisant ; les rires, les sourires, la réflexion et le chagrin parfois… Merci, Denis, du bien que vous faites en écrivant de si belles choses. »

Marie-Paule Pelletier, Ville de Laval

« J'ai dix-huit ans, je demeure au Saguenay et j'ai reçu, pour Noël, votre livre *Au fil des sentiments.* Je souhaite que les jeunes de mon âge puissent vous lire car ça porte vraiment à réfléchir. »

Nathalie R., Jonquière

« En vous lisant, je découvre un homme sensible à toutes les situations. Chaque page contient un message qui ne laisse pas indifférent et j'en ai même choisi plusieurs comme sujet de méditation. Je suis une religieuse et j'admire des laïcs comme vous qui n'ont pas peur d'exprimer leurs sentiments. »

Antoinette Lavoie, s. c. g.,
une petite sœur de la Charité de Québec

# *Avant-propos...*

Voilà que je vous reviens dans un tome II avec l'espoir qui m'habite et que je tiens à déverser dans vos cœurs. Je ne pensais jamais qu'il pourrait y avoir reprise après *Au fil des sentiments...* mais vos missives et votre confiance m'ont chuchoté que je ne vous avais pas tout dit. Si j'ai opté, en guise de préface, pour ces mots choisis parmi des centaines d'autres, c'est que venant de la plume des lecteurs, ils se voulaient le vent dans les voiles dont j'avais besoin pour naviguer encore une fois sur l'océan de nos attendrissements. Ces mots m'ont tellement ému que rien d'autre n'aurait pu ouvrir avec autant d'élégance ce second ouvrage que j'ai intitulé *Pour un peu d'espoir...* Ces billets triés sur le volet, je vous les offre tel un bouquet, afin que l'arôme qui s'en dégage puisse faire avec vos sentiments... un heureux mariage. Avec la tête, avec le cœur, avec le rêve et avec la vie... permettez-moi de vous convier au banquet de mes plus vives convictions. S'il me fallait ajouter aux hommages utilisés pour ouvrir ce rideau, les mots de ma bonne amie Lina, ceux de Fabie, de Ghislaine et Marc, Lucie, André, Thérèse... j'aurais le jardin de pensées le plus fleuri qui soit. Par vous, et grâce à vous, c'est encore avec vous que je viens parler de tendresse, d'amitié, de retrouvailles, de joies, de chagrins et de nostalgie. Et c'est parce que vous et moi avons besoin d'un demain à la hauteur de nos cordes sensibles, que ce recueil se dépose sur votre table de chevet avec beaucoup d'amour et... d'espoir !

Denis Monette

# Avec la tête…

## *S'éveiller en souriant...*

Ce n'est pas facile, vous ne trouvez pas ? Surtout avec les matins pluvieux ou tout simplement sans soleil. Il faut quand même se lever et faire face à la journée. Le plus difficile est certes de la commencer du bon pied et je suis le premier à me sentir dépourvu quand la nature ne m'invite pas à l'optimisme. Je crois cependant avoir trouvé la solution. Après une bonne douche, j'évite d'écouter les nouvelles (toujours déprimantes) des premières heures. Donc, au lieu d'ouvrir la radio, j'écoute un disque que je choisis rempli d'entrain. Ce n'est pas le moment pour les sonates et les concertos. J'écoute donc du Fuguain, du rock (ça réveille) et je me prépare un petit déjeuner. Comme le plus grand quotidien de Montréal est maintenant distribué aux portes dès sept heures le matin, j'évite de le lire et je le range soigneusement jusqu'au soir. Après un copieux petit déjeuner, j'opte pour quelques exercices de conditionnement physique, de longues respirations et, peu à peu, je retrouve mon énergie en dépit du temps gris. Si vous avez de jeunes enfants qui vous entourent, hâtez-vous de partager leurs jeux ou leurs émissions enfantines où la gaieté est de rigueur. Vous verrez que ça vous donnera du « pep » beaucoup plus qu'un bulletin de nouvelles. Au volant de ma voiture, j'opte pour le FM et je cherche une musique de détente (parce qu'à ce moment je suis assez réveillé pour relaxer) et je me dirige vers le bureau (pas nerveusement) mais tout à fait comme si je faisais une promenade du dimanche. Dès que j'entre au bureau, j'opte pour un bonjour et un sourire à tout le monde et je me prépare un bon café, ce qui est beaucoup plus une habitude qu'un besoin. C'est dès lors, par la bouche des autres, que j'entends tout ce qui s'est passé sur terre depuis les dernières vingt-quatre heures. On me dit : « Comment, tu n'as pas entendu cela ? » ou « As-tu su ce qui se passait en Iran ? » Je regarde leurs mines crispées et ils sont étonnés de ma bonne humeur. La seule différence entre mes confrères et moi, c'est qu'ils n'ont pas encore appris à se lever du bon pied… et que j'ai trouvé le moyen, depuis peu, de ne plus arriver au bureau quand le temps est gris… avec le front plissé par l'inquiétude ou une « face de beû » ! Essayez un de ces matins et vous verrez qu'il est possible d'oublier que le soleil a omis de se lever en même temps que vous !

## *Vivre selon ses moyens*

Moi, j'en ai assez d'entendre les gens se plaindre qu'ils sont pris à la gorge… et vous ? Avez-vous remarqué que ce sont toujours les mêmes, ceux qui n'ont jamais su prendre une petite machine à calculer et équilibrer un budget ? Pas besoin d'être mathématicien pour savoir qu'on n'arrivera pas à rencontrer telle ou telle dépense. Tout ce qu'il faut, c'est un peu d'organisation et, par ce fait, fermer les yeux sur ses rêves parfois trop fous. Mais non, on s'endette de plus en plus, on achète avec sa carte de crédit. La majorité des gens vivent au-dessus de leurs moyens. C'est bien simple, on s'embarque les yeux fermés… pour ensuite attendre les huissiers les deux poings bien serrés. Si l'on a les moyens de se payer un loyer, inutile de penser à l'achat d'une maison. Si notre budget nous permet une petite auto japonaise, pourquoi reluquer la Mercedes ? La plupart du temps, ce sont les couples qui bénéficient d'un seul salaire qui s'endettent le plus. Savoir compter est la première étape de l'équilibre. Si on cessait de vouloir épater les voisins, si tous les couples prenaient la peine de prendre un crayon et d'analyser la situation, je suis assuré que les compagnies de finance seraient en perte de clients trop souvent imprudents. Équilibrer son budget, c'est vivre selon son avoir et non son vouloir. Moi, la prochaine fois qu'un ami m'appelle pour me dire qu'il est « pogné » dans des dettes qu'il ne peut rencontrer, je lui raccroche au nez. On n'a plus de raison de nos jours de s'embarquer impunément et si les créanciers ont tant de travail, c'est que les gens n'ont pas de tête. À quoi bon rêver en couleurs quand la réalité s'offre sur deux colonnes de chiffres en noir et blanc. Soyons réalistes… que diable !

## *Le grand ménage…*

Tiens… je vois déjà la voisine qui s'apprête à faire ce qu'elle appelle son grand ménage du printemps. C'est le sourire aux lèvres qu'elle décroche une à une ses fenêtres, tout en donnant du pain aux oiseaux qui viennent la sérénader. Le soleil est de plus en plus fort et, d'un coup d'œil, j'ai pu voir que non seulement madame Provost était à la tâche, mais que tous les voisins s'affairaient de la sorte. Un grand ménage… ça s'impose aussi sur le plan du cœur et j'ai pensé faire le mien tout en me demandant si vous pouviez en faire autant. L'hiver est maintenant chose du passé et nos contraintes devraient être ensevelies. Quand le regard se fait optimiste, le cœur le devient aussi. Moi, c'est par l'évaluation des gens que je commence. Je fais l'équation des amis et je me retrouve à les aimer davantage. Je fais ensuite le tour de la parenté et voilà que je suis plus indulgent. Ce qui m'horripilait de l'un en hiver, me semble bagatelle depuis que la saison a changé de couleur. Faire le ménage de son cœur, c'est se pencher sur les êtres, peser le pour et le contre et, surtout, s'analyser en fonction de son propre mea-culpa. C'est comme si un coup de vent avait tout balayé ce qu'il pouvait y avoir de négatif en nous. On s'accroche un sourire, on n'a plus peur de son miroir, on se prête à la rêverie… tout simplement parce qu'on renaît avec les premiers bourgeons. Oui, pendant que madame Provost s'affaire autour de son lilas pour qu'il soit en fleurs, j'ai fait le ménage de mon cœur… et croyez-moi, il était temps. J'ai ramassé un plein porte-poussière de mauvaise foi pour faire place aux bonnes intentions que j'entrevois avec la belle saison. J'ai réussi… pourquoi ne le feriez-vous pas ? Ne vous en faites pas, nous aurons d'autres hivers pour maugréer contre la vie encore une fois !

## *Ce tout premier emploi…*

Pas facile à décrocher n'est-ce pas ? Nous n'en sommes plus à l'époque où commencer au bas de l'échelle était la chose la plus facile à faire afin d'acquérir l'expérience nécessaire. De nos jours, c'est quasiment un miracle que de décrocher un emploi avec un bac universitaire en mains et les meilleures recommandations qui soient. Je le sais fort bien puisque deux de mes enfants fraîchement gradués de l'université ont à balayer les nombreux refus à leurs demandes. On leur répond, bien sûr, avec la très belle lettre imprimée d'avance, leur annonçant le regret de n'avoir aucune place pour eux dans leurs rangs. C'est tellement vrai que ma fille a dû s'exiler en Saskatchewan pour pouvoir enseigner et acquérir de l'expérience qui ne fera plus d'elle, l'an prochain… une fille à la recherche d'un premier emploi. Le pire, c'est que dans les quotidiens, on a des pages d'annonces répondant exactement à ce que ces jeunes cherchent et ce pourquoi ils ont étudié. Chaque fois, et je l'ai constaté, on ajoute « au moins deux ans d'expérience ». Comme exigence, c'est peu dire et, à ce compte, je me demande bien où les gradués vont la trouver et l'acquérir cette fameuse expérience qui leur permettra ensuite de postuler des postes pour lesquels ils sont qualifiés au départ. Si personne ne leur donne la chance d'exploiter leurs premières armes, comment peuvent-ils s'en sortir et s'ancrer dans une carrière choisie. Pas surprenant qu'il y ait autant de chômeurs instruits puisque pas un employeur, le gouvernement inclus, ne veut donner une première chance à ceux et celles qui ont bûché pendant des années, afin de sortir avec le fameux diplôme qu'ils finiront par accrocher sur leur mur sans pouvoir s'en servir pour autant. C'est à n'y rien comprendre, puisque ce sont justement ces jeunes de la relève qui coûtent le moins cher puisqu'ils sont prêts, tout comme nous, certificats à l'appui... à commencer au bas de l'échelle. Dernièrement, un jeune homme me disait être retourné à l'université afin d'y obtenir une maîtrise, n'ayant pu décrocher un emploi avec son bac. Pauvre lui ! Avec une maîtrise, il en sera encore au palier du premier emploi à sa sortie et, comme cette maîtrise commandera un salaire plus élevé, on choisira encore une fois un candidat moins onéreux avec juste un bac comme bagage... et deux ans d'expérience à l'appui ! Le gouvernement veut créer des emplois et encourager de plus en plus la jeunesse à se diriger vers de hautes études. Je me demande s'il ne devrait pas plutôt les inciter à se lancer dans divers métiers où la chance de gagner sa vie est peut-être plus facile. Moi, dans le domaine du journalisme, j'ai toujours été heureux de donner à des jeunes cette première chance qui leur a ensuite permis de décrocher autre chose. Si personne ne le fait, comment pourront-ils prouver ce dont ils sont capables ? Mon fils est diplômé en orientation scolaire et professionnelle, et tous les refus qu'il a essuyés jusqu'à maintenant sont dus, croyez-le ou non, à son « manque d'expérience ». Il a tout ce qu'il faut, mais personne ne veut lui donner sa chance, personne ne veut lui laisser mettre en pratique ce qu'il a appris en théorie. Il a de plus un permis d'enseignement et, encore là, il n'a « pas d'expérience ». Je suis certain qu'il n'est pas le seul dans son cas et je le déplore aussi au nom de tous les autres qui en sont victimes. Je ne peux croire qu'après toutes ces études il en soit un jour réduit à vivre de regrets... de s'être motivé en vain et d'avoir été refusé « faute d'expérience ». Ca n'a vraiment pas de bon sens !

## *Le savoir-vivre...*

Récemment, un animateur radiophonique avec qui je dînais me racontait comment il avait été reçu comme un chien dans un jeu de quilles par certains gros bonnets d'une station de télévision. Convoqué à deux reprises par la direction (je devrais dire, le directeur) il eut l'agréable surprise de se retrouver dans un fauteuil de qualité pour s'entendre dire : « Monsieur ne peut vous recevoir aujourd'hui. » Une fois, ça va mais deux, non. Le type en question laissa donc une note très radicale au monsieur afin de le rappeler à l'ordre et de lui inculquer à nouveau les toutes premières sources du savoir-vivre. Il y a quelques jours, j'étais à mon tour victime d'une offense semblable. Voulant respecter un rendez-vous que j'avais pris, une semaine plus tôt, avec un certain homme d'affaires très parvenu de la belle métropole, je pesai sur l'accélérateur pour ne pas être en retard et je traversai, par une chaleur torride, la ville entière pour m'y rendre. Juste à temps, j'entre et je m'entends dire par un jeune homme que « monsieur n'était pas là, qu'il avait dû s'absenter pour l'après-midi ». Furieux, je doute de ses paroles et lui dis de vérifier, qu'il m'avait pourtant donné rendez-vous, etc. Rien à faire, le « gros bonnet » était vraiment absent et m'avait... tout simplement oublié ! Je vous fais grâce des mots dont j'ai invectivé sa pauvre secrétaire, mais je voulais surtout savoir s'il avait souvent l'habitude de ne pas annuler les rendez-vous qu'il ne pouvait respecter. Voilà ce que j'appelle un manque de respect total envers autrui. Je ne peux concevoir qu'un homme intelligent, parvenu et bien éduqué, puisse agir de la sorte avec son prochain. Peut-il être possible qu'on ne puisse imaginer un instant ce que vaut le temps des autres ? Dans un siècle où il nous faudrait vingt-quatre heures pour accomplir son boulot, il y a de ces malappris qui osent encore manquer de considération et de respect à ce point. Je vous jure que jamais je ne prendrai un autre rendez-vous avec ce personnage. Moi, les rendez-vous, je les respecte. Je suis même si ponctuel que j'arrive toujours quinze minutes à l'avance. Si un événement malencontreux survient, je m'empresse d'annuler le rendez-vous afin que la personne dispose autrement de son précieux temps. Le problème c'est que trop de gens, parvenus au faîte de leur succès, font ce qu'on appelle de l'abus de pouvoir. Ils en prennent un malin plaisir sans penser une minute au manque de respect flagrant dont ils font preuve. Que ceux qui sont les maîtres de l'impolitesse se le tiennent pour dit… le savoir-vivre, c'est le pas le plus important de la réussite !

## *Soyons francs...*

Quand on dit que le Québécois cherche toujours à écraser son voisin, je vais finir par le croire. L'autre jour, lors d'une première d'une certaine comédie, un tas d'artistes étaient là à louanger la vedette principale, à la minauder, à lui crier des bravos... pour ensuite la poignarder dans le dos. En sortant, je pouvais entendre ces mêmes personnes dire: « As-tu vu le décor ? En plus, sa robe était quétaine ! » Ou encore: « Ça ne marchera pas, c'est pas assez étoffé ! » Que les gens sont hypocrites et si j'utilise cet exemple, n'allez pas croire qu'il n'y a que le milieu artistique qui soit ainsi victime de ce mal. Pas plus loin que chez vous, peut-être même chez votre plus proche voisin, cette plaie existe et vous n'y pouvez rien. On vous félicite sur l'achat d'une nouvelle auto et derrière votre dos on chuchote: « Où prend-il son argent ? Il doit sûrement avoir un *side line*. » La même chose pour ces supposés amis que vous invitez à souper et qui louangent vos plats, pour ensuite se dire entre eux que « le vin n'était pas fameux, hein ? » Encore plus près, il y a l'auguste « parenté » qui s'amène, votre propre sang qui s'émerveille devant votre nouvelle maison, qui vous félicite de vos meubles et qui, une fois partis, se diront: « As-tu vu comment ils veulent péter de la broue ? J'suis certaine qu'ils se payent ça avec ce qu'ils ont f... à l'impôt. » Vous parlez de votre enfant qui réussit en classe et votre cousine vous dira que le sien a eu de meilleures notes. Je pourrais poursuivre longtemps en vous citant des exemples et vous pourriez vous écrier: « Oui, ça m'est arrivé », sans penser un instant à ce que vous... avez dit des autres. Finalement, ça sert à quoi de se marcher sur la tête et de toujours s'écraser les uns les autres. Sommes-nous à ce point envieux du bonheur d'autrui ? Pourtant, ce sont ces mêmes personnes qui s'amènent quand un plat de m… vous tombe sur la tête avec une pseudo-sympathie et le cœur sur la main. Si vous saviez comme vos malheurs les arrangent bien. Soyons francs… ne jouons plus ce jeu qui nous distingue trop finalement, et soyons assez honnêtes pour dire tout haut ce que l'on pense tout bas. Vous n'aimez pas l'auto du voisin ? Dites-le-lui avec un peu de diplomatie et faites de même avec un talent que vous applaudissez sans pour autant apprécier. C'est quand on aura fini d'être hypocrites les uns envers les autres qu'on finira par croire soi-même en cette image de peuple uni qu'on se donne. Soyons vrais, soyons francs… au moins une fois de temps en temps, et je suis assuré qu'il nous sera possible d'en obtenir des indulgences plénières quand viendra le jugement dernier. Cessons de nous manger la laine sur le dos et perdons vite l'emblème de « mouton » qui nous caractérise si bien. C'est quand nous serons capables de nous regarder dans les yeux les uns les autres… que nous serons très près de notre vérité !

## *Tu, te, toi… toé !*

Au risque de paraître hautain ou encore vieux jeu aux yeux de certains jeunes, je me dois de les rappeler à l'ordre et leur dire que je ne suis pas d'accord avec le « tutoiement » qu'ils utilisent un peu trop facilement. J'ai des enfants qui n'en sont plus maintenant mais qui n'ont rien perdu de ce qui leur a été inculqué. Quand un jeune de dix-huit ou vingt ans m'arrive avec un « Denis » et un « tu » long comme le bras, j'avoue que ça me choque intérieurement parce que, dans mon temps, jamais je n'aurais fait ça. Ma mère me disait toujours que si une personne était assez vieille pour être mon père, le vous s'imposait… et elle n'a pas eu à me le dire bien souvent. C'est tout naturellement que le respect surgissait de mon vocabulaire. Aujourd'hui, des filles et des garçons de dix-sept ans à peine vous lancent des « tu » et des « salut, mon vieux » comme si on avait étudié sur le même banc d'école. Le pire est que, bien souvent, ils sont au courant que j'ai des enfants de leur âge, sinon plus vieux, et ils ne se gênent pas pour autant. Finalement, quand ces faits se produisent, ça finit par choquer mes propres enfants qui n'aiment pas voir leur père se faire manquer de respect, à moins que ce soit commandé ou permis… ce qui est très rare dans mon cas. Non, décidément, c'est trop facile et ça devient grotesque à la fin. Dans les bureaux, la même chose se produit et on peut entendre une fille de vingt ans crier à une dame dans la cinquantaine : « Hé, Aline, as-tu emporté ton lunch à midi ? » Ou : « Flore, tu capotes à matin, ton addition, ça marche pas ! » Somme toute, et c'est prouvé, la familiarité engendre le mépris et il serait temps de faire la part des choses. On n'appelle pas madame Laurin « Pierrette », à moins qu'elle insiste et que ça fasse partie de son choix… évolué ! De toute façon, on leur permet le tu qui devient toi, pour ensuite être carrément « toé ». En les gardant au vous, au moins, on ne risque pas de déroger de sa phonétique. Le respect, c'est d'abord et avant tout une histoire de parents. Si on commence dès qu'ils ont huit ou dix ans à inculquer aux enfants la politesse et les bonnes manières, on risque moins d'avoir plus tard des adolescents qui se permettront de tutoyer le père de leur blonde ou la mère de leur chum, sans même le leur demander. Moi, je vous assure que, sans vouloir faire de l'abus de pouvoir, je ne permettrais jamais que les amis de mes enfants s'adressent à moi comme si j'avais leur âge. La fameuse excuse « copain, copain », ça ne prend pas et je tiens au respect auquel mon âge a maintenant droit. Si je vous semble « rétro » je m'en moque. Le savoir-vivre, pour moi, c'est d'abord et avant tout l'intelligence de pouvoir faire la différence entre le tu et le vous. Entre nous… le pouvez-vous ?

## *De la prudence…*

Hé oui, c'est moi qui vous invite à la prudence. Moi, qui, petit garçon, traversais les rivières en me foutant éperdument des remous. Si je suis encore vivant, c'est que j'ai eu de la chance. C'est toujours avec effroi que je lis dans les quotidiens du lundi, les nombreuses morts accidentelles de la fin de semaine. Des noyades, des accidents de la route, des piétons heurtés à mort par des voitures, des accidents de pêche, etc. Le pire dans tout ça, c'est que la majorité des victimes ont entre dix et vingt-cinq ans. Des enfants, des jeunes gens qui ne se doutaient pas le vendredi qu'ils ne seraient plus de ce monde les jours suivants. Je sais qu'on ne peut éviter toutes les morts tragiques que l'on déplore, mais la tristesse de ceux qui leur survivent est un bien sombre tableau. Au gré du destin ?… pas toujours. On le défie trop à certains moments en se disant que « si mon heure est arrivée… » Non, il faut s'armer de prudence, penser à sa propre vie et aussi à celles des autres. Conduire en état d'ébriété, traverser un lac en canot quand on ne sait pas nager, rouler à bicyclette sans se soucier des autos… voilà les causes les plus fréquentes de ces décès prématurés. La vie est trop belle pour ne pas en jouir plus longtemps. Chassons l'insouciance, abolissons le risque et armons-nous de prudence. On devrait défier le proverbe qui dit que ce n'est qu'en vieillissant… que les humains deviennent conscients !

## *Combattre l'inflation...*

Là, ça devrait faire ! Moi, j'en ai assez d'entendre parler d'inflation, de la hausse du coût de la vie et de voir des gens gémir sur leur sort... quand ils pourraient tout simplement, et avec jugement, combattre ce fléau sans en souffrir. Tout augmente ? Alors, c'est bien simple, qu'on achète moins. Plusieurs vont répliquer : « Ça veut dire qu'il faut se priver ? » Oui, ça veut dire cela. Se priver de ce dont on peut se passer ! Si les gens se mettaient à faire la grève des achats, je suis persuadé que les responsables réviseraient leurs incessantes augmentations. Déjà qu'on ne peut rien contre le chauffage, le téléphone et les taxes, coupons au moins sagement sur le reste et nous arriverons. Ouvrez votre garde-robe, madame, et dites-moi si vous n'avez pas assez de vêtements pour au moins un an. Dites-moi aussi si c'est bien nécessaire d'avoir deux ou trois voitures par famille ? L'autre jour, au marché, je suivais une jeune femme et si vous aviez vu toutes les « cochonneries » qu'il y avait dans son panier, vous auriez sans doute cru, tout comme moi, qu'elle avait chauffeur et limousine à la porte. C'est pourtant cette même petite dame qui dira à une voisine, le même après-midi : « C'est effrayant comme tout augmente, ça me prend maintenant 200 $ juste pour faire mon marché ! » Je n'en doute pas, madame, et vos enfants doivent sûrement être embarrassés quand vient le temps de déjeuner et qu'ils ont huit sortes de céréales devant le nez ! Non, honnêtement, je pense que le bon sens commence là où la bêtise arrête. Des « faudrait bien que je change mes rideaux, j'suis tannée d'les voir ! » il faut que ça cesse quand on n'a même pas les moyens de changer de bas tous les matins. Aujourd'hui, dans un couple, les deux travaillent et je n'ai jamais vu de gens si endettés. À quoi ça sert alors de se morfondre à deux si on double les comptes ? Je sais que les loyers sont chers et c'est justement pour ça qu'il faut couper ailleurs. De plus, ne demandez pas à ces couples dans la moyenne des salaires de couper la sortie au restaurant chaque semaine. Sacrilège ! Le pire, c'est qu'ils choisissent toujours le plus dispendieux et le vin le plus cher. « Bah ! on réglera ça avec la carte ! » se dit-on. Un budget, ça se suit intelligemment et non au gré de ses impulsions. Pour amoindrir le mal, « on apporte son lunch au bureau » parce qu'on n'a pas les moyens d'aller au p'tit restaurant du coin. Faites-moi rire et souriez-en, j'espère, mais les moyens que vous n'avez pas sont plutôt ceux que vous vous permettez sans vous en rendre compte. On joue les bourgeois chez soi ? Alors, qu'on ne vienne pas jouer les pauvres devant moi. Vous allez peut-être me trouver radical dans ce billet, mais j'en ai assez, moi, des complaintes « de ces pauvres malmenés » de la vie. J'ai eu aussi des logements, des enfants, des dettes à payer, etc., mais, passez-moi l'expression vulgaire de ma mère, « je n'ai pas pété plus haut que le trou ! » Pensez-y donc juste un peu et, qui sait, vous aurez peut-être fini de vous arracher les cheveux !

## *Un peu de discrétion…*

Il y a retrouvailles et retrouvailles ! Avez-vous remarqué comme certains sont maladroits quand ils retrouvent des gens qu'ils n'ont pas vus depuis longtemps ? La preuve m'en a été donnée alors que j'assistais à une soirée donnée par un couple d'amis. Il y avait là une espèce de « grande gueule », comme on dit, qui prenait le plancher et qui, déjà, tapait sur les nerfs de tout le monde. À un certain moment s'amène un couple et le bonhomme en question reconnaît l'épouse, une camarade d'école qu'il n'avait pas revue depuis au moins quinze ans. Après les « allô » et « t'as changé, c'est pas croyable », le type en question se mit en frais de lui raconter : « T'en rappelles-tu, Pauline, quand on était au Business College et que t'étais partie avec le professeur que t'avais dans l'œil ? » Imaginez la stupeur de la dame qui rougissait bien malgré elle devant l'aveu public. Son mari la regardait de travers et fronçait déjà les sourcils. Comme si de rien n'était, l'indiscret recommença de plus belle en lui énumérant tous les mauvais coups qu'elle avait pu faire, ses escapades avec les garçons, le fiancé qu'elle avait laissé tomber, la nuit où elle n'était pas rentrée chez elle, etc. La pauvre dame avait perdu son sourire, croyez-moi, et elle était plus qu'indisposée par cette narration soudaine de sa vie d'étudiante face à son mari et aux étrangers qui déjà la jugeaient… sur un bien lointain passé. C'est comme si se retrouver voulait dire mettre à nu tout ce qu'on a pu faire ou être avant ce que l'on est devenu. C'est comme s'il était nécessaire de réveiller tous les morts, de faire surgir des situations pour que la personne vous reconnaisse enfin comme un ami d'autrefois. Ressasser les cendres, c'est le plus grand manque de tact et le plus aberrant savoir-vivre qu'une personne puisse avoir. Au contraire, c'est justement dans ces moments-là qu'il faut jouer de discrétion. Il y a certes certains petits souvenirs qu'on peut se rappeler, mais de là à tenter de faire tout passer à la blague, parce que c'est loin derrière nous, c'est un manque d'intelligence. À une autre occasion, j'ai vu un autre de ces adeptes du passé dire à un invité devant tout le monde : « Te rappelles-tu quand tu buvais ? » Imaginez ! Toute la visite venait de savoir que le gars au ginger ale était un alcoolique… qui venait de finir d'être anonyme. La discrétion, c'est mesurer sa pensée, peser ses mots et se tourner sept fois la langue avant de parler. Une simple petite anecdote du passé peut parfois engendrer un conflit au temps plus que présent. Quand on rencontre un ami qu'on n'a pas vu depuis longtemps, on doit s'enquérir de son présent, de son futur et ne jamais faire allusion à son passé quel qu'il soit. On ne rappelle pas à une vieille connaissance le temps où les huissiers frappaient à sa porte, on ne lui parle pas du Bien-être social qu'il recevait dans le temps, même s'il est très à l'aise aujourd'hui. Bref, on ne lui parle pas de tout ça, au cas où la personne en question n'en aurait jamais parlé. Il y a de ces indélicatesses qui ne se pardonnent pas et tout être bien équilibré devrait le savoir. Quelles que soient les fautes commises dans le passé, personne n'aime les voir déterrées de la sorte, et en public pardessus le marché. Je pense que le temps est le seul avocat de ses actes et personne n'a le droit de réouvrir un procès, aussi banal soit-il… parce que ça fait si longtemps, comme on dit. Diriez-vous à une personne : « T'en souviens-tu quand t'avais volé et qu'on t'avait collé trois mois de prison ? » Parfois, c'est aussi bête que ça !

## *Tout ce qu'on traîne avec soi...*

Cette semaine, histoire de me dérider un peu, car je ne suis pas toujours sérieux, j'ai demandé à mon adjointe à la rédaction d'ouvrir sans scrupule devant moi... son sac à main. D'abord surprise, elle se prêta à mon investigation plus qu'indiscrète et voici tout ce que j'ai pu découvrir dans le petit univers privé... d'une femme. Un parapluie, un peigne géant, (vous devriez lui voir la tête), des verres fumés, deux crayons, un vieux kleenex (quelle horreur !), un bonnet de pluie, le numéro de téléphone d'un ami, deux cartes d'affaires (oh ! elle m'a caché ce qui y était inscrit...), une lettre de son patron datée du printemps (je parie que c'est au moment de sa promotion), un horaire d'autobus (elle n'a pas d'auto), deux menus chiffonnés d'un restaurant à pizza (la gourmande), une carte sur les vins (sans commentaire), un sou noir (pour la chance), une bouteille de parfum, un mascara, un arracheur de sourcils (ouch !), des limes à ongles, trois vieux pansements (encore bons, dit-elle), de l'Anacin (pour les maux de tête que je lui cause), des pilules contre la transpiration (je n'y suis pour rien), du fard à joue, six épingles « à spring », un taille-crayon, un porte-clés avec ski-doo (un porte-bonheur, selon elle) et tout au fond, perdue dans les coutures, une aspirine sale et abîmée (j'avoue qu'elle l'a jetée quand elle l'a vue !). Elle m'a peut-être caché des petits coins secrets, mais ce que j'avais vu était suffisant pour me rendre compte que tout ce qu'elle traînait avec elle était beaucoup plus que ce dont elle avait besoin, la pauvre ! Voyant mon sourire narquois, cette chère adjointe me pria bien gentiment d'ouvrir à mon tour ma serviette afin d'en faire le petit bilan… ce à quoi je ne m'attendais pas. Pris à mon propre jeu, je n'ai pas eu d'autre choix que de m'exécuter. Elle découvrit donc : trois paquets de cigarettes entamés dont l'un au menthol (je fumais, dans le temps), des verres fumés, une loupe (pour l'annuaire du téléphone), des clés inutiles et des cartons d'allumettes égarés entre quatre ou cinq briquets. Dans un autre compartiment elle trouva une enregistreuse (outil de travail), des cartes d'affaires à n'en plus finir, des cartes de crédit (trop à mon goût), un dentifrice (curieux selon elle), des crayons, un petit tube qui cache les boutons qui surgissent après un mauvais repas, de l'Aspirine, des sédatifs (quand elle m'énerve trop), des photos de mes enfants, des *Lundi* écrasés les uns sur les autres, des quarante-cinq tours (qui sont là depuis un an), l'adresse personnelle de Loni Anderson (hum !), une cravate (ça peut être utile), des boutons de manchettes, des cassettes vierges, une photo d'Andrée Boucher (une amie), un vieux cadenas (j'sais pas pourquoi), des sachets de sucre (pris dans les restaurants), une bouteille d'eau de Cologne, la carte de fête que ma femme m'a donnée l'an dernier, du noir à chaussures, des boutons de chemises (arrachés à travers les ans), deux peignes, une vieille montre (qui ne fonctionne pas), des cure-dents, des lettres de lectrices (à répondre), et j'arrête là… je commençais à être vraiment gêné ! Tout ça pour vous dire qu'on en a profité tous les deux pour faire notre « grand ménage » et jeter à la poubelle ce qui ne servait qu'à alourdir le poids de nos sacs. Réflexion faite, je suis assuré que si vous faisiez à votre tour l'inventaire de vos sacs à main, vous auriez la chance de rire autant que nous de votre avoir. Et moi qui pensais que seules les femmes avaient la manie de traîner avec elles des inutilités, j'en ai eu pour mon argent. C'est incroyable tout ce qu'on peut traîner avec nous au cas… où !

# *Le respect des autres…*

Deux heures du matin dans la nuit d'un samedi à un dimanche par une belle fin de semaine de l'été et une bande de jeunes, revenant d'un parc des alentours, font tellement de bruit en déambulant sur une rue paisible du voisinage qu'ils réveillent tout un quartier ! Voilà au départ ce que j'appelle un manque flagrant de respect. Si l'été a ses bons côtés, il a aussi des désagréments et celui dont je parle en est un d'importance. Si vous avez la malchance d'habiter un coin près d'un parc public où les adolescents se réfugient avec une caisse de bière sous le bras, vous savez sûrement ce dont je parle. Premièrement, je me suis toujours demandé pourquoi on tolérait la bière dans les parcs publics. Remarquez que ça ne me dérangerait pas du tout si les « buveurs nocturnes » ne se conduisaient pas en voyous au moment de rentrer chez eux. Le respect des autres, nous y avons droit, vous et moi, et si j'emploie ce billet à le faire valoir, c'est qu'il y a des limites au manque de savoir-vivre de ceux qui se croient tout permis. On chante à tue-tête, on crie, on lance ses bouteilles vides sur les autos stationnées dans les rues… et personne n'intervient. On se contente d'essayer de retrouver le sommeil, espérant qu'une autre bande, tout aussi bruyante, n'emboîtera pas le pas dix minutes plus tard. Le respect des autres, c'est se mettre en tête que d'autres vivent en même temps que vous… à un rythme bien différent. Ce respect s'applique aussi entre voisins, et certains s'imaginent qu'en ayant fait l'acquisition d'une maison, ils ont fait l'achat de la rue. Les fêtes se succèdent, le bruit infernal éclate jusqu'au petit matin et l'on s'offusque de la moindre remarque venant d'à côté. On ne pense pas un instant qu'on vit en société et l'on prend ses ébats, comme si l'on était seul au milieu d'un bois. La même semonce s'applique aux nouveaux locataires qui s'amènent dans un troisième, oubliant que des gens habitent le deuxième et le premier palier. Une brave dame me disait dernièrement qu'on avait piétiné toutes ses fleurs pendant son absence… et pourtant son petit coin bien à elle n'était que le bout du balcon où les locataires du troisième ont accès pour monter chez eux. Est-ce possible ? Vous avez aussi de ces fous furieux qui, au volant de leur voiture, font crisser les pneus à vive allure au beau milieu de la nuit sans penser un instant que, quelque part, une mère tente d'endormir son enfant. Il y a aussi de ces personnes à qui tout est permis et qui ne se gênent pas pour permettre à leur gros doberman de faire ses besoins sur votre terrain. Le chien avait envie ? C'est vous qui ramassez ! Nous n'avons plus, hélas, ni les emplacements ni les moyens d'être à deux milles de son plus proche voisin et c'est justement là que le respect des autres devrait avoir sa raison d'être. Il est inadmissible qu'avec l'éducation qui se donne on en soit encore à se plaindre de ces malotrus. Je regardais dernièrement à la télévision une fête champêtre où les gens, se tenant par le cou, entamaient : « Gens du pays, c'est votre tour de vous laisser parler d'amour. » Qu'on cesse donc de chanter et qu'on commence par respecter ses semblables. Pour un peuple qui se dit solidaire, ce n'est pas le respect qui prime sur les intentions. Je suis sûr que les Iroquois avaient plus de respect pour la tente de leurs semblables et que c'est avec plus de franchise qu'on fumait alors… le calumet de paix. Une fois pour toutes, ayons ce respect des autres et ne nous enlisons pas davantage dans ces immondices. Chaque été je dois me répéter et c'est navrant. Sommes-nous à ce point… un peuple d'enfants ?

# *Être vraiment sincère…*

Voilà une qualité qu'on ne peut attribuer à ses meilleurs amis… sans au moins éprouver un tout petit doute. N'est-ce pas pour cette raison que, bien souvent, on les met à l'épreuve ? Quand il m'arrive de demander à certains artistes ce qu'ils aiment le plus chez les autres, neuf fois sur dix, on me répond : « La sincérité ». Il va de soi que tout le monde déteste l'hypocrisie quand la question est posée à l'inverse. Entre les deux cependant, nous est-il possible de faire la juste part du vrai ou du faux ? Oh !… comme ce n'est pas facile ! Jésus n'a-t-il pas été renié trois fois par Saint-Pierre ? Si le coq chantait encore de nos jours dans ces occasions, j'en connais plusieurs qui se lèveraient bien tôt le matin. Être vraiment sincère, c'est dire avec son cœur et des mots ce que la pensée suggère et non ce qu'elle déguise habilement. J'ai déjà entendu une dame dire chez une autre : « Ah ! comme c'est joli chez vous ! » Pour ensuite ajouter à quelqu'un d'autre, dès qu'elle avait le dos tourné : « Y'a rien là, je pensais vraiment qu'elle vivait plus richement que ça ! » Voilà ce qui s'appelle n'être pas sincère. Somme toute, la formule d'entrée n'était que de courtoisie et le cœur était loin de dire ce que les yeux voyaient. Même si ce n'était pas « richement meublé », comme elle le murmurait, elle aurait pu se taire et se dire : « Au moins, c'est propre, bien tenu et l'accueil est chaleureux. » Il se peut que la pensée ne soit pas toujours d'accord avec les mots et ce n'est pas de l'hypocrisie à ce moment, quand on a l'intelligence de garder ses opinions pour soi. Être sincère ne veut pas dire être effronté au point de blesser. Il aurait été beaucoup plus sage pour cette dame de ne rien dire du tout. Voilà ce qui aurait été beaucoup plus sincère. La discrétion n'est pas un défaut à ce que je sache ? La même chose s'applique à des gens qui nous téléphonent et à qui on n'a pas envie de parler. On nous les annonce, on se dit : « Ah non, pas encore lui, qu'est-ce qu'il me veut », et l'on répond avec le plus gentil des « allô, comment vas-tu ? » Dans de tels cas, si le cœur n'y est pas, il est préférable de faire dire que l'on est absent. C'est beaucoup plus sincère que de répondre mielleusement avec le cœur en rogne. Je ne pense pas que personne soit assez masochiste pour se laisser imposer le tourment d'une fausse amitié. Non ! Il arrive cependant que le moment est mal choisi, qu'on a passé un mauvais coton juste avant et qu'on ne veuille pas que la personne au bout du fil se sente coupable d'avoir dérangé. Prétexter une absence ou faire dire qu'on est dans son bain vaut beaucoup mieux qu'un « bonjour » dont l'interlocuteur sentira qu'il dérange. Être vraiment sincère, c'est se réjouir du bonheur des autres et non faire mine qu'on est de tout cœur avec eux pour ensuite se dire : « Ce n'est pas à moi que telle chance arriverait ! » On peut fort bien se le dire entre nous, mais pas par dépit... si au fond on est heureux de la part de l'autre. En amour, c'est encore plus grave. Comment peut-on dire à quelqu'un « je t'aime » quand « je t'aime bien » aurait été plus honnête. Avouez qu'il y a une nuance entre les deux. L'amour ou l'amitié sincère ne se devine qu'à long terme. C'est quand le doute fait place à la certitude qu'on peut tout se dire sans risquer de blesser. Il n'est pas facile d'amener les gens à croire en soi, mais quand c'est fait, quand on est certain d'avoir franchi ce pas, plus rien ne peut entraver la confiance et la sincérité qu'on a déposées dans le cœur des autres. Et c'est de là que les plus belles histoires de la vie naissent pour être vraies... à l'infini !

## *Entre le bien et le mal...*

Sommes-nous à ce point en mal de sensation pour que le mal prime sur le bien, par l'entremise des médias, dans une société dite évoluée ? Je viens tout juste de terminer la lecture d'un livre intitulé *Olson, le meurtrier* qui m'a été envoyé par l'éditeur, et je vous avoue avoir déploré le fait qu'un tel sujet puisse servir la cause de notre détente par la lecture. J'ai été révolté de constater qu'on pouvait faire d'un meurtrier une sorte de figure qui risque de passer à la postérité à cause de la forte publicité qu'on lui accorde. Clifford Olson, c'est un dément de la Colombie-Britannique qu'on a payé pour qu'il indique l'endroit où il avait enterré les corps de ses victimes. C'est aussi celui qu'on a remis en liberté pour Noël afin qu'il passe le temps des Fêtes dans sa famille, avec sa femme et son fils qui vivent bien grâce aux 100 000 $ qu'ils ont touchés grâce aux indications du meurtrier. C'est inadmissible et ça me révolte de voir qu'on nous offre ce récit comme si le tueur était un personnage de roman... quand il s'agit d'un être ignoble, indigne d'avoir même sa photo dans la moindre colonne d'un quotidien. Pauvre peine capitale ! Il y a des fois où je me demande si la justice a tous ses esprits ! Il n'y a pas un jour qui s'écoule sans que la télévision nous invite à nous régaler de violence, de perversion et de mal. La bonté du genre humain est-elle périmée au point que les commanditaires n'achètent plus ? Être bon, être honnête, être généreux serait-il quelconque ? Ce renversement néfaste me fait grandement peur et je m'explique encore plus. L'an dernier, on nous présentait à la télévision, en première mondiale, le film *The*

*Executioner's Song* avec Tommy Lee Jones. Nous avons donc eu droit aux meurtres de Gilmore, ce tueur de sang-froid qui a fini par passer pour un « héros » en exigeant la peine de mort pour l'expiation de ses crimes. J'ai frémi en voyant ce film qui ne m'a guère détendu et j'ai mal dormi cette nuit-là. Le lendemain, ou deux jours plus tard, on apprenait par la voix des journaux, qu'un jeune homme de vingt ans, très influencé par ce film, avait abattu à bout portant sa grand-mère et son grand-père. Sans ce film dégueulasse, les vieillards seraient encore vivants ! Si les deux cas relatés sont des histoires vraies, il ne faut pas oublier pour autant tous ces épisodes des séries qui incitent à la violence. Une émission de *CHiPs* nous laissait voir comment il pouvait être facile, avec des patins à roulettes aux pieds, de voler le sac à main des dames sur la rue. Ingénieux, n'est-ce pas ? Une autre émission nous donne la chance de voir un crime parfait, ou presque, et les intéressés n'ont qu'à éliminer l'erreur du héros pour y arriver. Non, décidément, c'est impardonnable de troubler ainsi des cerveaux qui ont tendance au mal, quand il serait si facile de les faire opter pour le bien. Si seulement on pouvait s'axer sur la tendresse, sur le bon côté de la vie, sur le positivisme. Si seulement on s'évertuait à nous démontrer les actes de courage, la détermination de certains, la générosité des autres. Je pense sincèrement qu'il est grand temps qu'on s'élève contre ces incitations au mal et qu'on exige de ceux qui s'en inspirent, une dose d'amour humain, l'image d'un demain prometteur, un plus… et non un moins. Si la société avait réagi il y a dix ans, les onze petites victimes d'Oison seraient encore vivantes, à jouir du bien-être de la vie. De grâce messieurs, pensez-y et changez l'encre de vos plumes pendant qu'il en est encore temps !

## *Le temps est beau, mais…*

Les rues sont bondées d'automobiles, l'affluence est désarmante et, dans le métro, les passagers sont plus nombreux que jamais. La raison ? Tout le monde est de retour et les vacances sont choses du passé pour tous. Je me souviens avoir toujours détesté la première semaine de septembre parce qu'elle représentait le mot « fin », comme à la fin d'un beau film. Il fait encore beau et chaud, parfois, mais cet air de liberté n'est plus de la fête. Monsieur et madame ont pris leurs vacances, les enfants sont déjà en route pour l'école, et pourtant, les petits oiseaux sont encore dans nos arbres à attendre que les enfants viennent patauger dans leur piscine en leur laissant quelques miettes de pain. Ce retour à la normale, si on met à part le triste décor qu'il représente, a quand même ses qualités. On reprend le taureau par les cornes, on se stabilise et l'on planifie en vertu d'un but qu'on s'est fixé. C'est là que le rêve fait place à la réalité et que les gens redeviennent sérieux et conscients de leur avenir. Ce n'est que la première semaine qui est difficile à prendre. On ne tourne pas la page d'un bel été sans en ressentir un pincement au cœur. Ensuite, on s'y fait et on retrouve tout son courage. La paresse, qui nous habitait tout au cours de l'été, fait place à l'énergie qu'on avait en réserve et l'on repart de plus belle sur le sentier de nos batailles. La semaine prochaine, plus personne ne remarquera qu'il y a plus de voitures dans les rues… et moins de bicyclettes. S'il fallait que ce temps des vacances et du laisser-aller ne prenne jamais fin, qui d'entre nous aurait même le goût de penser à son lendemain ? On deviendrait dès lors comme des

Mexicains qui apprécient beaucoup plus l'heure de la sieste que celle du travail. C'est là qu'on se rend compte du bienfait d'avoir quatre saisons. C'est sûr qu'il nous en coûte plus cher pour vivre dès que septembre revient. L'épicerie est plus chère parce qu'on a fini de manger des hot dogs sur le gril. On a besoin d'une nourriture plus saine, plus soutenante et ça coûte plus cher. Pour les vêtements, c'est la même chose et les petits n'iront pas à l'école en maillot de bain, avec des sandales de caoutchouc aux pieds. Il y a de plus les frais scolaires, les articles nécessaires à leur éducation, le transport qu'on doit leur payer, le lunch à préparer et j'en oublie. On a besoin de refaire sa garde-robe, de se préparer en vertu des comptes à payer qui doubleront bientôt et à économiser sur quelques sorties pour faire face à ces dépenses inattendues. Moi, j'ai juste à penser aux sessions universitaires de mes enfants pour en avoir la chair de poule ! Ils me coûtent si peu l'été et si cher dès que septembre revient. C'est évident que la majorité des parents dans mon cas vont troquer les grands restaurants pour le petit cinéma, mais on ne sera pas plus malheureux pour autant. On a fait la bombe tout l'été ? On a pris ça comme ça venait ? On travaillait dans l'attente de vacances ? On se payait des petits luxes par ci par là ? Il est temps de redevenir sage et de compter sans dépenser au lieu de dépenser sans compter. C'est un renversement de situation qui se produit tous les ans mais, entre nous, il n'est pas facile à accepter. On a été gâté, très gâté cette année par ces journées chaudes et humides où la limonade coulait à flot. Une telle chaleur, c'est très bon pour la ligne et ça réduit la liste d'épicerie. Là, il faut se reprendre en main, redevenir des êtres intelligents et dire adieu à l'été. Le temps est beau… mais, je vous avoue qu'un autre été de suite ne m'aurait pas été de trop !

## *Savoir éviter un « burn out »...*

On s'anglicise comme ce n'est pas possible et voilà que j'en suis rendu à utiliser le terme « burn out » pour que la majorité des gens me comprenne. Remarquez que ça fait plus « punch » dit en anglais mais, finalement, tout ce que ça veut dire c'est qu'on s'est « brûlé » à force d'avoir brûlé la chandelle par les deux bouts. C'est finalement être rendu, physiquement et moralement, « au bout de sa corde » ou de son rouleau. C'est être anéanti, usé au point d'être obligé de s'asseoir avant de sombrer dans une dépression due à un surmenage qu'on n'a pas su évaluer. Le travail ne fait pas mourir, disaient nos ancêtres, mais en ce temps-là, le stress ne faisait pas partie de la vie courante puisqu'ils travaillaient très fort, mais tous au même rythme, sans avoir l'ambition de toujours surpasser son voisin. Les gens étaient moins exigeants et personne ne cherchait à épater la galerie. On vivait modestement et, parfois, on survivait, mais jamais l'on se plaignait et l'on dormait, paraît-il, paisiblement sur ses deux oreilles quand venait le soir. De nos jours, on s'use jusqu'à la moelle des os parce qu'on veut trop parvenir, trop en faire... pour trop faire d'argent qu'on n'emportera pourtant pas sous terre. Le coût de la vie est plus cher, je vous le concède, avouez tout de même que les exigences des couples d'aujourd'hui le sont davantage. On veut deux autos, des voyages, une maison, des bijoux, etc. Et pour ce faire, on travaille à la sueur de son front jusqu'à en être brûlé. Si ce n'était que de la sueur qu'on répandait, passe encore, mais si on ajoute à cette anomalie l'angoisse, l'anxiété, les émotions fortes, l'impatience, l'ambition mal nourrie, pas surprenant qu'on se retrouve affaissé dans un fauteuil avec le fameux « bum out » ou « vidé complètement », si vous préférez. Maintenant que le malaise est établi et que j'ai énuméré à peu près tous les symptômes, ai-je un remède à vous suggérer ? Bien sûr que oui, puisque j'ai été l'une des premières victimes de ce trop plein d'efforts dont je ne me rendais même pas compte. Il m'a fallu me réveiller avec des simili-crises d'angine causées par un stress immense, pour comprendre que je m'étais brûlé à la tâche. La solution ? Diminuer ses activités tout simplement sans toutefois réduire sa passion pour celles que l'on conserve. S'alimenter beaucoup mieux est une bonne chose à faire car « manger sur le pouce » ne se digère pas à tout âge. Il faut aussi profiter de meilleures nuits de sommeil et se rappeler que tout sommeil avant minuit est réparateur. Quand on a le souffle coupé, il faut s'arrêter net… avant que le cœur s'arrête brusquement et qu'on dise de vous : « Quel brave homme, il est mort à l'ouvrage ! » Je m'excuse si je parle ici d'hommes, mais les infarctus sont encore beaucoup plus masculins que féminins, même si ces dames, ayant adopté une vie semblable à la nôtre, y sont maintenant aussi vulnérables. Des morts de trente-cinq ou quarante ans, il y en a trop, beaucoup trop, ce qui laisse un tas d'orphelins qui ne comprennent pas que leur père ou leur mère se soient tués à la tâche. Sortez dehors tandis qu'il en est encore temps, humez l'odeur d'une feuille tombée d'un arbre, prenez une marche de santé à pas lents et tentez de me dire après que vous n'avez pas apprécié, pour une fois, la joie de vivre. On fait moins d'argent à réduire ses activités ? Et puis après ? On paye moins d'impôts, c'est tout ! Ayez le cœur à l'ouvrage, mais ne le laissez pas vous amener jusqu'au pontage. Travaillez, j'en conviens, mais vivez en même temps. Somme toute, modérez vos transports, ralentissez votre rythme, soyez intelligents. C'est la seule façon d'espérer voir tout doucement… ses premiers cheveux blancs !

## *Les mères au foyer…*

Une jeune femme qui s'était procuré mon volume en librairie m'écrivait dernièrement pour m'en parler, et ajoutait : « Je suis encore à mes fourneaux pour quelque temps, mais après, je compte retourner au travail, etc. » Le ton de sa lettre me laissait savoir qu'elle m'avouait ce fait comme si elle avait honte de son état de femme au foyer, comme si elle s'excusait de n'être pas une femme sur le marché du travail, comme si c'était « marginal » de rester chez soi à élever les enfants qu'on a voulus. Chère petite madame, si vous saviez combien j'ai admiré votre merveilleux curriculum de mère de famille. À mes yeux, vous aviez, ce jour-là, avec vos trois enfants à vos jupes, plus de mérite que la femme d'affaires la plus cossue de la métropole. Depuis quand est-il dévalorisant d'être une femme au foyer ? Depuis quand ces braves mamans ont-elles à s'excuser de ne pas être encore sorties de leur cuisine ? Depuis qu'on parle de femme libérée ? Surtout pas à moi, madame. Si vous vous sentez mal dans votre peau, c'est sans doute parce que d'autres femmes, qui ont gagné les rangs des femmes « à l'extérieur », vous font sentir mal à l'aise. Je ne pense pas qu'un seul homme vous reprocherait le fait d'avoir volontairement choisi d'être une mère à temps plein, et je dirais même que la plupart des femmes seront de mon avis, puisque plusieurs d'entre elles l'ont été bien avant vous. Il se peut que quelques-unes, comme vous dites, vous regardent de haut, mais c'est une infime partie, car toute femme qui a encore son cœur à la bonne place ne piétinera jamais le rôle de celles qui ont choisi d'engendrer, d'élever leurs enfants, d'être avec eux constamment et de leur donner l'amour auquel ils ont droit, maintenant qu'ils sont là à vous encercler le cou de leurs petits bras. Vous avez certes raison, petite madame, d'entrevoir autre chose que de laver des couches et repriser des bas toute votre vie. La femme d'aujourd'hui n'est plus celle d'hier et ne se contente plus du rôle, parfois très ingrat, qu'ont joué leur mère et grands-mères. Tout ce que je veux dire, c'est que pendant que s'écoule le «pendant» de votre vie de maman, vous n'avez pas à rougir d'être à votre four et de regarder les émissions d'après-midi. J'ai une épouse qui est sur le marché du travail depuis que nous sommes mariés (une avant-gardiste !) mais elle avait, tout comme vous, cessé toute activité extérieure pour s'occuper des premières années de nos deux enfants qui sont arrivés à tour de rôle. Ensuite, et ce, malgré mon désaccord (autres temps, autres mœurs), elle est retournée sur le marché du travail et elle a eu raison de le faire. Tout en étant une merveilleuse mère, elle a pu s'épanouir, poursuivre une carrière bien amorcée, mais jamais n'a-t-elle rougi d'avoir dû, à un certain moment, être une mère à changer des couches (les Pampers n'existaient pas) ! Je connais d'ailleurs des petites femmes d'aujourd'hui qui ont choisi d'être des femmes au foyer, des mères et des épouses à temps plein. Elles ne veulent pas d'un double emploi et m'avouent que, même si les temps sont durs, elles parviennent à joindre les deux bouts. C'est là un choix que je respecte, car si toutes les femmes se retrouvaient sur le marché du travail, je me demande bien qui prendrait la relève pour garnir les berceaux. Sûrement pas les hommes ! Alors, petite dame qui m'écriviez ces mots si gentils, soyez fière d'être tout entière à vos petits. Ne vous expliquez plus à qui que ce soit. Votre sort vaut bien celui de toutes les autres et un jour, vous reprendrez votre carrière. J'analyse le tout et je me dis : «Ouf ! quel courage elles ont, ces mamans d'aujourd'hui ! »

## *Admettre ses erreurs…*

Voilà ce qui n'est pas facile à faire quand on est en possession du pire des sept péchés capitaux, l'orgueil ! Moi, j'ai connu des gens qui ont préféré perdre des amis, auxquels ils tenaient beaucoup, plutôt qu'admettre une erreur et de s'en excuser. C'est terrible tout le mal que peut engendrer le fait de ne pas être capable d'une telle chose, si simple au fond, quand on y pense bien. Nous commettons tous des erreurs et ceux qui se défendent d'en faire… sont ceux qui ne font rien. La perfection n'est pas de ce monde et, aussi perfectionniste soit-on, il nous est impossible de ne jamais être fautif dans ce que l'on dit ou ce que l'on fait. Il nous arrive donc indubitablement de commettre des erreurs, de se tromper, de ne pas avoir raison et de se le faire mettre sur le nez. Je sais que c'est choquant d'avoir à s'avouer vaincu, mais il vaut mieux le prendre avec humilité que de s'en défendre, au risque de se retrouver encore plus perdant. Est-il si difficile que cela de dire à quelqu'un : « Excuse-moi, c'était là mon erreur. » Est-ce là un suicide moral ? Allons donc, comme si nous n'avions pas le droit de nous obstiner à mort pour s'apercevoir que l'on a tort. Bien oui, ce serait plus agréable si l'autre ne revenait pas sur le sujet, mais comme on aime étaler qu'on avait raison, il est normal qu'on aime voir l'autre avouer qu'il avait tort. Si je me réfère à mon jeune âge, je me rappelle qu'il ne m'était pas facile d'admettre mes erreurs, car c'était s'humilier selon moi, accepter la défaite et s'avouer idiot alors qu'on se prend pour le nombril du monde. Admettre ses erreurs, ça veut dire être capable de dire qu'on s'est trompé dans tel ou tel débat, tout comme admettre qu'on a été fautif dans un geste et responsable des conséquences. Il y a certes de petites erreurs qui s'admettent bien quand il y a un petit pari en cause et que le tout se veut inoffensif et encore là, on est en beau maudit d'avoir perdu sa gageure. Imaginez quand il s'agit d'admettre publiquement au travail qu'on a été fautif, qu'on a eu tort de penser que ça marcherait quand tout a échoué. Là où c'est encore plus difficile, c'est en amour, dit-on, parce qu'on se croit toujours trop sage pour être dans l'erreur. Pensez-vous qu'un mari va dire à sa femme qu'elle avait raison la veille et aller jusqu'à s'excuser ? Quelques-uns le font, certaines femmes aussi, parce qu'ils ont appris tous deux avec le temps qu'en admettant ses erreurs, ça remettait le ménage sur la bonne voie. En matière d'admettre ses erreurs, je pense que c'est avec l'âge qu'on apprend que ça ne crève pas notre ballon d'orgueil pour autant. Il m'est arrivé à plusieurs reprises de dire que j'avais tort, de m'en excuser, et je me suis aperçu qu'à agir ainsi, j'ai augmenté d'intensité l'amitié et la considération qu'on me portait. Il faut savoir prendre dans la vie quelques gorgées d'humilité, et admettre ses erreurs en est une. On ne peut toujours avoir raison. On peut même se conduire de façon si cavalière qu'il est plus qu'urgent de s'en excuser le lendemain. Il y en a qui agissent comme si la veille n'avait jamais existé et qui se disent qu'ils n'ont peut-être pas tort. Ce sont ces êtres qu'on retrouve un jour, seuls, abandonnés de tous, sans amis, sans appui, parce qu'ils n'ont jamais su, ni pu admettre la moindre de leurs erreurs. Comme le fait se produit tous les jours, qu'il se veut contagieux, empaillons vite notre fierté et n'ayons pas peur d'admettre qu'on a eu tort. C'est en agissant de la sorte qu'on évitera d'admettre un jour la plus grande de ses erreurs, celle de ne pas avoir appris à admettre les plus petites… qui ont fait qu'on se retrouve seul, sans visite !

## *Plus ça va, pire c'est…*

On a beau dire que tout coûte plus cher, n'empêche que c'est toujours le consommateur qui paye la note et, ne serait-ce que pour cette raison, je pense qu'il est en droit de s'attendre à plus de service. Moi, j'en ai assez de me rendre dans les grands magasins et de courir après les commis qui sont inexistants. Les prix n'ont pas baissé pour autant, croyez-moi. J'en ai assez également de me rendre au supermarché et d'avoir à mettre moi-même mes provisions dans les sacs, faute de garçons pour le faire. J'en parle à des caissières qui me disent : « On n'y peut rien, fallait couper ! » Pendant ce temps, la file de gens s'étire, on attend, on perd patience et si on coupe le personnel, on ne coupe pas les prix pour autant. Un autre exemple ? Composez le 4-1-1 et voyez comment ça se passe maintenant. On attend de dix à quinze coups avant qu'on nous réponde et en plus, on a nettement l'impression qu'on les dérange. Le pire, c'est que Bell Canada a rendu ce service « payant ». Est-ce assez cocasse ? Autrefois, alors que l'information se voulait service gratuit, on employait des femmes stylisées et leur formation durait des mois. On voulait même qu'elles soient élégantes pour être au bout d'un fil. Je n'exagère en rien puisque mon épouse a déjà fait ce travail. Un mot de travers et la surveillante était là avec presque le petit papier de congédiement. Aujourd'hui, alors que l'on paye pour le service, on engage à peu près n'importe qui et la discipline n'existe plus puisque l'on ne nous répond jamais de la même façon. On nous « garroche » le numéro et si vous leur demandez de le répéter, elles le font avec un soupir d'impatience. Je n'exagère pas, je viens juste d'en avoir une de la sorte, il y a à peine dix minutes. C'est inconcevable, mais vrai et je ne peux passer outre à un tel état de chose. On paye de plus en plus pour tous les services et on a de plus en plus l'impression qu'on dérange le monde. Allez faire votre tour dans certains « fast food », où le pourboire est interdit, et vous verrez que la petite fille n'est pas toujours heureuse de prendre votre commande. Pourtant, elle y gagne sa vie et ce n'est tout de même pas notre faute si on nous interdit de lui donner un surplus. L'autre soir, j'appelle dans une station de radio FM pour avoir un renseignement concernant un message qui venait de passer. Pensez-vous qu'il y avait là une réceptionniste ? Bien sûr que non, voyons donc, il faut couper. Après vingt-deux coups de forte insistance, je finis par avoir un annonceur ou un technicien au bout du fil qui me dit qu'il ne peut m'aider… parce que tout a été enregistré la veille et qu'il n'est pas au courant. Dans une station-service l'autre jour, j'attendais depuis dix minutes et personne ne venait me servir aux pompes. Je suis parti quand un garçon a finalement daigné se montrer, afin de lui donner une leçon. Plus ça va, pire c'est… et je comprendrais tout ça si le public n'avait plus à subir d'inflation, mais ce n'est guère le cas. On coupe partout, on ne nous sert plus nulle part, faute de personnel, et l'on s'étonnera après d'avoir une augmentation de vols à l'étalage. Dans les cliniques d'urgence, c'est la même chose et le pire, c'est que tout ce beau monde dont je parle… parle sans cesse de faire la grève parce qu'ils travaillent trop fort et qu'ils ne sont pas assez payés. Je donnerais je ne sais quoi pour que le retour des années cinquante soit là dès demain. Tout marchait si bien, tout était si équilibré. Je ne peux pas me rentrer dans la tête que, trente-cinq ans plus tard, j'en sois à me plaindre de la sorte. Évolution ? Ça veut dire quoi donc ?

## *Ces pauvres petites victimes...*

Il faut vraiment avoir le cœur dur comme de la pierre et les yeux fermés sur l'innocence pour oser battre un enfant. Et pourtant, chaque jour à travers le monde, des milliers d'enfants sont victimes de parents déséquilibrés qui se défoulent sur eux, sans pitié, sans merci. Je regarde les journaux et je suis horrifié à la vue de ces petits êtres qui affichent un œil au beurre noir ou des brûlures aux jambes et aux bras. Je me souviens qu'étant jeune, ma mère avait été traumatisée par le cas de la pauvre petite Aurore. Tout le Québec, à ce moment, voulait s'emparer de la marâtre pour lui faire payer ses crimes. De nos jours, c'est comme si le Québec acceptait que les enfants battus soient une part de notre société infecte. Je suis d'accord avec vous qu'on ne peut pas tous partir en chasse contre ces batteurs d'enfants, qu'on ne peut pas tous les abattre afin d'enrayer le fléau mais, de grâce, faisons au moins notre part quand on entend dire qu'un pauvre petit être est victime d'une mère dénaturée ou d'un père dégueulasse. Avertissons les autorités, réagissons, mettons un cran d'arrêt et sauvons ces enfants au lieu de « nous mêler de nos affaires », tout simplement. Je me demande ce qui a fait que le temps ait ainsi empiré les choses ? Les parents sont-ils devenus à ce point irresponsables ? Est-ce la drogue ou l'absence de Dieu dans les foyers qui fait qu'on ne respecte même plus ses propres enfants ? D'abord, comment peut-on en venir à lever la main sur un être aussi fragile, aussi beau et aussi angélique qu'un enfant. Je n'ose imaginer qu'à la vue d'une seule larme de leurs yeux tristes, on ne puisse reprendre ses esprits et cesser ce rouage de coups qui va parfois jusqu'à laisser l'enfant entre la vie et la mort. Je ne peux penser qu'un père avec des bras d'acier puisse frapper de son poing le visage frêle de son bambin, aussi turbulent soit-il. Je ne peux concevoir qu'une jeune mère à l'instinct maternel puisse en arriver à perdre patience au point de rouer de coups de pieds l'enfant à qui elle a donné la vie. Je ne peux pardonner à ces parents ignobles qui vont jusqu'à écraser leurs mégots de cigarettes sur les mains douces d'un petit être implorant leur clémence. Je ne peux penser à tout cela sans avoir une espèce de rage au cœur et j'arrête… car j'ai l'impression que ma révolte ne va qu'intensifier la vôtre. J'ai eu des enfants à élever, j'ai parfois perdu patience quand ils étaient agités, mais jamais, au grand jamais, ma femme et moi n'avons levé la main sur nos petits. Nous les avons, bien sûr, grondés, punis en les envoyant au lit plus tôt que prévu, mais jamais je ne me serais vu toucher à un seul des cheveux de ces petits êtres tant désirés. Le pire, c'est que pendant que des parents sans scrupules battent régulièrement les enfants qu'ils ne méritent pas, d'autres couples donneraient tout ce qu'ils ont pour avoir la joie d'en tenir un seul dans leurs bras, de l'aimer, de lui apprendre que la vie est sourire plus que larme. Il est affreux le drame de l'injustice, mais que voulez-vous, la vie est ainsi faite et même si j'en ai parfois envie, je n'irai pas jusqu'à m'obstiner avec le bon Dieu. À l'école, nous apprenions avec douleur « le massacre des saints Innocents » et nous étions perplexes. Laissez-moi vous dire qu'ils sont plus nombreux que jamais ces pauvres petits martyrs de notre siècle actuel. Parents, qui avez ce vice au corps de battre vos enfants, j'en appelle à votre cœur et vous supplie de les confier à d'autres qui sauront les aimer, pendant qu'on saura vous aider, vous soigner. Il faut absolument que cesse ce carnage, car ces enfants qui pleurent ne pourront jamais devenir des êtres humains… à être ainsi traités cent fois pires que des chiens !

## *Savoir s'effacer...*

C'est un sujet bien délicat que celui dont je traite ici puisqu'il a trait à l'amitié, mais je suis assuré que tout ceux qui vénèrent ce sentiment sauront en tirer profit. Un jour, un type que je connaissais m'avait dit: « Moi, des amis, j'en veux pas, parce que c'est trop envahissant. Ca prend trop de ta vie, ça s'impose et finalement, tu n'as plus de temps à consacrer à ta famille ! » Il était peut-être radical dans sa façon dc voir les choses, mais je crois qu'il existe des gens qui, peut-être, ne savent pas s'effacer parfois de la vie des autres. Une amitié qui naît sur le plan professionnel ne doit pas suivre jusque dans la vie intime. Ce que je veux dire par là, c'est que l'ami qu'on a au travail n'a pas à s'immiscer dans les heures où chacun retrouve sa vie privée. À ce moment, d'autres amis issus de la vie intime sont là pour prendre la relève et, sinon, la famille se suffit dans une bonne relation de fin de semaine. Il n'est rien de plus décevant qu'un ami trop envahissant qui ne sait pas faire la juste part des choses. Les couples n'ont, la plupart du temps, que la fin de semaine pour se rejoindre, profiter l'un de l'autre, planifier et causer de leur intimité. Si on ajoute à cela les enfants qui ne bénéficient de leurs parents qu'en ces courts instants, il n'est pas de mise pour l'ami de s'infiltrer, que ce soit par le téléphone ou en personne, dans la vie trop courte du couple pour être dérangée. J'ai l'impression qu'en amitié, on devient parfois plus possessif qu'en amour. C'est exactement en agissant ainsi qu'on finit par perdre ses amis qui, sentant finalement un fardeau sur les épaules, s'empressent d'y mettre un terme. C'est dommage, car l'amitié est un sentiment qui devrait durer toujours si seulement ceux qui en font foi savaient aussi en faire l'équilibre. Si l'on est seul dans la vie, si l'on a besoin d'un ou d'une amie sept jours sur sept, il faut absolument en trouver qui soient dans la même situation que nous. Là, ce serait le juste partage de l'amitié, sans entrave, sans porte forcée. Si l'on dit que l'amour est aveugle et peut tout se permettre, l'amitié devrait avoir les yeux grands ouverts et bonne conscience. Ce qu'il faut d'abord apprendre, c'est à s'effacer quand l'ami retrouve le conjoint. C'est là, la base fondamentale du respect qu'on devrait lui témoigner. L'ami, aussi vrai soit-il, n'a pas à vous suivre jusque dans votre assiette. C'est à trop s'imposer, à trop dépendre, à trop s'attendre d'une amitié qu'on finit par vouloir y mettre un terme. On s'imagine que c'est toujours réciproque et, bien souvent, la patience et la compréhension ne sont que les vertus de l'autre. À trop étreindre son amitié, on risque de l'étrangler et j'ai vu de mes yeux, des amis de longue date mettre un terme à leur belle liaison parce que l'un d'eux n'a jamais su mettre la virgule. Garder une amitié, c'est la respecter, comprendre, ne pas exagérer et savoir s'effacer parfois. Saviez-vous qu'il y avait des amitiés plus difficiles à vivre que des amours ? En amour, on sait d'avance qu'aussi intense sera la relation, il peut y avoir un terme. C'est là une chose à laquelle on ne s'attend pas d'une amitié. Sans paraître sexiste, je crois que les femmes sont plus exigeantes en amitié que les hommes. Elles conjuguent ce mot, qui pourtant n'a pas de verbe, d'une façon si possessive qu'elles finissent par tout perdre. Si une femme a de l'amitié pour un homme, c'est encore pire. Un auteur connu n'a-t-il pas dit que, chez la femme, l'amitié était voisine de l'amour ? C'est sûr qu'on peut faire mentir tous ces dictons quand on a assez de jugement et que sa raison ne bifurque pas. Moi, je vous demande à tous de soupeser la quiétude de l'ami et d'apprendre à être discret. C'est de cette façon, m'a-t-on dit, que les amitiés vivent jusqu'aux cheveux gris !

## *On ne peut plaire à…*

… tout le monde. Voilà une citation que j'entends souvent. En effet, il est vrai que l'on ne peut plaire à son père et à la terre entière, ce serait trop beau ! La vie est ainsi faite et on a beau tout mettre en œuvre, placer toutes les chances de son côté, il y a toujours quelqu'un qui finit par dire à quelqu'un : « Ca sert à rien, moi je ne l'aime pas ! » Le pire, c'est que bien souvent ces affirmations sont gratuites, puisqu'on ne connaît même pas personnellement la personne. Sur une simple intuition, on n'aime pas. Combien de fois ai-je entendu : « Moi, celle-là, je ne lui aime pas la face ! » Je suis certain qu'une toute petite heure en sa compagnie lui aurait fait changer d'avis. Il est vrai que certaines personnes nous apparaissent antipathiques de prime abord, mais si on se donne seulement la peine de les connaître, peut-être serions-nous en mesure de découvrir des qualités qui nous feraient vite oublier le point d'interrogation du pourquoi on ne les aime pas. Quand il s'agit de figures publiques, là, le jugement est sans indulgence. Les politiciens, les artistes, les souverains et même le pape sont la cible parfois d'une haine que personne ne peut justifier. Finalement, ce qu'on n'aime pas, c'est ce qu'on voit au petit écran ou une citation de leur part dans les journaux. On prend mal leur célébrité et l'on cherche par tous les moyens à détruire l'image positive qu'ils tentent de transmettre. On les juge sur un discours ou, s'il s'agit d'artistes, sur une chanson ou un vêtement qu'on ne voudrait pas dans sa garde-robe. On se dit : « Pour s'habiller comme ça, il doit être enflé, se prendre pour un autre », sans penser que ce sont bien souvent les caprices du métier qui l'exigent. Très en vue, ces personnes sont vulnérables et on les condamne au premier geste de travers souvent causé par la timidité. Là où ça s'aggrave davantage, c'est quand on porte de tels jugements sur un voisin qui vient d'arriver ou sur une personne rencontrée à une fête. On n'attend même pas de lui être présenté, on la regarde et on se dit : « Moi, ce visage-là ne me revient pas ! » C'est là un manque flagrant de délicatesse et un non-sens injustifiable. On a beau se fier à « son flair », on peut parfois se tromper. Toute personne a du bon en elle. Chaque être humain est bâti avec ses torts et ses forces et on devrait au moins se donner la peine d'analyser avant de piétiner sur l'effet d'un premier regard. Il est évident qu'on ne peut pas plaire à tout le monde, sinon, ce serait la plus douce des paix sur terre. Il m'arrive aussi de rencontrer des gens que je ne désire pas revoir, mais je me donne au moins la chance de savoir « pourquoi ». Il y a sans doute des gens qui ne m'aiment pas également et je leur donne le bénéfice du doute s'ils savent au moins « pourquoi » je ne leur suis pas sympathique. On ne peut pas tous être sur la même longueur d'ondes et on ne peut pas tous avoir les mêmes opinions et des goûts en commun. Un tel état de chose ne devrait empêcher personne de dormir cependant, car pour une ou deux personnes qui ne vous aiment pas, il y en a peut-être mille pour qui vous êtes cher. Il y a aussi les envieux (Dieu leur pardonne), les paranoïaques (Dieu leur pardonne encore) qui se font un plaisir à détester sans raison telle ou telle personne pour sa réussite ou son avoir. Si seulement on se donnait la peine de se servir de sa tête avant d'étaler un ressentiment sans fondement, je suis assuré que cette fameuse citation serait amoindrie. Dès lors, le monde serait moins cruel et la vie… beaucoup plus belle !

## *Vos péchés... et les miens !*

Vous rappelez-vous du temps où nous allions « à confesse », comme on disait, afin de se faire absoudre des fautes commises ? Vous rappelez-vous de ces curés qui nous dictaient notre ligne de conduite, qui se mêlaient de notre ménage, de nos enfants... sans même savoir ce qu'était la vie à deux ? Je n'ai rien contre la pratique religieuse et j'ai une fille qui va à la messe tous les dimanches avec sa mère sans qu'on le lui impose. Je n'ai rien non plus contre les gens qui éprouvent le besoin de se confesser une fois par mois ou, du moins, une fois l'an... mais j'espère que les choses ont changé et qu'une évolution s'est faite à travers le petit carreau que l'on ouvrait pour dire : « Bénissez-moi mon père, parce que j'ai péché... ! » La foi et la pratique sont deux choses différentes et si j'ai cessé d'aller raconter mes péchés au vicaire, ce n'est pas parce que je suis devenu un saint homme pour autant. Depuis fort longtemps, j'ai tout simplement décidé de passer par le « grand patron » directement. Il m'aura fallu bien du temps pour en arriver là, mais c'est le jour où j'ai réussi à distinguer un péché d'une erreur, que j'ai compris qu'on allait bien souvent au confessionnal dans le seul but de se vider le cœur. Remarquez que ce n'est pas à dédaigner pour ceux et celles qui, bien souvent, n'ont personne à qui se confier ou, du moins, personne d'assez éloigné pour les comprendre de façon impartiale. On a beau être franc, on ne peut quand même pas tout « raconter à sa mère », comme me disait mon vieux professeur d'antan. On a besoin parfois d'une oreille discrète, d'une personne tout à fait inconnue, de quelqu'un qui pourrait réconforter et nous mettre à l'aise dans nos malaises. À ce moment, le prêtre peut s'avérer le meilleur confident qui soit. Du moins, avec lui, on est sûr que rien ne s'ébruitera, que rien n'ira plus loin que le rideau qui nous sépare et déjà, c'est certain qu'on se sent nettement plus rassuré. Moi, le jour où j'ai mis un frein à cette manie d'aller avouer mes péchés, c'est le jour où j'ai compris que sur dix fautes que je clamais, au moins huit n'étaient que des petites égratignures de la vie. Je me souviendrai toujours de ce bon vieux curé qui nous avait mariés, Micheline et moi, et qui m'avait refusé l'absolution parce que je lui avais avoué aller à la pharmacie du coin dans le but d'empêcher la famille. Imaginez ! Nous avions deux jeunes enfants, j'étais sans travail, mon épouse se remettait difficilement de sa deuxième grossesse et il m'en voulait de ne pas laisser mon sort entre les mains du bon Dieu comme il disait ! C'est quand même pas lui qui venait payer mon loyer à la fin du mois et encore moins lui qui se levait la nuit quand les enfants avaient des coliques jusqu'aux petites heures. Le pire, c'est que le bon Dieu ne m'a jamais reproché, à ce que je sache, d'avoir su me servir de ma tête au lieu de… Bon, voilà que je m'emporte tout comme autrefois et c'est pourtant bien loin tout ça ! À partir de ce jour, par contre, je ne suis plus jamais retourné dans ces petites boîtes où l'on défile ses péchés. À partir de ce jour, j'ai compris qu'être honnête citoyen et un brave père de famille pouvait absoudre plusieurs petites erreurs de parcours. Comme personne n'est parfait, on a tous le droit de trébucher parfois, sans pour autant que ce soit un péché mortel ou véniel. À partir de ce jour, et pour cause, j'ai toujours dialogué avec le Ciel, et si l'Être Suprême ne me répond pas de vive voix, je sens qu'il m'absout de tous mes péchés, parce qu'à être bon sur terre, où sont-ils donc finalement… vos péchés et les miens ?

# *Ne voir que le beau…*

Je sortais du dépanneur du coin dernièrement lorsque trois jeunes filles d'environ quinze ou seize ans m'accostèrent pour me demander: «C'est vous Denis Monette du *Lundi*?» Sur réponse affirmative, l'une d'elles s'empressa de me dire: «Nous sommes des admiratrices du groupe Duran Duran et nous aimerions que vous disiez dans l'un de vos billets que ce n'est pas vrai qu'ils se droguent!» Tiens, tiens, leur ai-je dit, vous en êtes sûres? et l'une d'elles me rétorqua: «Oui, nous en sommes sûres et des journaux ont osé affirmer un tel mensonge. On ne veut pas qu'ils disent du mal d'eux»! Que de sincérité j'ai pu voir dans les yeux de ces adolescentes. Sur promesse de ma part de leur rendre justice, ce qui est fait, je revenais à la maison en pensant combien positive pouvait être la jeunesse d'aujourd'hui. Pendant que les adultes sont avides de sensations fortes, de nouvelles négatives, ces jeunes, qui prendront la relève, ne veulent voir que le beau côté des choses et c'est là toute une leçon pour leurs aînés. J'ai senti enfin qu'une nouvelle génération allait peut-être un jour transformer ce monde dans lequel nous vivons et qui ne se gave que des déboires des autres. Combien de fois m'est-il arrivé de me faire demander par certaines dames d'un âge plus que certain: «Est-ce vrai qu'un tel sort avec celui-là?» Ou «Paraît que… va divorcer?» Que des questions négatives, que des curiosités malsaines. Je reçois un abondant courrier dès que je parle d'Élaine Bédard. On la vilipende, on voudrait l'étrangler, on me reproche même d'en parler, mais jamais, au grand jamais, on ne m'écrit pour me dire que le merveilleux roman d'amour que Rita Bibeau vivait depuis trente-deux ans les avait passionnés. On se nourrit du mal d'autrui, mais on ne prend jamais une bouchée de pain du bonheur des autres. C'est comme si les gens heureux n'avaient pas le don de semer de l'espoir dans le cœur des autres. On préfère le malheur, sans doute parce qu'il atténue le nôtre. Nous sera-t-il un jour possible de vendre autant de bonnes nouvelles que de mauvaises ? J'en doute, si j'en juge par la télévision qui nous annonce un bulletin rempli de catastrophes. L'écrasement d'un avion en première page d'un quotidien attire beaucoup plus que la visite du pape. On se couche en se disant : « Que c'est triste », heureux d'être encore en vie. Ces jeunes filles croisées au coin de la rue me laissent entrevoir l'espoir qu'un jour le monde sera meilleur et ne cherchera qu'à voir le beau pour fermer les yeux sur la laideur. On dit souvent que plus ça change, plus c'est pareil, mais j'ose croire qu'un jour la transition se fera au grand détriment des vieillards que nous serons devenus. Oui, il y a du beau dans la vie, du bon aussi. Si l'on savait seulement à quel point le bonheur des autres peut s'avérer remède, peut-être cesserions-nous de ne bouffer avidement que les mauvais côtés de la vie ? Pourquoi ne fait-on plus de belles chansons d'amour ? Parce que les « Je te quitte », « C'est fini entre nous » ou « Les divorcés » vendent plus. Quand on en est rendu à prendre le jour pour la nuit, il est grandement temps de faire un tour sur soi-même pour rattraper le décalage. Mon plaidoyer ne changera rien à la situation, je le sais bien et c'est pourquoi je fais confiance… aux femmes et aux hommes de demain !

## *Au nom de l'homosexualité...*

Dernièrement, alors que j'allais dîner avec un confrère, je fus accosté rue Fleury par une jeune femme dans la trentaine qui, sortant de sa voiture, m'avait reconnu. Ravie par mes billets, elle ajouta avec un brin de timidité : « Vous qui parlez si souvent d'amour, vous serait-il possible de parler de ceux qui s'aiment de façon vraiment marginale pour la « société » ? En un mot, cette gentille demoiselle voulait que je donne mon opinion sur l'homosexualité pure et simple, telle que vécue par hommes et femmes de tous les milieux et de tous les âges. Que puis-je vous dire d'autre, chère demoiselle, que mes billets d'amour, comme vous les appelez, sont pour tous ceux qui s'aiment, vous comprise. Dois-je me faire le défenseur de ceux et celles qui ont maintenant le droit de s'exprimer, de vivre librement ce qu'ils vivaient autrefois derrière la cloison ? Dois-je absolument redire que l'homosexualité n'est pas une maladie, mais un état d'être associé à un état d'âme et de cœur ? Dois-je absolument déclarer que la seule marginalité qu'on puisse encore y voir est le fait que ces êtres qui s'aiment éperdument portent parfois tous deux le pantalon ou le jupon ? Non madame, quand je parle de ceux qui n'ont pas le droit, toujours selon les normes, je parle beaucoup plus de ces êtres pour qui l'infidélité n'est pas un drame. Quand je parle de façon neutre, c'est justement parce que le verbe aimer n'a pas de sexe, ni édit, ni loi. C'est un sentiment qui se prête à qui sait s'en servir et l'on peut aussi bien dire « un fol amour » que « de folles amours » ou « de grandes amours ». Sans règle de grammaire, versatile dans le dictionnaire, le verbe aimer se prête volontiers à qui sait en faire bon usage, qu'on soit mâle, femelle, handicapé, jeune, vieux, hétérosexuel, bisexuel ou homosexuel. Il est vrai que tout n'est pas encore au point culminant que vous pouvez tout vous permettre publiquement. Il est vrai que deux femmes qui s'embrassent sur la rue, que deux hommes qui se caressent dans un parc, ce n'est pas approuvé par la société. Puis-je vous dire cependant, que le geste n'est pas plus apprécié s'il s'agit d'un homme et d'une femme ? Il y a des gestes d'amour qui doivent rester intimes et il existe des endroits pour ça. Mademoiselle, vous qui m'avez accosté sans doute pour que je vous rassure, pouvez-vous comprendre qu'il est possible de vous aimer et de dire au féminin, même si vous êtes femme, ce que vous ne pouvez dire au masculin ? Personne ne vous condamnera, croyez-moi, car l'amour, aussi interdit soit-il… ne l'est que dans votre tête. Mes billets vous touchent et vous me demandez si vous y avez droit ? Bien sûr qu'ils vous appartiennent, tout comme à Luc et Philippe, tout comme à Berthe et Henri, tout comme à Pierre et Sylvie et tout comme à ceux qui aiment au pluriel, c'est-à-dire leur femme et leur maîtresse ou vice versa. On n'écrit pas précisément quand on transige avec l'amour. On n'écrit pas impunément si l'on se sert du plus beau des sentiments pour en exclure des êtres humains. Une histoire d'amour, c'est tout d'abord une histoire. Qu'elle soit simple, compliquée, avant-gardiste, interdite même, sachez que rien n'en entravera le parcours et que l'épilogue en sera toujours le même. Au nom de tous ceux qui s'aiment, au nom des couples heureux, qu'importe les tendances, je vous avoue que j'écrirai toujours avec le cœur grand ouvert et les yeux fermés sur vos plus jolis rêves. Soyez tous bienvenus dans mes billets, messieurs, mesdames, et vous aussi… mademoiselle !

# *L'habit ne fait pas le moine… ?*

Attention !… car cet adage s'est révélé faux plus d'une fois. Si l'on veut dire au sens figuré que dans un pouilleux peut sommeiller un poète, je suis d'accord, mais si au sens propre, on prétend que la façon de se vêtir n'influence pas, là, je proteste. Dans plusieurs cas, pour ne pas dire dans presque tous les cas, on est jugé de prime abord par la tenue que l'on affiche. C'est incroyable comme cet aspect visuel peut influencer, j'en ai même fait l'expérience. Dernièrement, je me suis rendu dans un centre commercial vêtu « comme une carte de mode », pour employer un terme populaire. Reconnu par plusieurs lectrices, c'était des « bonjour, monsieur Monette, on vous lit, on vous aime bien… » Ma tenue imposait en quelque sorte le respect voué à l'homme qui porte veston, cravate et mouchoir de poche. Une autre fois, dans ce même centre, je m'y suis rendu en jeans et blouson de cuir et là, ce fut : « Salut, Denis, on te lit et on t'aime bien ! » Remarquez que cette familiarité ne m'a pas offensé et que ces derniers étaient tout aussi gentils que les premiers, mais ne venez pas me dire que l'habit ne fait pas le moine. Allez juste jeter un coup d'œil en Cour et voyez les accusés qui se succèdent. Vous verrez, et je vous le jure, le juge regarder des pieds à la tête la personne devant lui. Si le type est habillé comme un « gentleman », il a beaucoup plus de chance d'attirer la sympathie du magistrat que s'il a l'air d'un « bum » aux verres fumés. La vie est un éternel scénario et il faut savoir s'en servir intelligemment et au gré des conventions. Je me souviens qu'étant jeune, j'allais me chercher un emploi avec mon habit de soie et je le décrochais, cet emploi. De nos jours, on ne prête plus attention à ces détails comme si les patrons étaient aveugles et n'avaient d'yeux que pour les diplômes. Je regrette, mais il faut savoir faire la part des choses et l'on ne postule pas un emploi dans la même tenue que pour se rendre sur une terrasse, rue Saint-Denis. On ne se présente pas en haillons avec une mâchée de gomme quand on répond à une demande d'emploi de réceptionniste. Oui, l'habit fait le moine, et c'est parfois le premier critère sur lequel on est porté à juger… jusqu'à ce que l'on connaisse assez bien la personne pour que ce détail ait moins d'importance. C'est la même chose dans la vie, en dehors du travail. On n'invite pas une jeune fille à sortir le soir en allant la chercher habillé du jeans qu'on a porté toute la journée et cette dernière ne devrait jamais accepter une invitation du genre avec ses Addidas et bas blancs aux pieds. Je me souviendrai toujours de la première blonde que mon fils m'a présentée. J'ai failli tomber à la renverse, car j'aurais pu jurer qu'elle sortait tout droit d'un champ d'épis de blé d'Inde. A-t-on idée de se présenter ainsi chez des gens qu'on ne connaît pas ? Je ne veux pas dire cependant qu'elle n'était pas gentille, mais elle l'aurait été dix fois plus à mes yeux si le plumage s'était marié au verbiage ! Il m'a fallu maintes fois rappeler de jeunes journalistes à l'ordre et leur dire qu'un certificat ne suffisait pas à m'impressionner. Au départ, c'est la présentation qui compte et on ne se rend pas chez un ministre dans la même tenue que pour interviewer un motard dans une taverne. Dans tous les milieux, et ce, sur tous les plans, c'est le bon sens qui fait l'équilibre. Si on a juste assez d'intuition pour savoir être bien mis, on n'a plus à s'en faire pour le reste. Oui, l'habit fait le moine et je persiste à le dire, car je ne serais sûrement pas là si, un jour, j'étais arrivé au *Lundi* en jeans… au lieu d'un élégant complet noir !

# *Le chapelet de la morte !*

Tous les billets que j'écris me sont inspirés de faits vécus qui me viennent de partout. Il m'arrive aussi, au fil de mes conversations avec des amis, d'avoir parfois ce qu'on appelle des sursauts d'humeur, tant le sujet est inconcevable. Une grande amie me racontait dernièrement une anecdote qui se vaut d'être répétée… car ce n'est pas la première fois qu'une telle chose se produit. Nous avons tous dans la vie à faire face à la perte d'un parent qui nous est cher. C'est bien souvent larmes à l'appui que nous les voyons partir mais, parfois, c'est déjà avec l'acte notarié en main qu'on les porte en terre. L'amie en question me disait qu'à son insu sa mère avait changé le testament qui ne favorisait que sa sœur et son neveu. La maison, qui devait être le juste partage des deux enfants, a été finalement léguée à l'une, sans que l'autre y ait le moindre droit. Voilà ce qui s'appelle déjà « se faire avoir » dans le coin sans qu'on s'en doute. On viendra nous dire ensuite que les familles d'autrefois étaient les plus unies ! Toujours est-il que la défunte, qui a sans doute agi sur insistance, avait demandé à être exposée et enterrée avec le chapelet de cristal qui l'avait suivie toute sa vie. Était-ce là trop demander… après avoir tout légué ? Le jour des funérailles, juste avant qu'on ne referme le cercueil, l'autre (la défavorisée) s'aperçoit avec effroi que sa mère n'a plus son chapelet entre ses doigts. S'enquérant auprès du directeur, ce dernier lui laisse savoir que l'autre fille lui avait demandé de le retirer des mains de sa mère pour le garder… en souvenir ! Pensez donc, d'autant plus que c'est l'autre (la défavorisée) qui avait fait des mains et des pieds pour lui trouver une robe pour l'exposer. Comment peut-on, de sang-froid, ne pas respecter les dernières volontés de sa propre mère ? Comment peut-on en arriver à ce point à oublier cette promesse, à faire fi de ce vœu qui lui était si cher ? C'est incroyable, mais vrai. La morte a été enterrée sans son chapelet et cette histoire restera à tout jamais gravée dans la mémoire de ceux qui lui survivent. Un autre cas, celui d'un chauffeur de taxi qui, dernièrement, me disait qu'il avait été le seul des huit enfants à être déshérité par son père juste avant qu'il décède. Attribuant cette ingratitude à l'un de ses frères, avec la complicité de l'une de ses sœurs, il me demandait quels étaient ses droits dans un pareil cas et je n'ai pu que le plaindre… en me disant : « C'est donc ça la belle rançon des grandes familles d'autrefois ? » Le père avait été enterré, paraît-il, dans un coffre le plus « cheap » qui soit, selon ses termes. On avait même profité de sa sénilité pour lui faire signer un autre testament qui se voulait à la hauteur de ceux qui le sentaient au bord de son dernier souffle. Non, je regrette, mais si c'est là le respect qu'on a pour les morts, je me demande pourquoi on fait semblant de les respecter de leur vivant. Ces exemples voudraient tout simplement dire qu'on prend soin de son vieux père ou de sa vieille mère… parce qu'ils ont quelque chose à laisser en héritage ? Qu'en feraient-ils s'ils n'avaient pas le sou ? Dans un foyer sans doute avec une visite une fois l'an. J'avoue ne pas m'être remis de ces confidences, pas en un siècle où l'harmonie se veut à un plus haut niveau. Si l'on a pu enlever délibérément des mains d'une défunte l'unique chapelet qu'elle voulait emporter avec elle sous terre, je ne serais pas surpris d'en voir d'autres aller chercher jusque dans leur bouche, le dentier d'un décédé. Heureusement que Dieu… recueille au moins leur âme !

## *Le démon du midi…*

Quelle est donc cette folie furieuse que plusieurs appellent « mode » et qui fait que les hommes de quarante-cinq ans et plus divorcent allègrement pour refaire leur vie avec des filles dont ils pourraient être les pères ? Quelle est donc cette infamie qui me révolte, ce caprice des premiers cheveux gris qu'on excuse en l'appelant avec indulgence « le démon du midi ». Je regrette, mais, aussi généreux puis-je être, aussi « sans préjugé » qu'on le dit, je n'accepte pas qu'on joue avec le plus sérieux des sujets de cette façon, que l'audace vienne d'un homme ou d'une femme. Cela me dégoûte de voir des hommes qu'on dit mûrs, délaisser froidement la femme avec qui ils ont partagé vingt-cinq années de vie commune, tout simplement parce qu'une jouvencelle leur est tombée dans l'œil. Cela me répugne aussi, même si c'est la revanche des sexes, de voir une femme d'âge moyen s'afficher avec un jeunet de vingt et un ans et clamer à tous qu'elle a enfin rencontré « l'homme de sa vie » ! Allons donc, comment peut-on parler de ces amours et les qualifier d'hommes et de femmes quand ils ne sont encore que des enfants. De toute façon, et ça ne prend pas des études en psychologie pour s'en assurer, toutes ces liaisons sont vouées à l'échec. Premièrement, l'amour est absent de toute relation semblable et, deuxièmement, les couples qui ont un tel écart d'âge n'ont rien à se dire parce qu'ils n'ont pas vécu les mêmes choses. Quelqu'un me disait récemment « Vous, vous êtes un privilégié d'avoir échappé à la règle ! » Ah bon ! parce que c'est une règle d'avoir plus de quarante ans et de tomber à genoux devant une fille qui pourrait être plus jeune que la mienne ?

Quelle absurdité ! Je n'ai échappé à rien. Je me sers de ma tête et me dis que si jamais il me fallait refaire ma vie, je la referais avec une femme qui a eu mon vécu, mon cheminement et avec laquelle je pourrais même échanger en souriant les rides qui nous habitent. L'homme de quarante-cinq ans et plus qui quitte femme et enfants pour la poitrine opulente et les yeux maquillés d'une blonde de vingt-deux ans, ce n'est pas un homme tenaillé par le démon du midi. C'est tout simplement un adulte qui refuse d'accepter le carnage des ans, qui refuse nettement de vieillir, qui refuse de prendre ses responsabilités, qui refuse le pneu lardé qui lui sert de ceinture et qui pense faire oublier tout ça en étant le « sugar daddy » d'une belle fille qui va le ruiner s'il a un peu d'argent ou le rendre jaloux avec le premier petit jeune venu dès qu'elle verra qu'il ne connaît rien au « breakdance » et qu'il est encore accroché au tango. Pour la femme, dont « la mode » est plus récente, le même démon la conduira à être gênée de se dévêtir devant ce beau jeune homme et encore plus d'enlever son mascara. Le matin, c'est la toile baissée qu'elle se lèvera et qu'elle tentera d'avoir l'air de trente ans, avant qu'il voit le vrai visage de celle qui pourrait être sa mère. Mais dans quel siècle vivons-nous pour qu'une telle marginalité ait pris autant d'ampleur. Où donc est le cœur de tous ceux et celles que le démon du midi tenaille ? Les maris qui deviennent soudain des adolescents savent-ils au moins tout le mal qu'ils font à l'épouse qui, elle, aura moins de chance de refaire sa vie en vertu de son âge et de ses enfants ? J'ai rencontré dernièrement un homme dans la cinquantaine que je respectais beaucoup et voilà qu'il me présente sa compagne de vie… d'environ vingt-trois ans. Je ne peux vous dire à quel point cet être a baissé dans mon estime. Je l'examinais « jouer au p'tit jeune », boire plus que permis et s'essouffler tout en faisant mine d'être en forme et je l'ai plaint de tout mon cœur. Si c'est ça « le démon du midi », j'ai l'impression que leur enfer doit être horrible !

## *Tout connaître de l'autre...*

Je ne viens pas ici vous parler d'amour, pas cette fois. Bien au contraire, je n'aurai jamais été autant terre à terre, mais qui sait si mon billet ne vous sera pas bénéfique ? L'autre soir, en mettant un peu d'ordre dans mes papiers personnels, je me suis rendu compte que mon épouse était loin d'être au courant de mes valeurs mobiliaires et, à ma grande surprise, moi des siennes. Quand on commence un petit ménage à deux, qu'on a qu'une toute petite police d'assurances, il n'y a rien là, comme dirait une certaine dame que je connais. Par contre, au fil des ans, avec chacun de son côté une carrière professionnelle, on finit par ne plus savoir ce que l'autre a fait en tant que placements, plans d'assurance, etc. Depuis que les couples se sont mis à être plus autonomes, bien des choses ont changé, dont nos avoirs. On finit, en furetant dans ses papiers, par se demander si le conjoint est bien à nous ou si nous ne sommes pas devenus des étrangers. En révisant mes polices d'assurance, mes plans de retraite, mes économies par ci par là, mes placements dont je ne lui ai jamais fait part, je me suis aperçu que mon épouse aurait eu bien du mal à démêler tout ça si un malheur s'était brusquement abattu sur moi. Nous en discutions, nous furetions et c'est à se parler qu'on a fini par comprendre que l'on ne savait plus rien l'un de l'autre sur le plan financier. Pire encore, nos enfants, devenus grands, ne savaient même pas ce que nous possédions. Le nom de notre notaire ? Ils l'auraient cherché bien longtemps avant de le trouver. Cette situation, qui existe dans bien des foyers où le progrès fait oublier le partage, n'est pas normale. Imaginez si l'un des deux partait brusquement et que l'autre se retrouvait tel un ignorant face à la succession. On a beau ne pas penser à cette alternative, elle est possible et elle finira par s'avérer inévitable. J'ai donc décidé de consacrer un ou deux jours dans le seul but de prendre tous ces porte-documents et de les passer au peigne fin avec ma femme. Quoi de plus naturel que de savoir où l'on s'en va ? On a beau être occupé, travailler fort chacun de son côté, il serait ridicule de ne pas prendre ce temps pour éviter de se retrouver un jour le bec à l'eau. Des petits bons d'épargne, un plan de retraite par ci, un autre par là et je ne savais même pas qu'en cas de décès j'en étais le bénéficiaire. Nous avons de plus décidé de nous payer « un testament ». Pour certains, ce moment de la vie est pessimiste, mais que diable, nous prenons tous de l'âge et il est plus que normal de protéger nos enfants. Si vous saviez tout ce qu'on a appris l'un de l'autre depuis qu'on a décidé de mettre nos secrets matériels en commun. Si vous saviez quel soulagement ce fut que de ne pas avoir à regarder avec une loupe plus tard ce qu'on a vu d'un œil averti plus tôt. Trop de couples sont dans cette situation pour que mon billet ne porte pas conseil. Il y a même des couples qui, paraît-il, ne connaissent même pas le salaire du conjoint. C'est insensé à la fin ! Ne nous sommes-nous pas mariés afin de vivre une vie commune ? La vie à deux se vit-elle simplement sur le plan physique ? Absurde, n'est-ce pas, mais c'est à faire mon propre bilan que j'ai réalisé que tel pouvait être le cas. Moi, ce que je suggère, c'est une réunion familiale, une soirée où vous et vos enfants vous vous mettriez à table afin que les biens, les profits ou les dettes de la famille soient connus de tous. Si le destin devenait soudainement tragique, les survivants ne seront pas hébétés devant l'ignorance qu'ils auront à afficher. Qu'on y pense, c'est urgent !

# *L'art d'être un patron…*

On dit que c'est un rôle ingrat que l'on peut rendre très agréable si on use de sa tête plus que de son pouvoir. J'espère en passant que ceux et celles qui travaillent sous ma juridiction ne trouveront pas ce billet trop prétentieux et qu'ils sauront reconnaître, à travers ces lignes, quelques vérités qui ne sont pas de La Palice. L'art d'être un bon patron, c'est d'abord de comprendre et non de juger les quelques bévues commises par un subalterne. J'ai toujours dit que pour travailler avec quelqu'un il fallait d'abord s'apprivoiser l'un l'autre, et faire en sorte que le tandem puisse durer. Vous savez, travailler avec un patron, c'est quasiment un mariage ! Avez-vous pensé que vous passez parfois plus de temps avec lui qu'avec votre propre conjoint ? Il faut donc au départ avoir des points en commun, faire bonne équipe, s'entendre et se respecter. Ce n'est pas parce qu'on est « le boss » qu'il faut se prendre pour un autre et faire en sorte que les employés se sentent diminués dès le départ. Je ne veux pas donner ici un cours sur l'art d'être patron à tout le monde. Peut-être suis-je très loin de la bonne méthode ? Je vais tout simplement vous expliquer comment je me comporte à ce titre et vous pourrez ensuite me dire si j'ai la bonne manière… quoique la fidélité de ceux qui m'entourent s'avère déjà une réponse assez positive. Au départ, dès que j'entre au bureau le matin, mon premier geste est de faire le tour et d'aller dire un bonjour sincère à tous ceux qui vont m'entourer pendant cette journée. De là, les priorités après le café, c'est-à-dire, par quoi commence-t-on, parce que notre métier est loin d'être routinier. On doit constamment improviser au jour le jour, au fil des nécessités et des heures de tombée. Ce qui est très important, c'est d'éviter les familiarités avec les employés. Si on s'en permet, il faut savoir avec qui et être sûr que cette ouverture d'esprit ne se transformera pas en mépris. Pour garder le respect, il faut d'abord en avoir pour autrui. On ne traite pas les gens de haut dans l'espoir d'être craint. Ce n'est sûrement pas de cette façon qu'on se fait apprécier. Bien sûr qu'ils diront « oui monsieur », mais si vous entendiez tout ce qu'on peut dire derrière vous... Il faut aussi être juste et équitable et savoir discerner les efforts de chacun. Moi, j'ai vu des employés m'offrir des heures supplémentaires sans rémunération alors que, dans plusieurs cas, des employés tentent par tous les moyens d'en abattre le moins possible. Quand vient le temps des dîners à l'extérieur, un patron qui a du jugement diversifie sa compagnie de façon à ne pas afficher de préférence. C'est en démontrant de l'intérêt qu'on suscite de l'intérêt. Et le travail n'est pas tout. Il faut aussi savoir s'informer de la petite famille d'un tel, de la mère d'une autre, et ce, de façon sincère et non protocolaire. En un mot, et c'est sans doute mon paternalisme qui m'y engage, je suis pour que l'équipe soit une famille unie et que nous devenions avec le temps des collègues qui se respectent en dépit des titres ronflants qui, la plupart du temps, ne veulent rien dire. Depuis mon entrée au *Lundi*, j'ai détenu à peu près tous les titres possibles et ça n'a sûrement pas influencé ma façon d'être, parce que je suis certain que, chaque matin, ceux qui m'épaulent retrouvent Denis Monette. Je ne sais si c'est un art, mais je persiste à dire que pour être un bon patron et le rester, il faut d'abord et avant tout... ne pas avoir un titre à la place du cœur !

# *Quand l'astrologie s'en mêle...*

Est-ce une rage, une croyance, une mode ? Je ne sais trop. Mais l'astrologie en est rendue à gérer nos vies et je me demande si l'on n'y va pas trop parfois par abus de confiance. La tendance à la conviction est si forte que le signe de l'un avec le signe de l'autre a maintenant plus d'importance que les goûts qu'on peut avoir en commun. J'avoue ne pas être sceptique moi-même et me cataloguer comme un fervent adepte de cette science par laquelle il m'arrive de jurer. Il est évident que si l'on me demande mon signe, c'est avec fierté que j'avoue être Sagittaire, allant jusqu'à prétendre que c'est le meilleur des signes astrologiques. J'avoue aussi, et c'est vrai, avoir beaucoup plus d'affinités avec les Gémeaux et les Balances qu'avec les Capricornes et les Béliers. Avec le signe des Poissons, j'ai de la misère, avec le Taureau, ça va, le Lion me laisse indifférent, le Verseau me séduit par sa naïveté, le Scorpion et moi, ça fonctionne bien, le Cancer, il me faut de la patience et la Vierge qui se veut le signe le plus opposé au mien... me fait pourtant retrouver mon équilibre. J'ai d'ailleurs épousé une Vierge ascendant Vierge, moi qui suis Sagittaire ascendant Gémeaux, et si les astrologues me disent que c'est la plus mauvaise combinaison qui soit, je ne suis pas prêt à leur donner raison. Faut dire que la Vierge en voit de toutes les couleurs avec le Sagittaire, mais sa grande sagesse l'emporte sur les audaces de l'autre et voilà qui forme un couple équilibré. Dans un restaurant dernièrement, je m'amusais avec des amis à discuter astrologie et il était drôle de les entendre me dire que c'était mon ascendant qui me sauvait.

Une minute plus tard, on me disait : « Heureusement que tu es Sagittaire ! » Je veux bien croire que, dans les grandes lignes, les signes astrologiques ont une influence et que les gens nés sous le Verseau ont des points en commun. Il ne faudrait pas oublier cependant le facteur héréditaire qui fait qu'on hérite nos qualités et nos défauts de nos parents, qu'ils soient Scorpions ou Capricornes. On n'est tout de même pas créé par les astres à ce que je sache. La conviction est si forte qu'un certain patron, que je connais, n'engage ses employés qu'après leur avoir demandé leur signe astrologique. S'ils sont Cancers, rien à faire, ils n'ont pas l'emploi, même si le curriculum était des plus satisfaisant. Je connais même des couples qui s'épousent parce qu'on leur a dit que tel signe allait faire heureux ménage avec l'autre. De belles jeunes filles ferment les yeux sur un gars convoité dès qu'elles apprennent qu'il est Poisson et que l'harmonie est inexistante avec leur signe. Le pire, c'est celles qui me disent : « Ah, les m… Béliers ! » qu'elles fuient comme la peste parce que leur amoureux d'hier était Bélier et que l'expérience n'a pas été bonne. Comme si tous les Béliers étaient semblables. Une autre me disait : « Moi, un Taureau, je n'en veux pas, ça boit trop ! » C'était certes la meilleure ! L'homme qu'elle venait de quitter était un alcoolique et selon elle, tous les Taureaux devaient l'être. S'accrocher aux contours de cette science, je veux bien, mais de là à baser son existence et à craindre le pire parce qu'on est de tel ou tel signe, c'est nettement enfreindre la mesure. On est comme on est, disait la chanson. Sagittaire ou Lion, je ne crois pas que Jupiter ni Pluton y soient pour quelque chose. Qu'on s'amuse avec l'astrologie, d'accord, mais qu'on s'en fasse une doctrine ou une religion… c'est dépasser les bornes, non ?

# *On sort, ce soir ?*

Sortir, se payer une petite soirée à deux en commençant par un spectacle, pour terminer dans un bon restaurant, c'est tout un luxe de nos jours et ceux qui peuvent se permettre une telle dépense régulièrement ont sûrement gagné un tas de $$$ à la loterie, ou ils sont carrément inconscients de la valeur d'un budget. Si on fait le bilan d'une telle soirée (je l'ai fait), on s'aperçoit qu'on ne peut répéter trop souvent ce genre d'exploit. On commence par le commencement et le stationnement coûte environ 5 $ ou plus. Le spectacle auquel j'ai assisté allait chercher, au parterre, 16 $ le billet. À l'entracte, comme tout le monde, un petit « drink » et voilà un autre 5 $ qui s'envole. On vient tout juste de commencer la soirée et nous en sommes déjà à 42 $, sans compter le plein d'essence qu'il a fallu faire avant de sortir. Après ce spectacle, qui n'en valait même pas la peine, c'est le restaurant qui nous attend. Un restaurant de bonne qualité mais quand même pas pour ce qu'on y a laissé. L'apéro, l'entrée, le repas avec vin, le café et le digestif. Un petit tête-à-tête qui s'élève à 80 $, pourboire inclus. Tout compte fait, notre petite sortie romantique vient de nous coûter 122 $ et aucune exagération n'a été commise. Si j'analyse à fond, je viens de laisser en quelques heures le montant d'une commande d'épicerie qui fait manger la petite famille d'un vendredi à l'autre. Que faut-il faire ? Cesser de sortir ? Le faire d'une façon moins dispendieuse ? Se contenter de la télévision ? Il est certain qu'il faut descendre et non monter l'échelle… car à ce prix, nous risquons d'y laisser notre habit à la toute dernière marche. La semaine suivante, nous avons tenté de réussir une sortie peu coûteuse et avons opté pour le cinéma. Pour deux têtes, 11,50 $, un film pas trop mauvais, les croustilles, le chocolat, la liqueur douce. Plus tard dans la soirée, un petit goûter dans un McDonald et l'on s'en tire pour 25 $ en tout et partout. Le prix que nous payions jadis pour une soirée d'envergure. Avec cette soirée, on ne s'est pas payé la traite comme on dit. On a économisé, rien de plus et, pour ce prix, nous avons dû endurer les sacs de chips froissés de tout le monde, s'accommoder de l'atmosphère turbulente du restaurant où un tas d'adolescents vous donnent le goût de prendre une aspirine. On finit par se demander si l'on n'aurait pas eu plus de plaisir à rester chez soi ! Si l'on veut vraiment réussir à vivre sainement, à payer tout ce que l'on doit à chaque mois, à ne pas s'inquiéter d'un budget débalancé, il faut presque… rester chez soi ! On invite des amis, on joue aux cartes, on écoute de la musique, on offre un petit verre, avec des hors-d'œuvre durant la soirée et l'on se quitte sur un au revoir qui n'a pas coûté très cher et qui a meublé la solitude d'une soirée. Dommage d'en être réduit à cette solution que nous aimons de temps à autre, mais l'inflation ne nous laisse pas d'autre choix. Le tête-à-tête, le dîner à deux, le spectacle, c'est devenu un luxe épouvantable… que l'on se paye de moins en moins. On parle de salaires plus élevés, mais qu'est-ce, si l'on compare aux augmentations qui surgissent dans tout ce qui s'appelle les nécessités de la vie. Je me souviens d'avoir été plus riche en 1952 avec un salaire de 50 $ par semaine. Je ne sais trop pourquoi mais l'inflation, qui survenait de temps à autre, s'équilibrait si bien avec l'avoir que nous réussissions à nous payer ces sorties que l'on ne peut plus se permettre aujourd'hui. Sans être pingres, il nous faut être réalistes et même avec ce que nous gagnons, nous y pensons deux fois avant de recevoir avec le filet mignon. On compte maintenant les tours alors qu'autrefois la porte était toujours ouverte et le réfrigérateur prêt à accueillir les visiteurs à l'improviste. Il est vrai que l'évolution a transformé nos pâtés chinois en rôtis de bœuf, notre petite soupe comme entrée en cœurs de palmier, notre « pudding au riz » en crème à la mandarine et que le vin réservé aux grandes circonstances fait maintenant partie de tous nos soupers. On s'est « embourgeoisé » ? Payons-en la note ! On s'habille à la Cardin, on sort en grand, on mange à la française, subissons-en la rançon qui se veut le total de l'addition. Après une telle évolution, il est certain que les frites du coin et les p'tites vues du quartier finissent par exaspérer et qu'on ne peut redescendre d'un bond ce qu'on a grimpé à petits pas. Dans un cas comme celui-là, il ne reste qu'une solution, rester à la maison et se contenter d'un dialogue en regardant un film à la télévision qu'on n'a pas choisi. Quand on regarde de près les prix des aliments et qu'entre mes mains je tiens un pot de beurre d'arachides qui a coûté 3,29 $, je n'ai plus qu'une solution, m'en faire une beurrée et regarder de force ce que nous présente le petit écran. Nous avions tous rêvé avec le temps d'une vie en couleur ? C'est sans doute pour l'avoir provoquée que nous en sommes réduits à la vivre encore une fois… en noir et blanc !

## *Un bulletin de... mauvaises nouvelles !*

Hé, Denis, c'est l'heure des nouvelles, tu viens les écouter ? Non, tu me diras ce que la météo prévoit ! Et les nouvelles, ça ne t'intéresse pas ?.... non, j'veux pas m'coucher déprimé ! C'est comme ça que ça s'est passé chez moi un certain soir, alors que ma femme m'appelait du vivoir. J'ai décidé ce soir-là de me coucher sur une douce musique et de m'engourdir d'un bon sommeil réparateur. J'en ai assez des mauvaises nouvelles de dernière heure, j'en ai jusque-là ! Je me demandais toujours comment il se faisait que je dormais mal, que je faisais des cauchemars et j'ai trouvé. C'était la mauvaise cuillerée de nouvelles que j'avalais tous les soirs juste avant de me coucher. Non pas que je veuille faire la sourde oreille, on n'y échappe pas dans ce métier. Dès que j'entre au bureau, le journal du matin m'apprend ce que je n'ai pas entendu la veille et, bien avant, j'ai pu tout capter sur mon petit transistor en me rasant. Donc, je n'ai rien perdu. Le bulletin de nouvelles du soir ? plus pour moi... merci ! J'en ai assez d'entendre parler de grèves, de guerres, de meurtres, d'avions qui s'écrasent, de tempêtes tropicales, de la hausse des prix, du risque de manque d'huile, bref, de toute cette m... qu'on nous sert tous les soirs en guise de digestif. Vous arrive-t-il d'entendre une bonne nouvelle ? Quelque chose qui vous fera sourire ? Non, c'est toujours « down », toujours noir. Même les premières pages des journaux nous font mal avaler notre déjeuner. Si on écope d'une violente tempête de neige, soyez assurés qu'elle fera la première page de notre journal quotidien. Si, par contre, nous avons un jour ensoleillé de juillet avec fleurs et fleuve au repos, ne cherchez pas, vous ne le retrouverez même pas dans les annonces classées. Le climat de la vie est le même. On nous sert les désastres, on ne nous montre jamais l'envers. Bien sûr qu'il faut s'intéresser à tout ce qui se passe. On fait plus que ça, on le vit en très grande partie. Faut-il qu'en plus je sois assez masochiste pour m'entendre annoncer le coup de marteau que je recevrai encore demain ? Non, plus pour moi. Les grèves, je les subis, je n'y peux rien et je paye comme tout l'monde la note qu'on me tend à la fin. Comme je ne peux y échapper, j'ai décidé au moins de m'évader du préambule de ces mauvaises nouvelles... je ne les écoute plus. Le soir, quand vient l'heure de la piqûre, je ferme la télé et j'écoute Nicole Martin me chanter une chanson d'amour. Je ménage mes pauvres nerfs et je dors comme un bébé depuis que j'ai dit non à cette absurdité. Si on annonce qu'une bombe va nous tomber sur la tête durant la nuit, c'est sûr que je n'en saurai rien, je n'écoute pas les nouvelles. Mais entre vous et moi, ne vaut-il pas mieux qu'elle m'arrive sur la tête par surprise, que d'attendre angoissé, nerveux, agité, stressé, les yeux sortis de la tête qu'elle me pète dans le front ? Fini le bulletin de mauvaises nouvelles, moi je dors sur mes deux oreilles depuis que j'ai trouvé la cause de mes insomnies. À chacun ses affaires, tout ce que je sais... c'est que je n'ai plus besoin de somnifères !

## *L'indésirable trouble-fête...*

On ne choisit pas toujours ses invités et, si on le fait, il peut nous arriver de nous tromper. Ce que je veux dire par ces mots, c'est que chacun de nous a certes dû avoir à subir, à un moment donné, ce qu'on appelle un trouble-fête. Ce genre de personne se retrouve surtout dans les noces où les deux côtés de la parenté ne se connaissent pas, et bien souvent dans les soirées intimes où des gens s'amènent pas tout à fait comme on les attendait. Je vous donne un exemple. Vous invitez six ou huit couples à dîner et, pendant que vous commencez à manger, fatigués d'attendre les retardataires, ces derniers arrivent avec un bon coup dans le corps. Je ne peux vous dire l'effet désagréable que ça produit sur les invités et surtout sur les hôtes de la soirée. Ce fêtard prématuré n'a même pas attendu pour se « paqueter » chez vous, il a commencé bien avant et alors que vous en êtes encore à l'apéro, il est déjà en train de danser le tango en insistant pour avoir des partenaires qui, bien entendu, en sont encore au consommé au poulet qu'on vient de leur servir. Dès lors, votre fête est ébranlée parce que cet invité monopolise la conversation et qu'il prend tout simplement le plancher. Inutile de tenter de le rejoindre et d'être au même diapason car, pendant que vous prenez votre premier verre, il boit encore et en est déjà à son douzième. Les gens restent sobres de peur de lui ressembler. Ils restent sobres aussi parce qu'ils doivent surveiller les faits et gestes de cet indésirable qui aurait pourtant pu être un invité à votre table. Dans une réception de mariage (où je ne vais jamais) il y a aussi ce « trouble-fête » que nous pensions civilisé lors du premier regard à l'église et qui, dès le troisième verre, devient exécrable et dégoûtant. Dans le genre à faire de l'œil aux petites filles de dix-sept ans, à se vanter des biens qu'il ne possède pas, des voyages qu'il n'a jamais faits et du « char neuf » qu'il veut s'acheter. Dans un mariage, on n'a pas d'autre choix que de l'endurer ou de prendre son manteau et saluer les parents de la mariée avant de partir. Chez soi, c'est plus délicat. On passe une très mauvaise soirée, on l'excuse auprès de ses invités ou, si on en a le cran, on le fout tout simplement à la porte. Maudite boisson diront les uns ? Moi, je préfère me ranger du côté des autres qui diront « manque de jugement ». Toute personne qui sait qu'elle a la réputation d'être un trouble-fête, devrait s'abstenir de boire ou du moins décliner les invitations. On se connaît soi-même, non ? On est assez vieux pour s'analyser ? Comment peut-on imposer son vacarme à des gens qui ne demandent qu'à se détendre ? Quand on est ailleurs, on n'est pas chez soi et, quand on le sait, on a le respect des autres. Le trouble-fête sera le premier insulté l'an prochain quand il s'apercevra que vous avez omis de l'inviter à votre fête. Il se demandera bien pourquoi, s'il est inconscient de ses actes, et saura très bien pourquoi s'il est assez intelligent pour se rendre compte qu'il est devenu, pour son entourage, un vil indésirable. On a beau avoir de l'indulgence, de la compréhension, de la sympathie, je pense qu'on n'a pas le droit de s'imposer, ni d'imposer à ses amis, des êtres dénués de bon sens. Moi, j'ai restreint le calepin de mes invitations. Je n'ai rien contre les gens qui s'amusent et qui repartent de chez moi en titubant tout en vous disant merci, mais je n'accepte plus, ne serait-ce que pour le respect des autres, que le trouble-fête soit désormais de la fête. Et vous ?

## *Avec un brin de passion…*

L'autre jour, j'ai eu recours aux services d'un plombier chez moi afin d'effectuer des travaux dans la tuyauterie. Je le regardais travailler et j'étais mal à l'aise de le voir forcer à ce point et s'éponger le front de ses mains sales et graisseuses. Bien gentiment, en guise de sympathie, je lui dis : « Pas facile votre métier. Vous devez en avoir assez par bout d'arriver à la maison tout sale ? » Et le brave homme de me répondre : « Y'a rien là. Si vous saviez comme j'aime ce que je fais. Pour moi, chaque tâche est un défi et je suis content quand je vois le client satisfait ! » C'est à ce moment que j'ai senti qu'une vive passion l'habitait et que son travail était loin d'être fait par dépit ou parce qu'il avait sa croûte à gagner. Il a même ajouté : « Si j'aimais pas ça, ça ferait longtemps que j'aurais tout sacré ça là. » Somme toute, c'est à être passionné qu'on parvient à faire de son travail le plus subtil des arts. Ce qu'on fait dans la vie, et ce monsieur en est la preuve, doit être fait avec amour ou pas du tout. Si on réussit à mettre de la passion dans son œuvre la plus sommaire, je pense qu'on réussit sa vie pleinement. Avoir de la passion, ce n'est pas regarder le temps qu'un travail prend, mais le faire en toute conscience avec tout le plaisir qu'on peut en retirer. J'ai vu dans ma vie des êtres si passionnés par ce qu'ils faisaient, qu'ils en oubliaient de demander une augmentation de salaire quand l'inflation l'aurait nécessitée. Épris de leur travail, parce qu'il correspondait à leurs ambitions, ils se donnaient corps et âme pour en retirer au départ une satisfaction bien personnelle. J'ai même entendu des gens me dire : « Tu ne peux pas savoir à quel point j'aime ce que je fais. Et dire que je suis payé en plus pour le faire ! » La différence entre la passion et l'obligation, c'est d'avoir la chance et la patience de trouver un emploi qui réponde à ses goûts et à ses aspirations. Il n'est certes pas donné à tous de tomber pile sur ce qu'ils aimeraient faire, mais encore là, il y a possibilité de ne pas sombrer dans l'aspect négatif d'un emploi. Si le hasard nous lance dans les chiffres, alors que la véritable passion serait dans l'écriture, il faut à tout prix mettre toutes les chances de son côté afin de découvrir un 60 % de passion pour le travail qui nous fera gagner notre vie. C'est en faisant cet effort que bien souvent le 40 % suit et l'on se retrouve à aimer de tout son cœur ce qu'on aurait fait en maugréant sans en retirer aucun plaisir. Dans chaque emploi, on peut, si on le veut, répandre un fluide de passion qui nous fera voir notre travail d'un tout autre œil. Dans chaque entreprise, le moindre poste a son importance si on réussit à l'enrober d'amour et non d'aversion. Même le messager d'une grosse compagnie peut éprouver de la passion pour ce qu'il fait s'il veut au préalable s'enlever de la tête que son poste est le moins important de la place. Avoir de la passion, c'est d'abord vouloir se sentir bien dans sa fonction. Si vous partez avec l'idée que votre emploi n'est qu'un « en attendant autre chose », je doute fort que cette vilaine courbe disparaisse au prochain emploi. Il se peut même qu'on finisse par se demander où l'on pourrait finalement éprouver cette passion qu'on recherche. Il n'y a pas de sot métier et c'est à être passionné qu'on en fait les plus beaux moments de notre vie. Le jardin du voisin est toujours plus fleuri ? Enlevez-vous ça de la tête. Ce voisin que vous enviez est peut-être le plus malheureux des êtres. Être passionné, ça se cultive. C'est à prendre les bons côtés des situations qu'on finit par savoir… ce que ça veut dire !

## *Pauvre solitude…*

De plus en plus, on entend des gens se plaindre de leur solitude. Je ne parle pas ici des vieillards qu'on abandonne et qui attendent impitoyablement qu'on leur tende la main. Non, ce sont des gens d'âge moyen et parfois des jeunes qui crient leur solitude. De nos jours il n'est plus possible de souffrir de solitude. Pas quand un monde en effervescence nous invite aux groupements de toutes sortes. Moi, j'ai toujours dit qu'on était aussi seul qu'on voulait bien l'être et je le maintiens. Il est donné à tous de se faire des amis, de s'entourer d'activités et, si l'on consulte les brochures qui invitent aux évasions de toute nature, on ne peut plus être seul. On a maintenant des associations pour les veuves, des mouvements pour les alcooliques, des cours pour les timides qui ont peur de foncer. Vous n'avez qu'à prendre les pages jaunes et vous trouverez mille et une façons de ne plus être seul. Si l'on persiste à fermer les yeux sur toutes les opportunités qui nous sont offertes, c'est qu'on veut rester seul. Encore là, il est possible de combler ce vide qui nous entoure. Un chat, un chien sont de fidèles compagnons pour les solitaires endurcis. Si on ajoute à cette suggestion, musique, lecture, cinéma… la personne seule est déjà entourée d'éléments de valeur. Quand on sent la dépression nous envahir et qu'on accuse sa solitude d'en être cause, c'est qu'on n'a rien fait pour s'en sortir. Pauvre solitude… comme on l'a invoquée pour excuser sa torpeur. Ceux qui s'en plaignent constamment ne souffrent pas de solitude, mais de la peur. Ils ont peur d'affronter de nouveaux défis, peur des gens, peur des amis, peur de sortir de leur coquille et je pense fermement qu'ils ont plus besoin d'une bonne poussée dehors… que d'un réconfort. Je vous semble dur ? Pourtant je sens que vous êtes d'accord. Se noyer dans sa solitude, c'est refuser l'air qu'on nous donne pour aspirer sa joie de vivre. N'allez pas croire que je parle ainsi parce que je suis entouré. Il m'est arrivé de me sentir très seul… parce que je le voulais, que je refusais d'enlever mon pyjama pour mettre mon manteau et me lancer à la conquête des joies de la vie. On creuse sa solitude comme on cultive parfois ses maladies. Pas vrai ? Je suis assuré que vous avez dans votre entourage un être qui souffre de solitude… et je suis certain que cet être correspond exactement au portrait que je viens de tracer. Que pouvons-nous faire de plus que de leur donner une bonne poussée ? C'est la seule façon de leur faire prendre conscience que le monde leur appartient… s'ils en veulent bien !

# *Quelle corvée…*

La semaine dernière, ma femme passait le week-end chez sa sœur à la campagne et c'est de bonnes grâces que je lui ai dit de ne pas s'en faire avec les emplettes… que je les ferais à sa place ! Mon Dieu que j'ai payé pour un tel geste de générosité et comme je vous comprends, mesdames, d'anticiper ce déplacement comme une corvée. Arrivé au centre commercial, il m'a d'abord fallu tourner en rond pendant dix minutes avant de pouvoir stationner. Rendu à l'intérieur du gros magasin de provisions, il y avait tant de monde qu'il m'a fallu presque me battre pour obtenir un carrosse qui, en plus, bloquait à tous les trois pas. C'est là que mon aventure a débuté. Je commence par le rayon des viandes et, comme c'était samedi et que les comptoirs étaient à moitié vides, j'attendis qu'on fasse le plein pour ensuite voir des mains qui se « garrochaient » sur les morceaux de viandes, sans même y lire les prix. J'ai finalement réussi à obtenir un paquet de bœuf haché et un steak dur comme ce n'est pas possible. Des « excusez-moi », j'en ai dit au moins vingt-cinq et des « puis-je passer, s'il vous plaît » tout autant. Les accidents de circulation sont très fréquents dans ces endroits, surtout quand vous prenez une allée où les carrosses sont laissés en plein milieu pendant que madame compare les prix du jus de tomate. Ouf ! je prends une autre allée et là, c'est l'attroupement. Je pensais que quelqu'un s'était blessé, mais non, ce n'était qu'un super rabais sur les dentifrices qui attirait la foule. J'en ai été quitte pour un tube au plein prix d'une marque quelconque. Le pire c'est que, pendant que les mamans font ainsi leurs emplettes, leurs enfants courent à travers tout le monde en jouant « au cow-boy ou à superman ». Du même coup, le magasin devient le parc d'amusement des petits qu'on manque d'écraser chaque minute. J'ai vite renoncé à la crème glacée quand j'ai vu tous ces marmots qui, penchés sur le comptoir, cherchaient des « popsicle » et je me suis dirigé dans l'allée des fruits croyant y trouver la paix. Quelle surprise ! C'était envahi de gens de toutes nationalités. Des Chinois, des Amérindiens, des Portugais, des je ne sais quoi, mais des têtes de toutes les couleurs. Je saisis une pomme de salade et je renonçai aux cerises de France. Six personnes se trouvaient devant les paniers à trier les plus belles. La même chose dans les pêches et tout ce qu'on achète à la livre. Vlan ! je m'empare d'une tresse de bananes sans savoir que, rendu à la caisse, on me dirait qu'il m'aurait fallu les faire peser. Il va sans dire qu'en chemin j'ai écrasé de mon pied une prune et que j'ai failli me casser le nez en glissant sur un raisin vert. Je suis à bout, j'étouffe et je réussis à me rendre à la caisse avec les quelques items choisis au hasard. Une file d'attente, plus longue que celle d'un film érotique, m'attendait à chaque caisse. Je prends mon mal en patience me disant que mon tour viendrait sans remarquer que la dame devant moi avait deux paniers bondés. Imaginez le temps qu'il lui a fallu, d'autant plus qu'elle voulait emporter le tout à l'auto elle-même. J'arrive enfin me disant que ces petites choses ne me coûteraient à peu près rien et le talon de caisse m'invite à débourser 60 $ pour mes douze ou treize items. Je suis sorti en sueur de ce magasin, me jurant de ne plus jamais y remettre les pieds sans penser un seul instant que c'est chaque semaine que ma femme y dépose les siens. Chapeau, mesdames ! Je vous le lève bien haut pour ce tour de force que vous faites sans vous plaindre. Quelle corvée ! Vous avez un mérite tel… que je préfère sincèrement vous le laisser !

## *Un tout petit rien…*

Dernièrement, à la merci de la foule dans un grand magasin, je me sentais devenir fou à me frayer un chemin pour y trouver la sortie. Ouf ! quel soupir de soulagement lorsqu'on finit par atteindre sa voiture et reprendre lentement le chemin de la maison. Quelle foire que celle des achats de Noël ! J'ai vu là et de mes yeux, des gens avec des colis tellement gros qu'ils en avaient le souffle coupé juste à les transporter. Comme d'habitude, on s'est laissé avoir par les multiples réclames et l'on dépense sans en avoir les moyens, comme si seul « le prix » justifiait le présent. Un père de famille achetait un ordinateur pour son fils de huit ans, et pas n'importe lequel, croyez-moi. « Le plus cher », a-t-il précisé au commis pour ensuite sortir de sa poche sa plus belle carte de crédit. Pour un autre, c'était une chaîne stéréo dans les quatre chiffres et une dame repartait avec trois bagues à diamants pour ses trois filles ! J'entendais des gens dire : « Non, pas ça pour le « boss », c'est pas assez cher, on risque de l'insulter ! » Voilà ce qui s'appelle évaluer un présent par son pesant d'or et non comme un geste venant du cœur. On oublie parfois qu'un petit rien bien pensé vaut dix fois plus qu'un gigantesque cadeau enrubanné et que le geste compte beaucoup plus que la valeur. Si la foire aux cadeaux se veut si commerciale, c'est que la plupart des gens « achètent », de cette façon, l'affection des autres à coups de dollars multipliés. Cela veut-il dire que le présent est davantage apprécié ? Moi, je me suis vu rester ébahi devant un tout petit rien confectionné des propres mains de la personne qui me l'offrait. Comme il était beau ce signet pour mon livre que cette dame avait habilement crocheté. Je suis certain qu'elle a dû le faire en douze ou quinze minutes, mais le seul fait que ces moments aient été consacrés à me faire plaisir valait tous les rubans d'or qu'elle aurait pu acheter à quinze ou vingt dollars. Je ne vous fais pas narration de cet état de choses par souci d'économie, loin de là, mais seulement pour démontrer qu'une bonne pensée peut valoir pour le cœur beaucoup plus cher que tout ce qu'on pourrait dépenser. Ce qui compte dans le choix d'un présent, c'est de tenter d'atteindre, avec un tout petit rien, les sentiments de l'autre. Que de fois ai-je reçu l'éternelle bouteille de cognac le plus cher avec une carte imprimée d'un « Joyeux Noël » et signée d'un nom, sans rien de plus. Bien sûr que ce geste a sa valeur et que j'ai su l'apprécier, mais je me suis dit que c'était là un présent de courtoisie, un cadeau qui s'imposait et non un geste réfléchi. Premièrement, je ne bois pas de ce cognac et, deuxièmement, la personne qui me l'offrait n'a même pas cherché à savoir ce qui pouvait m'aller droit au cœur. À côté de ce précieux présent, je recevais de quelqu'un d'autre un stylo sans valeur, mais avec un mot qui n'avait pas de prix. On me disait : « À vous qui écrivez sans cesse, un petit quelque chose qui deviendra peut-être un outil en cas de besoin ! » Si vous saviez comme j'ai été flatté de cette pensée et du bon jugement du donateur. Offrons peu, offrons mieux et je suis sûr que les récipiendaires seront nettement plus heureux. Une rose avec un billet doux ne vaut-elle pas le bouquet avec une simple signature ? On aime tous faire des cadeaux et y ajouter ses souhaits mais, de grâce, faisons-le de façon personnelle et non comme un très riche Père Noël. Telle personne aime la musique ? Une cassette bien choisie et la voilà ravie. Une autre aime la lecture ? Un bouquin et votre présent devient dès lors immortel. Soyez sages et conscients et rappelez-vous qu'un tout petit rien vaut parfois un palais… quand c'est de tout cœur qu'on le fait !

## *Quoi qu'on en dise...*

Moi, je dis que ce n'est pas vrai qu'une personne en boisson se montre sous son vrai jour, sa vraie nature. Trop de personnes sont portées à juger le pauvre type, qui a pris un verre de trop et qui dit n'importe quoi, en disant de lui : « Tiens, c'est comme ça qu'il est. » Erreur ! On dit bien cependant qu'une personne qui a trop consommé de boisson a les facultés affaiblies. Facultés affaiblies veut dire raisonnement débalancé, soupesé et nettement exagéré. Pensez-vous un seul instant que cette même personne vous dirait à jeun les mêmes âneries ? Allons donc et ne venez pas me dire que c'est parce qu'il est trop gêné pour les dire quand il est sobre. Non, quand on a pris un verre de trop, on est porté à l'emphase et ce n'est pas la vraie nature qui s'étale, mais bien le sous-produit de ce que l'intelligence ne peut plus mesurer. À ce moment, l'humain n'a plus que son instinct pour le conduire et un humain privé de ses facultés intelligentes est à deux pas de l'animal. Moi, je n'ai jamais pris au sérieux tout ce qu'on a pu me dire en état d'ébriété, parce que ces personnes ivres ne raisonnent plus avec leur tête et qu'elles sont victimes d'une inconscience qu'il faut leur pardonner. On se retient quand on est sobre ? Non, on est soi-même et ce que vous appelez « retenue » est tout simplement l'intelligence de pouvoir séparer le bien du mal. J'ai vu des gens se laisser aller à des bassesses indescriptibles en état d'ébriété, des gens qui ne se rappelaient même pas, le lendemain, de leurs faits et gestes. Peut-on dire que ces gens avaient conscience de leurs actes ? Étaient-ils vraiment eux-mêmes au moment de ces écarts de conduite ? Voyons donc ! Un gars qui se sert de son jugement trois cent soixante-quatre jours par année et qui, par un effet diabolique, enfreint les normes de sa propre morale ne peut être tenu pour étant lui-même le jour où il bifurque maladroitement de sa ligne de conduite. Autrement, nous serions tous des faux jetons avec notre tête sur nos épaules et de vraies natures dès qu'on la perd. La preuve de cet illogisme, c'est qu'il ne m'a jamais été donné de voir un gars saoul qui, dégrisé, ne regrettait pas ses folies de la veille. Le mot « folie » est assez juste puisque c'est exactement ce qu'on commet quand on perd le nord, comme disait mon grand-père. Avez-vous déjà vu quelqu'un de logique en état d'ivresse ? Avez-vous déjà entendu des propos distincts ? C'est comme si l'ébriété était la plus belle porte de l'évasion qu'un être équilibré puisse s'offrir. Ca leur fait du bien de ne plus avoir de jugement pour un petit douze heures, de ne plus avoir à mesurer, de ne plus avoir ses facultés. C'est comme si on s'évadait de tout ce que nous dicte habituellement notre conscience. De ce fait, nous ne sommes plus nous-mêmes, mais d'autres cerveaux cadenassés dans le même corps pourtant. Je n'ai rien contre ces évasions et je ne porte aucun jugement sur ceux qui s'égarent ainsi de temps en temps, mais je suis assez indulgent pour comprendre qu'ils ne sont pas dans leur état normal et je ne dirai jamais que je viens de les découvrir sous leur vrai jour. Bien au contraire, et quoi qu'on en dise, je maintiens que l'être qu'on est vraiment est celui qui fonctionne avec toutes ses facultés à longueur d'année. L'autre ? c'est celui qu'il devient de temps en temps et qu'on a malheureusement l'habitude de prendre au sérieux. Le jour où l'on aura appris que la boisson a pour but de fermer la porte de l'intelligence, on ne sera plus porté à les écouter… et ces derniers apprendront peut-être à dire : « Merci, j'en ai assez ! »

## *J'ai cessé de fumer !*

En effet, j'ai réussi ce tour de force, mais j'ai attendu d'être sûr de mon coup avant de m'en vanter. Comme ça fait maintenant un an que je ne fume plus, pourquoi me priverais-je du plaisir de vous l'annoncer et peut-être, par le fait même, vous inciter à en faire autant. Ce n'est pas facile, j'en conviens, mais ça se fait. C'est la seconde fois que je réussis au cours de « ma longue vie » et jamais plus je ne veux avoir à livrer ce combat. La première fois, j'avais trente ans et je ne fumais plus depuis un an et demi lorsque quelque chose de grave est survenu et que je suis retombé dans la nicotine. Là, je viens de m'en débarrasser et je sens que c'est à tout jamais, car rien ni personne ne saura m'y rejeter. Comment j'ai fait ? Ce n'est pas simple, mais ma méthode vaut la peine que j'en parle puisque je n'ai eu besoin de rien d'autre que ma stricte volonté. Remarquez que je fumais pas loin de deux paquets par jour et que j'en avais assez de tousser le matin ; de me sentir la gorge irritée et d'avoir à traîner dans ma poche de robe de chambre, cigarettes et briquet dès que je me levais. J'en avais assez de cet esclavage immonde et je me disais : « Voyons, Denis, tu ne vas pas être accroché à ces bouts de tabac toute ta vie ? » À force de me sermonner, je me suis motivé, donc décidé. J'ai commencé par éliminer de mon quotidien « ma marque de cigarettes préférée ». Je fumais des cigarettes faibles. Je me suis mis à en acheter des fortes en changeant de sorte chaque jour pour vraiment en avoir mal au cœur. Après deux semaines de ce traitement, inutile de vous dire que ma gorge était encore plus irritée. Ayant rompu avec la cigarette que je fumais depuis dix ans et qui se voulait ma « maîtresse », il me fut donc plus facile de rompre avec toutes celles qui ont tenté de prendre sa place. On n'aime qu'une fois… même en nicotine ! Un matin, et je m'en souviens puisque c'était l'anniversaire de mon fils, j'ai pris ce qui me restait et je l'ai jeté à la poubelle en me disant : « C'est là ou jamais ! » Vous dire comment s'est écoulée la première semaine m'est douloureux. Je me souviens qu'après trois jours je n'étais même plus capable d'écrire un article. Je cherchais automatiquement de la main gauche « mon paquet » qui n'était plus là. Certains soirs, en proie au malheur de ce sevrage, j'allais carrément me coucher à neuf heures en me disant comme pour la nourriture : « Qui dort… fume ! » Petit à petit, j'ai fini par avoir moins mal, moins envie et « ma rage » a diminué de jour en jour. Pour finir par être « guéri ou presque » de cette drogue quotidienne. Remarquez qu'on n'a pas fumé pendant vingt ans pour que tout s'arrête dès qu'on jette son paquet. Il m'arrive encore parfois d'avoir des « p'tits goûts », mais ce n'est que l'espace d'un moment. Je sais que je ne refumerai jamais, parce que je ne me suis jamais senti aussi bien de ma vie. J'ai repris du souffle, je ne me sens plus oppressé, je ne tousse plus et je n'ai plus cette haleine du fumeur qu'il m'est difficile de humer chez les autres maintenant. Je me suis donc refait une santé et j'en suis conscient. C'est sûr que j'ai eu à subir le crochet de droite de l'embonpoint. J'ai pris dix livres et quand j'ai vu que ça ne voulait pas s'arrêter là, je me suis mis à la diète. On ne remplace pas un mal par un autre et j'y ai vu avant d'avoir trente livres en trop. Là, mon appétit s'est stabilisé et si j'ai gardé quelques livres, c'est qu'elles ne me font pas de tort, au contraire. Je ne me bats plus avec mon poids, mais je me surveille. De toute façon, même à titre de fumeur, je me surveillais. L'âge y est aussi pour quelque chose, non ? Somme toute, je suis un ex-fumeur, content d'avoir réussi ce que je croyais impossible. Si tel est votre cas, ne désespérez pas… et essayez encore une fois. Dans un an, vous aussi serez très content.

## *Un pas en avant…*

Un bon copain à moi me téléphonait l'autre soir et sa voix était si triste que j'ai pressenti le plus grand des malheurs. À mon « comment vas-tu ? », il avait répondu « très mal » et je suis resté sidéré appréhendant le pire. J'ai tout de suite pensé à une grave maladie, au décès d'un être cher ou je ne sais quoi lorsqu'il ajouta : « Je viens de perdre mon emploi ! » Ouf ! quel soulagement me suis-je dit pour répliquer : « Ce n'est que ça » ? Intrigué, pour ne pas dire insulté, il s'emporta contre mon sang-froid… pour finir par comprendre que son drame n'avait rien de l'importance qu'il lui accordait. Bien sûr que se retrouver sans emploi n'est guère plaisant et que c'est loin d'être une bonne nouvelle, mais ce n'est pas la fin du monde. Moi, mon père m'a toujours dit et je m'en souviens encore : « Denis, il y aura toujours quelque part un clou pour suspendre ton chapeau ! » Je ne l'ai jamais oublié et c'est ce que j'ai fini par faire comprendre à cet ami encore sous le choc de l'émotion. Bien souvent, la perte d'un emploi est un pas en avant et non un recul vers l'inutilité. C'est parfois le coup de pied dont on a besoin pour faire dans la vie ce dont on est capable. Sans ces congédiements subits, combien d'entre nous en serions encore à s'accrocher à la sécurité hebdomadaire du tout premier emploi, sans goût, sans passion, sans défi. On est coincé quand on se retrouve devant rien. On a peur parce qu'on doit payer sa maison, son auto, ses dettes et à se demander où on trouvera l'argent du prochain loyer, c'est là qu'on risque sa santé. Plaie d'argent n'est pas mortelle et c'est vrai. C'est dur… mais ce n'est pas une agonie. L'ami en question insistait : « Mais, j'ai quarante ans, ce n'est pas facile à mon âge, je... » Trêve d'apitoiement sur son propre sort. C'est s'inventer la plus belle des excuses pour faire accepter son chômage. Quand on a du cœur au ventre, quand on connaît sa valeur et qu'on garde son calme, le prochain emploi est parfois à quelques pas de soi. Si l'on est congédié, c'est qu'au départ, on n'était guère à sa place à cet endroit. L'échec d'un emploi n'est rien comparativement aux victoires des suivants. J'ai vu de mes yeux de modestes employés mal exploités se retrouver, après quelques années d'efforts, patron de leur propre compagnie. L'âge n'est pas un critère et bien des jeunes vous diront qu'il leur serait plus facile de se révéler s'ils avaient cette maturité qui vous semble une entrave. L'outil qui a servi peut toujours servir tant qu'il n'est pas rouillé. Le pas en avant, le « plus » dans la vie d'un être humain vient bien souvent d'un congédiement. J'en connais plusieurs qui aujourd'hui devraient serrer la main de leur ex-employeur à qui ils doivent... ce grand pas en avant. Hier, ils étaient prêts à le tuer... aujourd'hui, il leur faudrait le remercier. Être congédié, c'est parfois la plus grande faveur qui puisse nous être faite. C'est la poussée dans le dos qu'on avait peur de se donner soi-même. Tôt ou tard, on finit par aboutir là où notre talent peut être mis à profit... et on y est heureux. Mon ami s'est trouvé un autre emploi, à sa hauteur cette fois et son sourire m'exprime qu'il vient de faire un très grand pas. Il a foncé, osé, bûché... et m'a dit : « Je ne pensais jamais qu'une telle chance m'arriverait ! » Ce nouveau clou pour son chapeau, il l'aurait attendu longtemps... sans son congédiement. Béni soit ce mauvais moment !

## *La mauvaise herbe...*

Un bien drôle de titre en plein hiver, mais ne vous en faites pas, je ne parle pas de verdure. La mauvaise herbe, ce sont ces enfants qu'on voit pousser en sachant d'avance quel genre d'homme ils seront demain. Pour mieux vous situer, je vais vous raconter la petite aventure qui m'est arrivée dernièrement avec un petit malandrin. C'était juste au lendemain d'une tempête et mon épouse et moi regardions cet amas de neige devant notre porte quand un petit garçon de onze ou douze ans, tout au plus, qui passait avec sa pelle me demande : « Je peux tout nettoyer si vous voulez ! » « Ah, oui ? lui répondis-je, et combien me chargeras-tu pour ce travail ? » Il me regarde pensif et me dit : « Une piastre ! » Pauvre petit, dis-je à ma femme et je demande au garçon de tout déblayer lui disant que je lui donnerais plus que demandé. Il s'exécutait et nous le regardions par la fenêtre soulever avec une pelle plus grosse que lui, une neige si lourde qu'il faillit tomber à chaque levée. Pris de compassion, je sortis et lui dis : « Ne fais que le petit chemin et oublie la grande allée, c'est vraiment trop forçant pour toi ! » Il me dit qu'il ferait tout ce qu'il pourrait et ma femme et moi le regardions du second étage en nous disant : « Pauvre petit gars, il a bien du courage et il doit sûrement avoir besoin d'argent ! » Je sors de la maison cinq minutes plus tard afin d'aller faire des courses au centre commercial. Je l'appelle, lui dis qu'il en a assez fait et lui donne un billet de 5 $ pour son petit dix minutes d'efforts. Il me dit que c'est trop, qu'il va continuer encore un peu et on s'entend même pour qu'il revienne à la prochaine tempête avec son grand frère. C'est tout juste si on n'a pas signé un contrat ce jour-là. Je quitte donc en voiture, heureux d'avoir rendu un sourire à cet enfant. Je reviens vers la fin de l'après-midi et ma femme me dit : « Je te dis qu'il avait l'air content d'empocher le 5 $ que je lui ai donné ! » — « Comment ? » lui dis-je. Et c'est là que j'appris la bien triste vérité ! Le petit sacripant avait attendu que je tourne le coin de la rue avec ma voiture pour aller vite sonner à ma porte. Là, il demande à ma femme si elle peut le payer pour le travail accompli. Ma femme lui demande : « Mon mari ne t'a pas payé tantôt ? » — « Non », lui répondit effrontément le petit. S'enquérant de ce qu'elle lui devait, il répondit : « Pas plus de $5 en tout cas ! » Il venait d'apprendre grâce à ma générosité qu'il pouvait aller jusque-là. Elle lui remit donc le billet bleu et inutile de vous dire qu'il a disparu dans le brouillard et qu'on ne l'a pas revu à la prochaine tempête ! À un certain moment, on en a ri, ma femme et moi, pour ensuite se dire qu'il était bien triste d'être si jeune et déjà malhonnête. Imaginez ce que sera ce petit dans dix ans ? Que peut-on faire pour une mauvaise herbe ? Où sont les parents qui auraient dû lui inculquer le sens de l'honnêteté ? Fait-il aussi partie de ces enfants qu'on entraîne à dévaliser les maisons ? Pauvre petit gars, Dieu saura-t-il en faire un homme… avant qu'il devienne un bum !

## *Le monde est petit…*

Combien de fois n'avons-nous pas répété cette phrase dès qu'on rencontrait, quelque part, une personne qu'on n'avait pas vue depuis longtemps ? Oui, c'est vrai que le monde est petit puisque j'ai même rencontré en plein Sunset Boulevard à Hollywood, des amis d'enfance qui s'y trouvaient en même temps que moi et que je n'avais pas revus depuis vingt ans. Une autre fois, dans un centre commercial à neuf heures du matin, alors que j'étais pressé, je tombe pile sur une fille qui a déjà travaillé avec moi il y a dix ans et ce fut encore une fois : « Dieu, que le monde est petit ! » S'il est petit parfois de façon à nous être agréable et nous faire retrouver des gens qui nous sont chers, il ne me serait pas pénible qu'il soit très grand et que je ne revois plus certaines personnes qui ne m'ont pas été bénéfiques. Le « hic », c'est que bien souvent ce sont ces gens qu'on ne voudrait plus voir que l'on rencontre et à qui l'on se doit de sourire pas tout à fait sincèrement. Il y a par contre des gens que la vie n'a jamais remis sur mon parcours et que j'aimerais croiser, ne serait-ce qu'un instant dans un endroit public. Je me souviens avoir dit à certains d'entre eux jadis : « Tu verras, on se rencontrera bien quelque part, le monde est si petit. » Pourtant, je n'ai jamais, ni dans le métro ni dans un restaurant, revu ces visages qui m'auraient fait grandement plaisir. La vie nous joue de bien vilains tours et je me demande si elle ne se joue pas de nous parfois. Il m'arrive de penser à telle ou telle personne et de me dire : « Qu'est-elle devenue ? Je donnerais beaucoup pour la revoir. » Et le destin ne se veut pas favorable. On a beau dire que certaines amitiés ne sont que de parcours et passagères et je l'admets, mais ces personnes qui ont côtoyé notre vie ne serait-ce que l'espace d'un an ou deux, nous ont laissé de si agréables souvenirs qu'il est dommage qu'on ne puisse plus les revoir et que la vie s'écoule sans que jamais l'on puisse se remémorer de beaux moments. J'ai rencontré dernièrement, une amie de « ma première blonde » alors que j'avais quinze ans et j'ai été ravi de l'entendre me parler d'elle. C'était gentil, mais j'aurais été doublement heureux de tomber sur « ma première blonde », de la voir, de constater ce qu'elle est devenue. Mais non, le monde a beau être petit, je ne l'ai jamais revue. Malgré le fait que tout le monde se retrace, il y en a dont on perd la trace à tout jamais et c'est dommage. D'un autre côté, une personne peut me dire : « Vous savez, ma belle-sœur vous connaît bien et elle aimerait bien avoir de vos nouvelles ! » Là, c'est le désappointement total, car cette fameuse belle-sœur de l'autre, je ne tiens justement pas à la revoir. C'est malheureux, mais c'est comme ça que ça arrive dans la vie. Ceux qui nous ont marqué, qui ont été pour nous de belles phases de jeunesse, font partie des mauvais souvenirs, on les rencontre tous les coins de rue. Là, c'est le « comment vas-tu » et toutes sortes de questions négatives tout comme jadis. Ceux avec qui on a eu du bonheur et avec qui la nostalgie reprendrait ses ailes, le hasard les place très rarement sur notre route. On a beau traverser un océan, on arrive en pleine face avec ce qu'on veut oublier, tandis que les belles images du passé restent à jamais gravées dans notre mémoire à titre posthume. Ah ! que le monde est petit quand il se devrait d'être grand et grand quand on voudrait en croire l'adage. Pour notre bonheur ? Rarement. À notre détriment, hélas, trop souvent !

## *Un examen de conscience…*

Sommes-nous toujours à la hauteur de l'image qu'on se fait de nous ? Avons-nous la certitude d'être francs envers les autres ou jouons-nous tout simplement un jeu qui nous sert très bien ? Je crois qu'en ce début d'une nouvelle année un examen de conscience s'impose. On prend trop souvent à tort et à travers des résolutions qu'on ne tient pas la plupart du temps. C'est devenu une coutume que de se jurer qu'on… Non, ce qu'il faut, c'est tenter de s'améliorer sans rien changer radicalement… pour quelque temps seulement. Si on fait sa propre rétrospective de cette année qui vient de s'écouler, on s'apercevra qu'on a souvent fauté, souvent omis de penser avant d'agir. J'ai toujours été le premier à clamer qu'il fallait savoir oublier « hier » et je le maintiens. Cependant, s'il était possible d'éviter que son demain ressemble à hier, voilà ce que j'appellerais un gain sur son combat de personnalité. Il ne faut pas se leurrer, la perfection n'existe pas et nous apprenons toujours au gré de nos erreurs. S'arrêter, prendre le temps de se regarder… intérieurement et repartir à zéro dans de meilleures conditions, c'est à peu près tout ce qu'il faut pour faire un pas vers l'amélioration. Si on fait le bilan de ses bonnes et mauvaises actions, la balance sera peut-être à un niveau si égal que le poids en sera effarant. Un examen de conscience, c'est en somme une prise de conscience sur ce qu'on peut parfaire. On entend trop souvent dire : « Ah ! si seulement l'année peut finir, je vous dis qu'elle n'a pas été facile pour moi ! » Nous avons tous nos années grasses et nos années maigres et c'est peut-être de ces dernières que l'on retire le plus finalement. Si tout était trop facile, nous n'aurions plus aucun mérite, car un combat entre la conscience et les actes, c'est un défi. On en sort vainqueur… ou meurtri. Moi, j'ai opté pour la devise: «De mieux en mieux». C'est-à-dire que, chaque année, je m'arrange pour être supérieur à celui que j'étais l'année dernière. Remarquez que je n'y parviens pas toujours, mais si vous saviez comme il est bon… d'essayer. Quand j'obtiens un petit 10 % d'amélioration, c'est comme si je venais d'acquérir un diplôme universitaire. Il est évident que l'expérience de la vie est un très bon stimulant, mais j'ai quand même connu des gens qui, à soixante ans, n'ont guère changé leur façon d'être depuis leur adolescence. J'essaie tout simplement d'être meilleur, de remplacer certaines petites mesquineries par des bontés dont je m'ignorais capable. Nous avons tous en nous les germes du bien et du mal. Peu à peu, il faut tenter de débalancer la balance et faire en sorte que le bien domine au point qu'à la fin d'une autre année, on puisse se dire: «Je me suis vraiment amélioré.» Si on ferme les yeux sur son ego, si on ne prend pas la peine de sonder ses possibilités… on ne changera rien à sa façon d'être. Je suis loin d'être psychologue et ne voudrais surtout pas que vous preniez cet écrit comme une petite leçon de morale. Je ne suis qu'un être humain, comme vous, avec ses qualités et ses défauts. J'ai seulement appris et compris avec le temps qu'un bon examen de conscience m'était beaucoup plus profitable que toutes les résolutions que je prenais… et que je ne tenais pas. Je vous offre une façon de bien commencer l'année, rien de plus. Qui sait si la vôtre ne lui est pas supérieure?… à chacun sa façon de penser.

## *Salut… les policiers !*

Avant d'écrire ce papier, je me suis dit : « Je suis gentil ou je gueule. » J'ai étudié à fond la question, analysé tous les angles et j'ai opté pour le respect… même si je viens de payer à ma banque une contravention de 30 $ pour un petit surplus de vitesse. Le matin, un journaliste, c'est pressé, un peu plus pressé que tout le monde, car nous avons toujours un *deadline* à respecter. J'ai donc pesé un peu plus que d'habitude sur l'accélérateur et, juste à un tournant du boulevard Gouin, je me suis retrouvé face à face avec des policiers qui m'avaient repéré par leur radar. Inutile de vous dire que j'ai descendu quelques saints du ciel (que Dieu me pardonne) et j'ai attendu patiemment que le constable vienne à moi. Il a été, je l'avoue, d'une politesse exceptionnelle et d'une courtoisie extrême. J'ai quand même écopé de mon billet et je suis reparti en me disant finalement… que je ne l'avais pas volé. J'ai fait ce virage à maintes reprises et il était temps qu'on me fasse payer cette petite audace. J'aurais préféré un avertissement, mais avec le radar, on est cuit, pas moyen de parlementer. Toujours est-il que je suis parti avec ma contravention en voyant de mon rétroviseur… un autre « client » passer à la caisse. J'étais furieux au départ pour ensuite me dire que ce brave policier n'avait fait que son devoir, rien de plus et qu'il m'avait peut-être sauvé d'un accident en me modérant radicalement. Je me suis mis à penser à ce rôle ingrat qu'ils ont à jouer au sein d'une société qui ne les prise guère et tout en maugréant d'avoir à débourser 30 $, je livrais déjà intérieurement un vibrant plaidoyer en leur faveur. On les accuse à tort et à travers d'être les bestioles de notre planète sans se soucier un instant de l'importance qu'ils ont dans notre monde en effervescence. Il n'est pas facile d'être policier, d'avoir à vaincre le dédain, le sarcasme, d'afficher un uniforme qu'on respecte tout en le méprisant. Par contre, quand des intrus font irruption dans votre maison en pleine nuit, on ne se gêne pas pour faire appel à eux. On s'accroche à leur pouvoir pour mieux être protégé. À ce moment, les policiers sont des humains qu'on vénère pour ensuite les lapider à la première occasion. Ces hommes qui constamment risquent leur vie pour protéger la nôtre, il ne faut plus les considérer comme des marginaux... parce qu'ils sont au départ des humains comme vous et moi. Leur dévouement est intense et nous ne saurions nous passer de leurs précieux services. Que ferions-nous sans ces hommes qui sont toujours à l'affût de notre bien-être ? Je me le demande. Surtout en ce siècle où tout n'est que turbulence. Un enfant blessé ? Un vol de banque ? Un hold-up chez le dépanneur ? Un accouchement improvisé ? Qui donc pourrait soudainement jouer tous ces rôles à la fois. Sûrement pas moi ! Ces hommes, que nous qualifions trop souvent de dictateurs, risquent leur peau à tout instant et il m'a suffi de lire le texte que notre journaliste Yves Mallette a écrit sur la veuve d'un policier pour comprendre l'être et oublier l'uniforme. Ils sont des pères de famille, des hommes francs et intègres et réussissent en dépit de leur pouvoir de l'ordre à nous accoster avec courtoisie et respect. Je les salue en toute amitié. N'allez surtout pas vous imaginer que j'ai écrit ce billet afin de me sauver des contraventions. Je suis assuré que j'en attraperai une autre dans le prochain tournant et qu'encore une fois, j'arriverai au bureau en sacrant !

## *Ce matin…*

Je me suis levé comme d'habitude, j'ai regardé par la fenêtre pour dire « pouah » devant la tempête de neige et, assis en train de prendre un café, j'ai ouvert comme d'habitude le journal quotidien qu'on avait déposé à ma porte. S'il fallait se fier sur « ce cadeau » pour retrouver un brin d'énergie, laissez-moi vous dire que je m'en passerais bien. Je n'ai feuilleté que les gros titres pour y lire : « Le primat de Pologne craint la révolte », « Le salon de l'auto a souffert », « La prison à vie pour les meurtriers de… », « Une mère et ses deux enfants meurent asphyxiés », « Transport scolaire annulé », « Les grèves vont augmenter en 1986 », « Cinq plongeurs meurent noyés », « Un pont s'effondre : 30 morts », « Israël se prépare à une nouvelle guerre » et « La vente de matériel nucléaire aux pays sous-développés menace l'avenir de l'humanité ». J'arrête ! C'est assez, je n'en peux plus et je me retrouve encore plus « marabout » que lorsque je me suis levé. Vous appelez ça du positif, vous ? Moi qui pensais oublier les rigueurs de l'hiver dans ces pages et peut-être un goût de vivre aujourd'hui. Avouez que c'est le coup de masse dont on a besoin pour vite retourner sous les draps et oublier qu'on a pris la peine de se lever. Je sais fort bien et pour cause que les quotidiens sont là pour nous informer, nous éclairer sur la situation mondiale et locale, mais de grâce, de temps en temps, nous serait-il possible d'avoir une seule bonne nouvelle ? Même mon horoscope était négatif… et la seule joie que j'ai pu découvrir, c'est qu'un grand magasin de la rue Saint-Hubert vendait tout son « stock » à moitié prix. Je vous avoue qu'il ne m'intéresse pas d'ouvrir la radio et d'entendre de vive voix ce que je viens de lire quelques minutes plus tôt. Tout est négatif. C'est comme si la terre n'avait que des océans de boue qui l'entourent. Je sais comme le monde que ça ne va pas bien, qu'on fait face à une inflation épouvantable, que… mais, j'aimerais lire de temps en temps quelque chose de positif comme un monsieur qui a gagné à la loterie, comme un certain remède qu'on viendrait de trouver pour guérir un mal incurable, comme l'histoire d'amour d'un vieux couple. Mais non, tout ce qui est bon nous est épargné. C'est comme si l'on prenait un malin plaisir à nous tourner le fer dans la plaie. C'est sans doute pour ça que des revues comme la nôtre existent et que je m'efforce de plus en plus, par mes billets hebdomadaires, de semer de l'espoir dans le cœur des gens. Je sais qu'on a besoin de se faire dire que demain sera beau parce qu'il est vrai que demain peut être beau. Pourquoi toujours garder les gens dans l'angoisse et la crainte ? Qui donc pourrait dès lors avoir le goût de se bâtir un avenir, de penser à son prochain dix ans quand on nous donne l'impression que c'est la fin du monde à tout instant. Je déposai mon journal et je pris *Le Lundi* qui venait tout juste de sortir. Je revivais « La vie d'amour de Daniel Hétu », « Le précieux rôle d'une pharmacienne », « Le gracieux confort de Nicole Germain », « Le beau défi d'une maman de deux enfants », « La paisible retraite de madame Oleson » et j'ai même pensé à essayer de cuisiner le bon plat de Maman Simard. Je sais qu'il est primordial que nous soyons informés de tout ce qui ne va pas et c'est peut-être pour cette raison que nous nous sommes donné pour mission de vous le faire oublier. J'ai retrouvé mon sourire et je n'ai plus senti qu'il faisait froid… et je me suis mis à taper un texte rempli de joie. Croyez-moi, ça ne va pas si mal que ça !

## *Un cercle vicieux...*

L'autre jour, lors d'une émission télévisée, on demandait aux gens ce qu'ils allaient faire face à l'inflation et j'ai été fort surpris de les entendre répondre qu'ils allaient « se serrer la ceinture »... sans aborder les causes qui font que tout va si mal présentement. Vous voulez mon opinion ? C'est sûr qu'il faut se serrer la ceinture, on n'a plus le choix. Par contre, je persiste à dire que les plaies de tous nos maux, depuis plusieurs années, ce sont les grèves successives et rien d'autre. Le pire, c'est que les grévistes sont les premières victimes de leur geste et je vous explique mon raisonnement. Si les chauffeurs d'autobus obtiennent une augmentation sans pallier le coût des victuailles, ils ne se rendent pas compte qu'ils prendront ce surplus pour payer le surplus qu'on leur chargera sur leurs propres achats. Vous ne me suivez pas. Je me fais plus précis. Il est évident qu'après une grève du transport les tarifs augmenteront pour le public. Donc, si les employés d'une laiterie, pour prendre un exemple, doivent assumer une augmentation dans leur transport quotidien, que feront-ils ? Ils demanderont une augmentation à leur employeur et, devant refus, ils feront à leur tour une grève pour l'obtenir. Les prix des produits laitiers augmenteront immanquablement et les chauffeurs d'autobus auront tout comme nous à payer plus cher le lait, le beurre, les œufs et le fromage. Résultat. Ils seront exactement au même point qu'avant leur fameuse grève, et ce, sans oublier toutes les autres augmentations déclenchées par leur grève. C'est compliqué hein ?... mais pas sorcier. Si je cite les chauffeurs d'autobus en exemple, ce n'est pas parce qu'ils sont cause de tout ce qui arrive, mais tout simplement qu'ils étaient dans le feu de l'action au moment d'écrire ces lignes. Ils ne font que partie de ce cercle vicieux dont on ne sait plus à qui attribuer les torts. Il faudrait sans doute remonter aux sources pour retracer la tumeur bénigne de ce cancer maintenant généralisé. Finalement, ce sont tous les travailleurs qui se lancent ainsi la balle et la population entière qui en devient victime, grévistes inclus. Les postiers font une grève ? Résultat : ça nous coûte maintenant 0,34 $ pour poster nos comptes à payer. Les employés des firmes alimentaires feront peut-être une grève… et nous aurons à payer le double pour notre commande d'épicerie. Moi, quand je fais le marché, je ne me surprends plus de voir un prix de 1,13 $ sur une boîte de pois verts de dix-neuf onces… je comprends ! Quel affreux labyrinthe que le nôtre, quel noir tourbillon. Comment allons-nous nous en sortir ? Sommes-nous à ce point inconscients au point de se taper sur la tête les uns les autres ? Je n'ai pas l'habitude de traiter de politique dans mes billets, mais pour une fois je déroge car j'ai l'impression que nos gouvernements nous regardent agir avec une certaine jouissance. Ces gens que nous avons élus et qui prétendent avoir la clé à nos problèmes agissent comme s'ils prenaient un malin plaisir à nous regarder nous détruire et attendre confortablement notre mea-culpa. Eux qui auraient le pouvoir de tout « geler » pour notre propre sécurité, préfèrent se taire et préparer dans l'indifférence de nos soucis… leur prochaine campagne électorale. Non, je n'ai pas de solution, je n'ai pas cette clé. J'avale comme vous tous le venin de ce poison. Je n'ai qu'un espoir cependant, c'est de voir un jour des humains solidaires clamer dans un sursaut un vibrant acte de foi… avant d'en être au point de faire son acte de contrition !

## *Ça va mieux ?*

Ce fut l'hiver le moins pénible depuis bien des années et pourtant, plusieurs en garderont un très mauvais souvenir. Il y a eu recrudescence de grippes, laryngites, amygdalites, etc. On aurait dit qu'il manquait quelque chose pour combattre les microbes. Sans doute le froid inexistant a-t-il été cause de ces nombreux virus qui nous ont envahis. Toujours est-il qu'il y a eu « du monde malade » à ne plus pouvoir les compter. Pour quelques-uns, c'était la pire grippe de leur vie, sans compter les gens du troisième âge qui ont eu à lutter férocement contre une pneumonie ou une bronchite aiguë. Les médecins d'Urgence Santé n'ont pas cessé de se promener à travers les rues au secours des gens qui souffraient. J'ai côtoyé nombre de personnes aux prises avec les microbes les plus diversifiés et je n'ai rien « attrapé » comme on dit. Je vous jure que j'ai touché du bois tout l'hiver et que je continue à le faire, car je me considère chanceux d'avoir échappé à cette règle presque générale. Là où je veux en venir, c'est souhaiter à tous ceux qui ont eu à combattre ce fléau, mes meilleurs vœux de bonne santé. Maintenant que ça va mieux, il faut oublier ce cauchemar et se dire que l'été qui vient balayera la plus petite séquelle qui soit. Le soleil ardent est sans doute le meilleur générateur et il ne faut pas oublier d'en profiter largement. S'il nous fallait compter tous les désagréments que nous cause notre santé, on vivrait dans la crainte constante. Ça va mieux ? Ça va même très bien ?... oublions hier et pensons à demain. C'est la meilleure façon de s'accrocher un sourire et de dissiper ses chagrins !

# *Savoir évoluer*

On parle souvent à tort et à travers de ce qu'on appelle l'évolution. On découvre un auteur et l'on s'imagine avoir évolué quand on a tout simplement appris quelque chose de nouveau. L'évolution, ce n'est certes pas le bagage de connaissances, le certificat qu'on étale sur son mur, le duplex qu'on achète. C'est beaucoup plus que cela et surtout plus simple à atteindre. C'est à travers cette jungle qu'est la vie qu'on apprend le plus la signification de ce mot qui a pour plusieurs l'attribut d'un cours perfectionné. J'ai vu des gens sans instruction, munis d'un petit diplôme de neuvième année… évoluer de façon éblouissante au sein de notre société. Évoluer, c'est observer ce qui se passe autour de nous, s'analyser, en prendre et en laisser, changer un tournant, arrondir un angle. Évoluer, c'est vouloir être toujours soi avec un savant maquillage de sa propre main. Il suffit de monter un palier à la fois, redescendre s'il le faut pour bien s'assurer qu'on n'a pas mis le pied trop haut. J'ai entendu des gens me dire: « Moé, on m'prend comme j'suis, je ne changerai pas pour leur faire plaisir ! » Et pourtant, c'est d'abord à soi qu'on fait plaisir quand on modifie quelque peu sa façon d'être. Soigner quelque peu son langage ne demande pas un cours de linguistique. Changer sa tenue ne demande pas nécessairement un cours de charme et de maintien. La vie de tous les jours nous offre toutes ces images… gratuitement. Si l'on se scrute, si l'on pense à celui ou celle que nous étions il y a dix ans et que rien n'a changé, c'est que nous avons lamentablement passé à côté d'un tas de choses… les yeux fermés. Pour évoluer, il faut d'abord s'évaluer et se rendre compte de ses possibilités. C'est à moins parler et à tendre l'oreille qu'on apprend. Il y a des possibilités en chacun de nous et s'il nous était possible de faire l'effort requis, personne n'aurait à se plaindre d'avoir manqué d'instruction. L'évolution, c'est au tout départ une question d'éducation. Libre à nous de la parfaire ou d'y mettre un frein radical dès qu'on se retrouve entre ses propres mains. Tout nous est accessible aujourd'hui. La lecture, la télévision, les conversations animées. J'apprends, j'apprends… chaque jour et je ne verrai pas le jour où je n'aurai plus rien à apprendre. Le pouvoir, c'est en premier lieu le vouloir et si l'on se bute au mur de sa propre indifférence, on reste tel qu'on est. Ses qualités, ses connaissances, on les a parce qu'elles nous ont été léguées. Ce qu'il faut, c'est déficeler ce paquet de « nous-même » et graduellement l'emballer à nouveau avec un peu plus de subtilité. Nous avons tous cette capacité de faire notre propre évolution, sans université, sans dictionnaire. La vie de tous les jours suffit à nous apporter le plus beau condensé de tout ce qu'on pourrait nous enseigner. Il ne faut que puiser, à gauche, à droite et partir avec détermination pour se retrouver avec un 10 % de plus dans son évolution. Qu'avons-nous fait jusqu'à présent pour monter l'escalier ? Une franche évaluation de nos efforts nous en donnerait certes la réponse. Cessons de tourner en rond, de se contenter d'être comme on est et évoluons lentement mais sûrement jusqu'à la limite de nos ambitions. Il est impardonnable de penser que nous avons cessé de grandir quand un souffle nouveau nous pousse dans le dos. Si chacun ajoutait à sa propre personnalité 5 % de ses capacités, le Québec aurait d'un seul coup évolué… au point de ne plus avoir à se dire : « Quand on est né pour un petit pain… » Je ne crois pas que personne soit démuni à ce point !

## *L'argent ne fait pas le bonheur… ?*

… mais, selon plusieurs, il rend le malheur confortable ! Voilà un sujet d'actualité et que je me fais plaisir d'analyser à ma façon, avec le pour et le contre de la situation. Si je dis « l'argent ne fait pas le bonheur » ce n'est pas tout à fait vrai, car j'ai eu dans ma vie des pépins, comme on appelle, qui se seraient vite dissipés si j'avais eu à portée de la main une poignée de dollars. Faire ou ne pas faire le bonheur, c'est discutable, car tant qu'à être pris sur un lit d'hôpital, j'aime mieux l'être en tant que millionnaire qu'en tant qu'assisté social… me disait mon père. Et il n'avait pas tout à fait tort, puisque très à l'aise, il a pu être entouré de soins privilégiés, d'infirmières privées, d'une chambre à lui seul, etc. Bref, il a joui d'une maladie dans la ouate pendant que le clochard avait la même sur un grabat de paille. L'argent n'achète pas tout, mais il peut pallier beaucoup de choses. Non, c'est vrai que l'argent n'achète pas tout et j'aime mieux employer ce terme que de dire qu'il ne fait pas le bonheur, car en ce sens il peut le faire ou presque. Ce que l'argent n'achète pas, sont les deux choses les plus importantes de la vie. La santé et l'amour ! On a beau être milliardaire, on ne se débarrassera pas d'un mal incurable avec un carnet de chèques à la main. On a beau être billionnaire, on ne peut inciter un cœur à aimer pour autant. À profiter, certes, à aimer, non ! Donc, si l'on part bien conscient que l'argent n'a pas ces deux pouvoirs nécessaires au bien-être de l'humain, on est déjà intelligent. D'un autre côté, si je parle de « bonheur », il est possible de s'en procurer plusieurs quand on a au bout des doigts le magot nécessaire. Combien de personnes rêvent de couper l'hiver en deux, de s'envoler vers le sud pour un mois ou deux. Avouez que se le permettre, c'est s'allouer un bonheur. Il ne faut quand même pas chercher que le côté négatif de ce que l'argent peut faire. Il a aussi ses aspects plus que bénéfiques puisqu'un certain adage va jusqu'à dire qu'il gère le monde, ce fameux argent. Si nous n'avions aucun espoir de le voir nous procurer du bonheur, dites-moi seulement pourquoi les gens se privent de manger pour s'acheter des billets de loterie à n'en plus finir. On rêve, tout le monde rêve et c'est tout à fait normal parce que, dans la vie, on trime dur, trop dur parfois pour le plaisir qu'on en retire. Avouez aussi qu'avec une bonne santé, un bon compte en banque et un agent de voyages, on peut quand même se choisir, pour ne pas dire se payer un bonheur. Bien sûr que le bonheur se trouve parfois dans les plus petites choses, dans les plus petits gestes, dans la plus infime pensée, mais c'est bien souvent là, la consolation des infortunés. Je persiste donc à dire que l'argent n'achète pas tout et que des millionnaires en viennent même à se suicider ne sachant plus quoi faire de leur avoir, mais permettez-moi d'ajouter qu'une maison payée, une voiture payée, un bon emploi, de l'argent de côté, c'est beaucoup mieux pour le moral qu'un amoncellement de dettes à s'en ronger les ongles jusqu'aux os. Admettez qu'être à l'aise, c'est plus intéressant qu'être pauvre. Il faut peut-être avoir été l'un et l'autre pour pouvoir en faire la comparaison. Si l'argent ne fait pas le bonheur, il permet au moins de dormir plus paisiblement, de rêver à tout ce qu'on pourrait faire avec tel montant, surtout si on l'a gagné à la loterie... ou honnêtement !

# *S'aider soi-même, d'abord...*

Pour faire suite à ce titre, j'ajouterai que si l'on ne peut le faire, on se doit d'avoir recours aux autres. Loin de moi l'idée de vouloir fermer les yeux sur les gens qui ont besoin de moi ou qui, face à des situations dramatiques, me lancent un déchirant appel. Je pense qu'il y a de ces êtres qui appellent à la confidence et j'en fais partie. Est-ce à mon honneur ou à mon détriment ? Je n'en sais rien, sauf que, bien souvent, il me faut rappeler à l'ordre ceux qui abusent du peu de sang qu'on a parfois à donner. On a tous au cours de notre vie des moments difficiles à passer. On a tous, tôt ou tard, des dépressions qui s'amènent sournoisement et qui peuvent être épouvantables pour ceux qui manquent facilement de courage. Moi, je dis et je répète que dans toute situation où l'on se voit descendre une pente, il faut s'aider soi-même d'abord... et ensuite, les autres viendront vous aider à extirper de votre trou. Être à plat, être face à la déprime, comme on dit, personne n'y échappe et s'il fallait au moindre signe d'alarme se mettre à courir chez les psychiatres, je pense que ça ferait belle lurette que la carte médicale ne serait plus en usage. Il y a certes des cas graves qu'il faut diriger vers ces spécialistes, mais huit fois sur dix, ce ne sont que des dérangements personnels, des perturbations momentanées et comme je me plais à le dire et le croire, « le temps est un grand maître » si on lui fait confiance cependant. La fatigue, le surmenage, le stress sont causes des angoisses qui naîtront par la suite. Face à la maladie, face à une séparation, face à un épuisement moral, on dégringole et c'est tout à fait naturel. Dans tout chavirement de la vie, il y a le cap de la fameuse transition et ce n'est pas en restant replié sur soi-même qu'on pourra s'y faire, accepter ou combattre selon le cas. Ce n'est pas non plus en déposant son fardeau sur le dos de son ou de sa meilleure amie qu'il ou qu'elle va pouvoir en faire son fagot. Non ! ce qu'il faut, c'est se prendre en mains, se donner un bon coup de pied au… comme disait mon père et aller prendre l'air frais pour se rafraîchir le cerveau. Je peux vous sembler radical, mais moi qui ne suis pas immunisé contre ces états d'âme, c'est toujours de cette façon que je m'en suis sorti au cours de ma vie. À titre d'exemple, je pourrais même vous citer un cas dans ma famille, un alcoolique qui ne dépendait que de moi pour sa survie. Je me rappelle lui avoir expédié des bouteilles par taxi en pleine nuit sans savoir qu'au lieu de l'aider, je l'encourageais à ne jamais se prendre en mains. Un jour, fatigué de jouer « le dépanneur », usé d'être son support non moral, mais physique, je lui ai dit que c'était fini, que je n'avais plus rien à la maison. Il m'a supplié, me disant qu'il avait besoin de cette boisson comme un diabétique a besoin de son insuline et je n'ai pas bronché. J'ai dit non catégoriquement et j'ai raccroché. Il était quatre heures du matin et le lendemain, la première chose que j'ai apprise, c'est que ce parent était allé de lui-même dans une clinique pour une cure de désintoxication. De là, par mon refus et face au néant, il avait fini par s'aider lui-même et à s'en sortir. Depuis ce jour, dans tout malheur qui se veut personnel, je demande aux amis de s'aider eux-mêmes d'abord, comme je le fais moi-même quand j'ai un pépin et ensuite, j'interviens quand je me rends compte qu'ils ont vraiment besoin d'aide. Croyez-moi, ce n'est pas être dur avec les gens que d'agir ainsi, c'est bien souvent leur rendre service et j'ai pu en avoir la preuve encore dernièrement face à quelqu'un qui s'en est sorti tout seul… et très rapidement !

## *Le vil opportunisme…*

C'est à être trop bon qu'on se retrouve le plus souvent victime mais, que voulez-vous, je pense qu'il est dans les lois de la vie d'être naïf à tout âge. Il a certes dû vous arriver d'avoir affaire à ces êtres diaboliques qu'on appelle des « profiteurs », aussi minime soit le profit. Je ne parle pas ici d'escrocs d'envergure, oh non ! Je ne fais mention que de ceux qui confondent amitié avec opportunisme. Si l'on regarde dans le *Petit Robert*, on pourra lire que l'opportunisme est une politique qui consiste à tirer parti des circonstances, à les utiliser au mieux, en transigeant même au besoin… avec les principes. C'est finalement quelqu'un qui règle sa conduite selon son intérêt momentané. Paraît-il qu'ils sont légion, les êtres de cet acabit, et c'est là qu'est le drame. Jamais je n'aurais cru que quelqu'un puisse abuser ainsi de la bonne foi d'autrui. J'en parlais dernièrement avec une très bonne amie qui me disait à quel point elle avait été victime des opportunistes qui ne la fréquentaient que pour ce qu'ils pourraient tirer de sa célébrité. Elle qui croyait que tout cela était une saine amitié s'en est vite rendu compte et a quand même réussi à se faire avoir à trois reprises. Imaginez sa méfiance dès lors face à ceux et à celles qui s'approchaient candidement de sa personne avisée. Le plus dramatique, me disait-elle, c'est que les gens remplis de bonnes intentions, « les vrais » comme elle les appelle, ont eu à payer pour les faux bien souvent. Sa méfiance était telle qu'elle ne pouvait croire qu'on puisse lui vouloir du bien pour l'être humain qu'elle était et non pour le nom fameux qu'elle portait. Dans d'autres circonstances, c'est quand on détient un poste qui nous rend vulnérable à ces attentats qu'on se fait aussi prendre au piège. Arrivistes de nature, ces opportunistes sont prêts à tout pour se hisser une place au soleil et si un mécène se présente, vlan… ils ne lâchent plus la proie jouant avec la sensibilité, l'altruisme, la gentillesse de l'autre. Bien souvent, on s'en rend compte, mais on ferme les yeux parce qu'on se dit qu'ils ont besoin d'être aidés, peu importe la stratégie et l'on fait bêtement semblant d'y croire de peur de les mettre au pied du mur. Oui, la générosité peut aller jusque-là et je pense que lorsqu'on a un cœur, d'or, il faut beaucoup de temps avant de le rendre de pierre. À un certain moment, le vent tourne cependant et il ne suffit que d'une erreur de l'ami pour que la porte de notre indulgence se referme à tout jamais. Ce moment, c'est quand on met cette supposée amitié à l'épreuve et qu'on se retrouve seul au moment où nous n'aurions eu besoin à notre tour que d'un effort de la part de l'autre pour se rendre chez soi quand ça ne file pas. C'est drôle, mais à ce moment, vous n'êtes plus le mécène ni le monarque de celui ou celle qui vous adulait la veille, vous n'êtes que le fautif qu'on laisse à son désarroi parce qu'une autre personne à l'improviste vient de lui dire qu'il ou qu'elle est géniale. Conscient de tout ce qu'il a appris, il s'en sert encore une fois pour jouer une autre carte opportuniste sans savoir qu'à courir deux lièvres, on se retrouve seul, surtout quand les victimes ne sont pas dupes à ce point. Doit-on les juger ? les condamner ces opportunistes de la vie ? Non, je les plains tout simplement et je tente même de les comprendre… pour ne plus jamais me laisser prendre. Et pourtant, qui sait si demain avec mon grand cœur, comme me disait ma bonne amie, je ne serai pas encore une fois à porter aux nues un opportuniste de plus ? Bah, qu'importe ! C'est peut-être ainsi qu'on récolte des indulgences pour le paradis !

# *Savoir s'accepter...*

Gras et petit, grand et maigre, le nez trop long, chauve et édenté... Je pourrais poursuivre pendant des heures le tas de défauts qui fait qu'on s'accepte mal, qu'on ne s'aime pas et qu'on n'est pas heureux. Malformations physiques mises à part, il y a une montagne d'autres choses qu'il faut savoir accepter pour être bien dans sa peau et le plus parfait des êtres (s'il existe) trouvera encore une raison qui lui fera dire non à l'acceptation de son soi. Si l'être humain est si stressé, si mal en point devant l'image que lui reflète sa glace, c'est qu'il n'a pas encore levé le petit doigt pour tenter de corriger quelques imperfections ou qu'il n'a pa compris qu'il lui fallait apprendre à vivre avec... sans complexe ! Inutile de penser qu'on peut mesurer six pieds si à vingt ans on en fait cinq, la nature en a ainsi décidé. On a perdu ses cheveux ? qu'importe, il y a tant de choses à découvrir en soi si l'on s'en donne la peine. S'accepter, c'est oublier qu'on a un corps pour découvrir qu'on a aussi un cœur muni de qualités à exploiter. Le charme de l'un, c'est souvent son esprit, de l'autre, c'est son humour. Nous avons tous les pouvoirs de changer ce qui se change, d'améliorer sa façon de vivre en harmonie avec son ego. Pourquoi ne pas briser le miroir de l'artifice quand le but possible est atteint et viser à déceler en son intérieur ce qui se sent et non ce qui se voit. Trop de drames ont pris naissance à cause d'une maladresse biologique. S'accepter c'est retrouver en soi l'essence à une vie saine et heureuse et quand l'homme se détachera lui-même de son image, il comprendra que la beauté réside beaucoup plus au fond de l'âme que dans le reflet de sa glace, indifférente à son épanouissement. Qu'il était grand Bonaparte… quoique petit, quand il l'a compris. Quelle grande dame que George Sand, malgré le méli-mélo de son état psychologique. S'accepter, c'est d'abord s'assumer, comprendre qu'il y a des choses qu'on ne peut pas changer. Si l'on remplaçait les rides d'un front qu'on plisse par un sourire. Si l'on cessait de froncer les sourcils pour ouvrir les yeux sur les bienfaits de sa vie. Que de gens heureux et sereins traverseraient le long périple d'une existence… qui n'a rien du tragique. J'ai jusqu'à maintenant croisé plus d'invalides heureux que de favorisés qui frisaient l'abîme à cause d'un bouton sur le nez. La perfection n'existe pas, mais en chacun de nous il y a le bon qu'il faut savoir extraire. Nous n'y pouvons rien, nous sommes faits par les autres et tenter de changer radicalement sa destinée, c'est se leurrer, se buter au mur de l'impossible. C'est quand on comprend qu'on a un cœur, des sentiments, qu'on oublie qu'on a un corps qui ne nous est pas toujours satisfaisant. Si l'on compensait par les valeurs de l'âme, on oublierait facilement qu'on a trop de poils sur les cuisses. Et comme nous serons tous un jour poussière, acceptons-nous tels que nous sommes. Cessons d'être de vilains narcisses et profitons intelligemment de notre passage sur terre… avec ou sans ses dents. Freinons notre propre châtiment… pendant qu'il en est encore temps !

## *Se lever du bon pied…*

Voilà qui n'est pas facile à faire, surtout l'hiver ! Avez-vous remarqué comme tout peut nous sembler un effort quand on regarde par la fenêtre et que le soleil n'est pas là ? En ces mois plutôt froids, on dirait qu'il se cache lui-même du vent et des intempéries. Moi, quand je regarde par ma petite fenêtre et que je vois, à l'extérieur, une tempête de neige et mon auto ensevelie, je vous avoue qu'il m'est difficile de me dire que je me suis levé du bon pied. Comme vous tous, je maugrée contre l'hiver, sachant que je vais arriver au bureau en retard et déjà épuisé, avant même d'entreprendre ma journée. Si je me laisse aller ainsi, je vous jure que je suis à deux pas de retourner au lit et de me recroqueviller sous mes chaudes couvertures. On se dit même : « Tiens, si je leur disais que j'ai la grippe ! » Tous les prétextes seraient bons pour ne pas mettre le nez dehors, mais serions-nous fiers de nous lorsque viendrait le soir ? Bon, je ne suis pas parfait et il m'arrive de me gratter la tête et d'avoir de ces idées saugrenues. Je regarde une deuxième fois et je vois une pauvre dame âgée qui se rend de peine et misère à son travail, à l'hôpital tout près de chez moi. Je vois aussi le facteur qui livre son courrier et le laitier qui va de porte en porte avec son camion qui reste pris plus souvent qu'à son tour. Là, je me trouve bien chanceux de n'avoir qu'à affronter un court trajet avant d'être à l'abri et je reprends tout mon courage. Pour que malgré tout je sois sûr de m'être levé du bon pied, je m'empresse de mettre de la musique encourageante. J'évite le plus possible les prévisions de la météo. Je n'ai rien à entendre… j'ai déjà tout vu. Je fais comme on dit « mon effort de guerre » et je m'empresse de prendre ma douche et de déjeuner copieusement sans plus penser que dehors, c'est janvier. D'ailleurs, pourquoi s'en faire quand il nous faut les traverser ces mois qu'on ne prise guère. Je fonce donc tête première dans cette tempête et après avoir déblayé la voiture, je me retrouve prudemment au volant… en grelottant jusqu'à ce que ma chaufferette se mêle de me réconforter. Avez-vous remarqué où ça devient intéressant ? C'est lorsque vous arrivez au bureau et que chacun vous raconte « son dur périple » du matin. Il y en a qui sont fort éloquents et pour qui la misère est toujours pire que celle de l'autre. À ce moment, je souris, car je me dis que pour se « vanter » ainsi de son courage, il faut d'abord s'être levé du bon pied. La journée passe et l'on voit que le vent souffle moins fort. On ne sort pas pour dîner, on commande du restaurant et c'est un livreur « qui s'est levé du bon pied » qui vient nous livrer la commande avec des glaçons au bout du nez. C'est aussi à ce moment qu'on entend tous et chacun parler de la Floride, des Antilles et des voyages qu'ils feront… ou pas. Disons que ça console et que ça dépose une note d'espoir sur la neige qui nous fond encore sur la tête. Et finalement, le soir vient. On sait que le trajet sera plus long et que les embouteillages seront nombreux, mais on est déjà conditionné à tout ce qui nous attend et l'on se tait, parce que l'on sait que dans quelques heures on sera chacun chez soi, bien au chaud, avec un bon souper dans notre assiette. Il y en a bien sûr qui n'ont pas eu à subir cette journée, mais peut-être auraient-ils aimé être des nôtres s'ils en avaient seulement la santé ? Vous êtes doté de ce privilège si cher à l'être humain ? Vous êtes en forme et autonome ? Alors, vous n'avez aucune raison, hiver comme été, de ne pas vous lever du bon pied !

# Avec le cœur…

## *Tout comme un silence…*

On croit trop souvent que pour aimer il nous faut absolument le dire, l'écrire, s'agiter, parler à l'autre constamment. Erreur… puisque tout comme un silence, les grandes amours de l'histoire ont toujours été les plus discrètes. Ce n'est pas parce qu'on aime qu'on doit proclamer publiquement son état d'âme et ce n'est pas parce qu'on aime qu'on doit sans cesse le dire à l'autre et attendre son aveu. Il y a de ces sentiments si forts, si puissants… qu'ils se passent de mots. Vivant ensemble, c'est la plupart du temps dans de longs moments de silence alors que Mozart ou Chopin nous bercent de leur musique que l'on sent à quel point l'amour peut être tangible entre deux êtres. On n'a parfois qu'à se regarder, se sourire, se tendre la main… et tous les quatrains des poètes ne pourraient faire plus. Le fait d'être bien ensemble, de le savoir, de se l'être dit et on n'a plus à le répéter tant on le sent. Bien sûr qu'on s'est déjà avoué des « je t'aime » et des « toujours » et il va de soi qu'on doit parfois se reposer mutuellement la question. Comme tout s'appuie sur un bail, l'amour inclus, il nous faut être assez adroits pour le prolonger sans remettre son cœur en question chaque jour. Si tel est le cas, si l'on doit échanger cet aveu jour après jour, c'est qu'on n'est pas sûr de soi… et encore moins de son amour. Tout comme un silence… la vie peut apporter de merveilleux moments à ceux qui s'aiment. Sentir un vide immense dès que l'autre n'y est pas, c'est déjà aimer passionnément sans avoir à le dire. Regarder les aiguilles de sa montre, jeter un regard par la fenêtre, attendre impatiemment son retour, c'est aimer davantage, car les gestes les plus simples valent parfois les mots les plus doux. À trop se dire qu'on s'aime, on risque d'en douter. L'amour n'est pas un sentiment à énoncer constamment, il faut le vivre, le bien vivre, intelligemment. Être heureux à deux, c'est avoir le respect de l'autre. Il faut savoir parfois s'effacer, il faut savoir laisser respirer et le faire soi-même en silence. Il faut savoir donner en silence, pas seulement prendre. Il faut aussi savoir attendre que l'heure se présente et non pas provoquer des circonstances. On ne discipline pas l'amour comme on le fait avec son travail. On n'impose pas de règle de conduite à un sentiment qui se veut parfois plus beau à l'improviste. On aime, on le ressent, on le prouve et on se l'avoue constamment avec les yeux, dans le plus sublime des silences. Soleil ou pluie, automne, hiver, été ou doux printemps, le temps passe ainsi pour ceux qui savent s'aimer à travers un quotidien qui se veut comme celui des autres. On parle de contraintes ? de compromis ? Existent-ils vraiment quand on est fait pour s'entendre ? Sont-ils de mise quand l'un comprend les réels besoins de l'autre ? Ont-ils leur place au sein d'un couple qui a su s'apprivoiser au point de divaguer d'amour sur sa propre liberté ? Non, je ne crois pas. Si l'on aime, c'est que l'on admire, c'est que l'on respecte. Avec ce tourbillon de verbes bien ancrés dans la tête, il n'y a plus de place pour l'erreur dans sa vie à deux. Bien sûr qu'on ne sera pas d'accord sur tout, mais est-ce important quand la grande ligne se dessine parallèle ? Ce n'est pas parce que l'un aime le choux et l'autre le navet que le potage sera un fiasco. On s'en abstient tout simplement et l'on passe à autre chose… amoureusement. Oui, tout comme un silence… le bonheur de ceux qui s'aiment avec intelligence poursuit son sillon sans qu'aucun caillou n'y soit entrave. D'ailleurs n'aime-t-on pas toujours en silence… quand on se scelle les lèvres d'un baiser ?

## *Trop aimer… mal aimer ?*

C'est curieux, mais je ne suis pas prêt à dire cela, même si plusieurs philosophes ont prôné ce dicton à travers les siècles. Peut-on vraiment aimer trop et par le fait même aimer mal ? C'est fort possible… si le « trop-plein d'amour » ne vient que d'un côté. Si ces merveilleux moments que l'on vit se passent à deux, avec la même intensité, je me demande comment, à ce moment, on pourrait mal aimer. Follement amoureux l'un de l'autre, deux êtres humains ne peuvent se dire qu'ils s'aiment trop… parce que sur ce plan on ne mesure pas la dose de l'amour qu'on donne à l'autre. On prend, on rend, on amplifie le verbe, on multiplie les occasions et le plus gentil de cette histoire, c'est qu'on ne s'en rend même pas compte parce que trop aimer, c'est aimer inconsciemment, dans le plus bel état du rêve, sans hier ni demain, sans analyse, sans réfléchir parfois, bref, à aimer trop, on ne peut aimer mal parce que c'est si beau et si rare que le fait se produise à ce point, qu'être gourmand n'est même plus un péché. Là où ça peut devenir dangereux, c'est quand l'un des deux a plus d'élans que l'autre. Si l'on se prend la main dix fois par jour et si l'on échange cent baisers dans une journée, ce doit être merveilleux. Si ces faits sont le trop-plein de l'un sans que l'autre les partage, ce doit être ennuyeux pour l'autre et, inévitablement, ça deviendra malheureux pour le trop empressé. L'amour, ça s'apprend paraît-il, comme on apprend son français, ses mathématiques et son histoire. C'est d'ailleurs la seule étude que personne n'ose faire, tous croyant avoir la bonne réponse pour s'apercevoir parfois, après le premier examen, qu'on a échoué en la matière. On a certes le droit d'aimer passionnément quelqu'un, de se dire qu'avec le temps l'autre sera au même diapason mais, justement, il faut prendre ce temps et en respecter la teneur. On ne saute pas au cou de quelqu'un qu'on aime follement sans d'abord savoir si le geste sera apprécié, si les sentiments sont partagés, si « trop aimer » ne sera pas le « mal aimer » qui nous fera tout perdre. Il me semble que tout adulte devrait être assez intelligent pour s'apercevoir si l'amour convoité est sur le même rivage. Il me semble que tout être équilibré peut fort bien faire la différence entre l'emportement et le raisonnement. Si le coup de foudre n'existe que d'un côté, ne tentez pas inutilement d'être l'arbre qui sera foudroyé. Par contre, et c'est là où je veux en venir, quand le temps s'amène où deux êtres sont sûrs et certains d'être au faîte d'un amour partagé, quand les « je t'aime » viennent d'un côté et que l'autre s'en fait l'écho, n'ayez pas peur de trop aimer… car à ce moment, vous ne pouvez mal aimer. Des missives par centaines, des billets doux, des jeux de mains, des regards tendres, des promesses, des rêves caressés même s'ils sont parfois impossibles, des faits inusités, des endroits clandestins, de la folie pure, quoi, mais quelle belle folie quand ceux qui la vivent sont fous l'un de l'autre. Vous savez, sans être un oiseau de malheur, j'ai pour mon dire que les plus beaux romans ont une fin et que tout ce qu'on fait passionnément les yeux fermés devra un jour être envisagé les yeux grands ouverts. En attendant, pendant que dure le doux concerto de l'amour dont on n'entend que l'ouverture, allez, ne vous privez pas d'être entiers au point d'en être ridicules aux yeux des autres. Le ridicule ne tue pas, croyez-moi… et à trop aimer comme si personne d'autre n'existait, on ne peut mal aimer. Les grands amants qui ont fait l'Histoire… vous prient de me croire !

## *Ne jamais mendier l'amour...*

Je n'ai jamais vu une image plus triste que celle d'une personne qui s'accroche à une autre. Peut-on être en amour à ce point ? Quand j'étais jeune, je croisais des mendiants et devant mes interrogations, ma mère me disait : « C'est parce qu'ils ont faim qu'ils quêtent ainsi. » En est-on rendus de nos jours à « la quête » de l'amour ? En vient-on à ce triste ultimatum quand on s'aperçoit qu'on ne peut plus faire la « conquête » de ce noble sentiment ? Il y a différentes sortes d'amour et j'ai souvent écrit des billets pour en déterminer les formes. J'ai parlé de tendresse, d'affection, d'attachement, mais je n'ai jamais dit qu'il fallait aller d'un sentiment à l'autre sous forme de dévotion. Je n'ai jamais dit qu'il fallait se traîner à genoux pour mendier les quelques miettes de pitié que l'autre pourrait encore offrir. Non, de grâce ! n'allez pas jusque là, ce serait trop immonde et vous en viendriez à perdre jusqu'à votre amour-propre, ce qui serait le point final du peu de fierté qu'il vous restait. Je sais qu'on fait bien des folies quand on aime. Je sais qu'on passe l'éponge sur bien des choses, qu'on ferme les yeux sur des trahisons parfois, qu'on pardonne sans même demander de comptes, qu'on endure parce que certains angles de l'amour viennent pallier les blessures, mais se rendre jusqu'à mendier ce qu'on ne veut plus nous donner, c'est s'abaisser à ramasser, tel un chien, un os oublié par mégarde. J'ai vu des êtres s'accrocher à un tel point que ça en faisait vraiment pitié. Allez donc leur dire à ce moment qu'ils devraient décrocher, retrouver leur raison, c'est les enfoncer davantage dans le sable mouvant de leurs dernières illusions. Si seulement on pouvait être un aussi logique en amour qu'on l'est en affaires. Si seulement on pouvait être un froid calculateur comme certains qui ont ce don. Si seulement, c'était un contrat qu'on signait avec clauses. Mais non, l'amour est hélas sans loi ni édit et les visages qu'il emprunte ne nous sont pas tous favorables. Le pire, c'est que lorsque l'autre sent que l'un mendie l'amour, il en abuse davantage. Savoir qu'on tient quelqu'un en mains comme on dit, savoir qu'on l'a dans sa poche à cause d'un excès de franchise, d'un élan d'aveux, est pour plusieurs l'arme la plus sûre pour parvenir à ses fins. Comme il est facile de faire marcher quelqu'un qui nous aime follement et qu'on aime plus ou moins. Comme il est aisé de prétendre, de feindre, sachant que l'autre prendra pour un don total, ce petit regard emprunté à Casanova. Les mendiants et les mendiantes de l'amour ont tort de placer l'autre sur un piédestal où il ou elle se gonfle la poitrine. Et c'est de là que, sans merci, le vainqueur des deux regarde, de son podium, l'autre qui, sans le vouloir, donne l'impression de se traîner à ses pieds. L'amour charnel, ça ne se mendie pas non plus. Si vous en êtes à espérer que ce soir… soit le soir, dormez donc sur vos deux oreilles et soyez assez brillants pour vous rendre compte que l'autre n'a plus d'intérêt. On ne mendie pas un corps pas plus qu'on ne mendie un cœur. L'amour ne s'achète pas avec des coupons de rationnement et si vous en êtes là, cherchez vite une autre source d'approvisionnement. Quand le bal est fini, quand les mots ne viennent plus de l'autre, que la couverture ne se tire que d'un bord, s'il vous plaît… sortez vite de ce lit où vous n'avez plus votre place. C'est en agissant ainsi que vous éviterez de tomber dans le piège de la mendicité. Et comme me disait ma mère alors que j'étais jeune et célibataire… « une de perdue, dix de retrouvées ! »

# *On n'a pas le droit...*

Et de un et de deux... et l'on butine d'une fleur à l'autre sans trop se rendre compte qu'on peut faire mal à l'un comme à l'autre. Non madame, et ceci s'applique aussi aux hommes, on n'a pas le droit de jouer de la sorte avec les sentiments des êtres humains. Il arrive souvent dans une vie qu'on soit aux prises avec le fameux dilemme de « deux amours à la fois » et les « faire marcher » tous les deux ne serait pas honnête et surtout très maladroit. La chèvre et le chou ? Tiens ! l'adage que plusieurs vénèrent, se croyant plus malins que les fabulistes ! On s'imagine pouvoir en aimer deux du coup et on oublie par contre qu'il y a un autre adage qui dit « qu'à courir deux lièvres à la fois, on les perd tous les deux » ! Mais non, sûrement pas pour ces hommes dont le charisme est dix fois plus fort que les dictons et sûrement pas pour ces femmes dont les charmes sont irrésistibles. Je vois souvent des gens dans cette situation et le pire, c'est qu'ils s'en amusent. Comme si l'on pouvait faire pivoter des cœurs comme des toupies. Non, je le répète, on n'a pas le droit de jouer ainsi au « vainqueur » quand on sait d'avance qu'on blessera ceux ou celles qu'on prétend aimer. Ah ! ces malheureux êtres qui s'imaginent qu'on peut même « garder en veilleuse » un amour, au cas où l'autre s'éteindrait. Faut-il être assez immonde pour penser de la sorte ou est-on vraiment un disciple des sentiments pour le faire honnêtement ? Remarquez qu'il est fort possible qu'on puisse aimer pour diverses raisons deux êtres en même temps et qu'on ne veuille perdre ni l'un ou l'autre. A-t-on pensé un instant au mal que l'on peut faire à être ainsi d'un égoïsme quasi sadique ? A-t-on songé à la peine que l'on peut créer dans l'âme qui se veut entière et qui ne mérite pas telle blessure ? Si seulement les rôles s'inversaient et que c'était vous « l'un des deux » que feriez-vous ? C'est parfois à se mettre à la place de ceux qu'on maltraite qu'on s'aperçoit des coups bas qui peuvent gravement meurtrir. Non, on n'a pas le droit et dans ce cas, il faut vite faire un choix. On aime ou on n'aime pas et la demi-mesure n'a plus sa place. Vous n'avez qu'à étudier, qu'à soupeser le pour et le contre de vos deux amours… et ne venez pas me dire que vous ne pouvez savoir pour lequel votre cœur bat. Si l'on vous mettait face au fait que vous avez à passer toute une vie avec l'un des deux, seriez-vous encore dans l'hésitation ? Il vous faudrait bien faire un choix, non ?…. à moins de ne pas les aimer suffisamment pour qu'ils puissent répondre à cette requête. Dans un tel cas, il vaut mieux les quitter tous les deux et chercher « le troisième » qui deviendra l'unique plutôt que de poursuivre ce petit jeu satanique. C'est en regardant profondément dans le cœur de l'un comme de l'autre que vous serez en mesure de saisir l'intensité du feu qui vous anime. Revivez les yeux fermés les moments passés avec l'un comme avec l'autre et comptez les soupirs qui s'échapperont de votre poitrine. À ce franc calcul, on finit par savoir lequel ou laquelle on aime vraiment et, de là, la décence de ne plus broyer les sentiments. C'est parfois à faire verser des larmes aux autres qu'on finit par pleurer sur son propre sort… hélas, trop tard. Quand l'un comme l'autre se rendra compte de votre désinvolture, ils partiront, croyez-moi et vous aurez beau tenter d'en retenir un, ne serait-ce que celui que vous aimez le moins, qu'il poursuivra sa route. Et c'est là, avec une énorme peine au cœur et un mea-culpa épouvantable que vous comprendrez que parfois… on n'a pas le droit !

## *À n'en pas voir clair...*

Vous avez sans doute entendu cette expression se rapportant à l'amour et qu'on emploie souvent à propos des autres. Des « il l'aime à n'en pas voir clair », ce n'est pas rare dans la bouche des gens surtout quand ils chuchotent entre eux ce qu'ils n'oseraient dire à qui de droit. Mais, « aimer à n'en pas voir clair ! »... est-ce là un défaut ? une faute qu'on doit souligner ? un écart de conduite ? Sûrement pas, parce qu'il est si rare qu'on puisse en arriver à ce point... et que ça dure. « Aimer à n'en pas voir clair » ça veut tout simplement dire aimer avec assez de sincérité pour savoir fermer les yeux sur tout ce qui pourrait déranger notre amour. Ce n'est pas tout à fait « aimer aveuglément » mais pas loin, et si rien ne vient nous ouvrir les yeux sur une erreur de parcours, c'est qu'il est beau l'amour que l'on vit, qu'il est incommensurable, et qu'on n'a pas à lui chercher des failles. De quoi, dites-moi, devrait-on voir clair ? Sur quel angle devrions-nous ouvrir soudainement les yeux et développer ainsi une propre méfiance ? Commencer à chercher des imperfections ? Se gratter la tête et se dire qu'il ou qu'elle doit bien avoir des défauts quelque part. Si vous en êtes là, c'est que vous aimez déjà moins passionnément. De toute façon, n'avons-nous pas tous nos qualités et nos défauts ? Pourquoi chercher des lacunes quand l'amour se développe au-delà de tous nos rêves ? Aimer à n'en pas voir clair, je vais vous dire ce que c'est. Remarquez que c'est là mon bien humble avis et que je ne me prône pas spécialiste des histoires d'amour. Pour moi, « aimer à n'en pas voir clair », c'est être terriblement bien avec la personne qui nous fait vibrer de tous nos sens. C'est également se coucher le soir en emportant dans ses rêves l'image de l'autre qu'on a hâte de retrouver le lendemain. C'est aussi l'identifier aux chansons d'amour qu'on écoute, aux personnages de nos plus belles lectures, c'est le voir sans cesse, même quand le temps cruel de se séparer avant la nuit survient. Aimer à n'en pas voir clair, c'est aussi se retrouver chaque fois comme si c'était la première fois. C'est-à-dire que l'amour sous toutes ses formes se déroule sans cesse comme un premier chapitre. Comme si l'on découvrait enfin ce qu'on a imaginé… et pourtant, c'est peut-être la centième fois qu'on se retrouve sur le même oreiller. Aimer à n'en pas voir clair, c'est s'oublier pour ne penser qu'au bonheur de l'autre et c'est ne plus compter ni le temps ni les heures qui nous ramèneront à la réalité. C'est également se dire qu'on passerait sa vie avec l'autre et que rien ni personne ne pourrait entraver notre magnifique histoire. C'est de l'amour fou, me direz-vous ? L'amour le plus vrai n'est-il pas toujours un peu fou ? Loin d'être dupe, on sait très bien au fond de soi qu'un jour ou l'autre l'ardeur sera moins forte et qu'on ouvrira peu à peu les yeux sur les accrocs du trop parfait scénario. On sait très bien qu'un jour la plus belle des choses aura une fin. N'a-t-on pas vécu avant de vivre aussi intensément un amour à n'en pas voir clair ? Chose certaine, c'est qu'avec le temps, la douce magie des yeux fermés se produit et que chaque geste se veut le soupir de la tendresse… n'est-ce pas merveilleux ? Vous êtes de ceux et celles qui aimez à « n'en plus voir clair » ? Qu'à cela ne tienne, vous êtes des privilégiés de la vie et buvez à satiété ce philtre d'amour qui deviendra, sans que vous le sachiez… le baume des plus beaux de vos jours !

## *Un geste tendre…*

Je ne sais pas si c’est la fièvre du printemps qui réagit sur moi, mais je me sens ragaillardi et j’ai soudainement envie de vous communiquer ma joie. Ce matin, je me disais: «Que pourrais-je bien faire pour que la femme que j’aime (lire épouse s.v.p. !) sente que je suis heureux ?» Comme elle était déjà à son travail, je me suis rendu chez le fleuriste du coin et j’ai acheté deux roses que j’ai déposées sur sa table de chevet avec un petit mot tendre… comme si j’avais vingt ans. L’effet de ces petits gestes est indescriptible. C’est comme si l’on déposait quelques adjectifs sur son propre bonheur. Je sais que nombre d’entre vous ont de ces petites attentions qui font que la journée commence si bien, mais plusieurs n’ont pas encore saisi le langage de ces pensées et c’est à eux que je m’adresse. Remarquez que ces gestes tendres ne sont pas strictement réservés aux hommes. Vous aussi mesdames pouvez enjoliver la vie de vos maris par des petits billets roses laissés discrètement dans un endroit qu’il ne pourra manquer. Une petite carte achetée en passant, sans but précis et qui dit «je t’aime» ne peut qu’atteindre le cœur de votre élu. Les hommes sont sensibles à tous ces égards et si derrière la monture de leurs verres austères ils vous semblent de bois, sachez qu’ils sont au fond de gros «toutous» qui ont besoin de petites attentions. Si nous devons, selon vous, garder une certaine dose de galanterie, soyez assurées que les pauvres mâles que nous sommes ont aussi besoin de ces petites émotions passagères. C’est peut-être la seule façon d’oublier, de part et d’autre, son premier cheveu gris. Pensez-y, moi, c’est le printemps qui me suggère ces petites folies !

## *L'âge de son cœur…*

L'autre jour, j'assistais à une fête et l'heureux élu se défendait bien d'avouer ses… trente-sept ans, comme s'il en avait eu quatre-vingt-sept. Tout au long de ce dîner où c'était à son tour de « se laisser parler d'amour », il a trinqué, blagué… pour oublier qu'il venait d'écoper d'une autre année. Et ce fut un tour de table où l'on tentait de trouver « le plus vieux »… histoire d'oublier sans doute qu'on n'est pas le plus jeune. Dès qu'on l'eut déniché, chacun y allait de son mot gentil ou de sa petite remarque désobligeante qu'il fallait prendre avec humour. L'heureux élu n'était déjà plus celui qu'on fêtait, mais celui qui, sans l'avoir cherché, devenait la cible de ces joyeux fêtards. « Ça ne fait rien, il n'a même pas un cheveu gris », lançait l'un, pendant qu'une autre, franche ou polie, ajoutait : « Il fait à peine trente ans. » Sans bouclier à la main, celui qu'on avait adossé au peloton d'exécution s'écria : « Bien oui, je suis le plus vieux et puis après ? vous allez tous me rejoindre tôt ou tard ! » D'une blague à l'autre, sans méchanceté, l'âge de tous et chacun fut étalé et tous ces chiffres réunis ont formé le plus joli numéro d'un billet d'Inter-Loto. Le temps nous fait-il peur à ce point ? D'où vient donc cette fantaisie, pour ne pas dire cette mode, de cacher son âge derrière un odieux mensonge ? Aurait-on oublié que la valeur des êtres ne se mesure plus aux heures de l'horloge, aux pages du calendrier ? Depuis longtemps, il est établi que demander l'âge d'une dame était une impolitesse et je me suis toujours demandé pourquoi. Voilà que cette coquetterie s'est propagée jusqu'à l'homme qui se défend bien d'être franc ou qui le fait de peur d'enfreindre sa virilité. Aussi curieux que ça puisse paraître, on ne se gêne pas pour demander l'âge d'une personne à l'hiver de sa vie et cette même personne est fière d'afficher ses soixante-dix ou quatre-vingts ans comme si elle voulait dire : « Je suis encore là et en forme, non ? » C'est sans doute le regret de ne plus avoir vingt ans ou la crainte d'en avoir cinquante qui nous clôt le bec pour une quinzaine d'années. Quoi qu'il en soit, je n'y peux rien et je ne peux m'expliquer ce fait puisque je suis le premier à dire que je n'ai plus d'âge. Cruelle étape que celle du midi de la vie. On se défend, on lutte contre le temps et l'on vieillit mal. En somme, c'est l'âge de son cœur que l'on a… rien d'autre. J'ai beau me dire que je suis un if, que mon fils est mon frère, ça ne changera rien… l'hiver m'attend au bout du chemin. Je suis là à déplorer ce fait et si vous me demandiez mon âge… comme tous les autres, je pense que je vous mentirais !

## *Comme un château de sable…*

Un pied sur le cœur, l'autre sur les yeux de l'amour… et voilà qu'on est piétiné tel un château de sable pourtant érigé avec confiance. Nombreux sont ceux et celles qui se diront en lisant ces lignes : « Ah ! c'est comme s'il écrivait pour moi ! » Allons, ne vous en faites pas, les dupés de la vie sont légion et les opportunistes se comptent par millions. Ce n'est pas leur faute, il ne faut pas leur en vouloir puisque le froid calcul est une maladie dont personne ne se croit atteint… même les « diagnostiqués » ! Face aux faits, pris dans ces dents de la mer, que peut-on faire, que doit-on faire ? Rien… sinon se dire que jamais plus nous ne nous ferons prendre. Et pourtant… ! Elle est dure la vérité, elle est laide vue de face, mais c'est exactement à ce moment qu'il faut tout faire pour ne pas haïr. Ce dont il faut se rappeler, c'est ce chapitre merveilleux qui a fait qu'on a cru, qu'on aurait voulu que ce soit à tout jamais. Ce qu'il faut regarder les yeux fermés, ce sont ces images magnifiques qui ne reviendront jamais plus, mais qui revivront sans cesse pour la postérité de notre mémoire. Parfois, pour ne pas dire souvent, il coûte cher le verbe aimer pour qui ne s'aperçoit pas que tout bonheur s'achète. Mais qu'est-ce donc… quand l'autre fait mine de n'en tirer aucun profit. Tout n'a qu'un temps et les plus belles choses du monde ont une fin. Ce qui est dommage, c'est tout ce qu'on aurait pu prendre en chemin et qu'on a laissé passer bêtement… parce que l'on croyait… ! Dupés de l'amour, victimes de la chair, lésés des sentiments, ne vous y laissez plus prendre. Ne soyez plus ainsi des altruistes de l'amour, des samaritains offrant le soleil pour en retirer un orage. Faute avouée doit-elle être pardonnée ? Bien sûr qu'il y a remède et c'est le temps, le temps seul qui se voudra le pansement de la plaie. D'abord et avant tout, ce qu'il faut faire, c'est un bon examen de conscience. L'aimiez-vous autant que vous le prétendiez vous-même ? Que cherchiez-vous donc ? Que vouliez-vous donc ? N'avez-vous pas trouvé satisfaction à certains moments ? N'avez-vous pas été au moins heureux tous les deux en cuvant votre vin sur le lit encore humide ? Avez-vous été vous-même honnête au point de n'avoir pas dupé aussi de votre côté en déployant parfois un romantisme pas toujours sincère ? Ne vous est-il pas arrivé au moins dix fois en cours de route de souhaiter que tout s'arrête afin de vivre un autre amour plus intense, plus vrai, sachant que le château de sable pouvait avoir deux faces ? Bien sûr qu'on se complaît à ne blâmer que l'autre quand on est plus sentimental et que les mots sont plus faciles à inventer pour mieux détruire. Et puis, à quoi bon ! Elle est finie votre belle histoire ? Tout s'est écroulé et vous avez peine à y croire ? Laissez donc le temps se charger de vous et de votre partenaire. Chacun croisera en chemin un autre amour, plus réel cette fois, un amour qu'on regardera venir avec méfiance de peur qu'il soit encore un château de sable. Et les saisons se suivront offrant d'autres chansons, d'autres joies, d'autres peines. Qui sait si cette fois, par contre, l'oreiller n'aura pas les mêmes plumes ? Qui sait si les baisers n'auront pas la même sincérité. Est-il possible que l'amour ne soit pas qu'un jeu ? Qu'un château de sable qu'un jour on piétine ? Sûrement et l'on doit y croire puisque déjà, l'oubli de l'autre fait lentement place à l'image d'un autre cœur, d'une autre guerre… cette fois, sans trêve !

# *Et l'amour, c'est quoi… ?*

Je regardais dernièrement une émission de télévision où le débat s'étalait à savoir si les jeunes filles croyaient encore au prince charmant. Il y avait là des jeunes filles de toutes les classes de la société ainsi que des garçons du même âge. La moyenne se situait entre vingt-trois et vingt-cinq ans et j'ai été plus qu'étonné de constater à quel point ces couples de demain ont aboli tout sentiment de leurs ambitions. Pour la plupart des jeunes filles, c'était la carrière avant tout. Le mot « carrière » a été tellement galvaudé ce soir-là qu'à certains moments on pouvait se demander c'était quoi… une carrière. Des jeunes filles disant qu'elles se dirigeaient en hôtellerie, d'autres parlant d'ouvrir une boutique de modes, certaines se voyaient maquilleuses et quelques-unes, professeurs ou serveuses, selon le cas. Finalement, ce que ces belles demoiselles voulaient dire, c'est que leur job passerait bien avant un éventuel mari qui les garderait prisonnière des couches et de la vaisselle. Quelques-unes plus « défaitistes » sans doute allaient jusqu'à dire qu'elles laisseraient tomber leur travail si un enfant arrivait afin de l'élever pour ensuite le reprendre. Une seule et je dis bien une seule a affirmé qu'elle accepterait volontiers de fonder une famille et de se faire vivre par un homme tout comme les femmes d'hier. Ce fut presque la panique chez les autres. C'est comme si cette dernière venait de les reculer de vingt ans par une affirmation qui était peut-être la plus honnête au fond. Les mères de ces jeunes filles étaient là aussi, une ou deux étaient divorcées et il était gentil d'entendre la fille déclarer que ce n'était pas parce que sa mère avait divorcé qu'elle ne voulait pas d'un homme. Pour une fois, je sentais la jeune fille plus brillante que sa maman, qui semblait nourrir plus de dépit face à sa solitude que de mépris face à tout éventuel prince charmant. Ce qui m'a fort secoué et m'a fait me gratter la tête, c'est qu'à aucun moment alors que l'animatrice les mettait en face du choix, aucune n'a pensé répondre que l'amour y serait pour quelque chose et que ce noble sentiment pouvait fort bien entraver la plus espérée des « carrières ». Les jeunes hommes, fort perplexes face à cette nouvelle attitude de la part des filles d'aujourd'hui, n'ont pas hésité à répondre qu'ils n'anticipaient pas le mariage et que « femme libérée » libère l'homme comme ce n'est pas possible. Ils ne semblaient pas désemparés outre mesure et je ne les blâme pas, car si j'étais de l'époque actuelle, si j'avais moi aussi vingt ans, je reculerais de peur devant ces femmes de demain qui se veulent à peu près tout… sauf des sentimentales. Est-ce la société qui veut qu'on en soit rendus à ne plus penser que l'homme et la femme sont faits pour s'aimer, se compléter, s'unir et vivre en harmonie ? Se peut-il qu'on finisse par haïr à ce point celui qu'on appelle avec mépris « le mâle » ? Certaines affirment pouvoir mener de front deux carrières, celle de mère de famille et celle de femme d'affaires, mais aucune n'a songé à donner une place à l'homme de sa vie dans ce tracé, sinon lui apprendre à laver la vaisselle ou les planchers. À ce jeu, mesdemoiselles les émancipées, je vous jure que vous ne trouverez jamais « le princc charmant » et que vous aurez raison de ne penser qu'à votre « carrière ». Je me demande bien quel « prince » voudrait d'une « princesse » aussi aride. Et l'amour, c'est quoi ? Un sentiment pour les films d'amour seulement ou un prétexte pour les romans Harlequin ? Allons, soyez femmes de carrière, mères de famille, soyez les deux à la fois, mais, de grâce, cessez ce combat à sens unique que vous livrez puisque vos dards n'atteignent personne et encore moins les hommes. Quand vous aurez appris que le verbe aimer a encore son mot à dire, peut-être pourrons-nous faire enfin un autre débat… plus intelligent cette fois !

# *On se marie toujours...*

Ceux qui croient que le mariage n'a plus sa raison d'être seront fort surpris d'apprendre qu'on se marie plus que jamais de nos jours. Mai, juin, juillet, août... quatre mois pendant lesquels les allées nuptiales regorgent de couples heureux qui, main dans la main, s'unissent devant Dieu. N'allez surtout pas croire qu'on fait les choses en toute simplicité de nos jours. Samedi dernier, j'ai été agréablement surpris d'apercevoir à la sortie d'une église un cortège composé de filles d'honneur et d'une bouquetière... tout comme dans notre temps. Les confettis, les voitures parées de boucles et de banderoles, bref tout ce que l'on qualifiait de « quétaine » il y a quelque temps. D'où vient donc cette régression soudaine ? Les jeunes auraient-ils finalement compris qu'il y a de ces traditions qu'on ne peut effacer ? Les mariages en grande pompe reviennent à la mode plus que jamais. On se marie encore comme il y a vingt ans parce qu'on a finalement compris que ce jour qui n'arrive qu'une fois dans la vie mérite l'éclat qu'on veut bien lui octroyer. On suit même de plus en plus ces fameux cours de préparation au mariage qui étaient devenus la risée des amants de l'heure présente. Il fallait donc tout chambarder, tout leur permettre pour qu'ils s'approchent à nouveau des traditions de nos grands-mères ? Vêtue de blanc, un voile à traîne, c'est une mariée resplendissante qui s'avance au bras de son père pendant que son gentil mari, vêtu d'un habit dernier cri, l'attend sur le prie-Dieu pour lui passer l'anneau au doigt. Plus on avance... plus ils reculent et le retour en arrière fait bien plaisir à ceux qui en furent longtemps les pionniers. La marche nuptiale, la réception, les fourchettes que l'on frappe sur les assiettes pour mieux les voir s'embrasser… tout revit pour couronner ce jour. Les jeunes veulent, tout comme nous, garder un souvenir inoubliable de cette journée dépareillée et nous ne pouvons qu'applaudir à ce retour aux sources. Il était temps qu'on prenne conscience que l'union d'un couple mérite le faste qu'on lui accorde. Quand je regarde mes « portraits de noces » d'il y a… plusieurs années, c'est toujours avec joie que j'en savoure la splendeur. Eux aussi ont droit à ce privilège, ils l'ont finalement compris. D'un samedi à l'autre, les klaxons résonnent dans les rues et, au moment où je vous parle, des tourtereaux répètent le même geste. Tiens, j'y pense, j'ai un neveu qui se marie prochainement. Je serai présent et ce sera à mon tour de lui souhaiter une vie remplie d'amour. Que cette union ainsi que celles de tous ceux qui suivront au cours de l'été soient longues et parsemées d'un bonheur qu'ils construiront à la mesure de leurs sentiments. Le mariage a toujours sa raison d'être et si parfois l'orage gronde, sachez qu'il y a toujours un soleil pour en dissiper les nuages. Soyez tous très heureux, l'amour vous suit des yeux. N'oubliez surtout pas qu'un nid de joie… ne se construit qu'à deux ! C'est ce qu'on m'a dit quand j'avais votre âge et j'y crois encore vingt ans plus tard !

## *Ce pauvre cœur qui bat…*

Oui, je dis bien « ce pauvre cœur qui bat » parce que c'est incroyable tout ce qu'on peut clamer en son nom. Je me demande bien qui a eu un jour la bonne idée d'attribuer à cet organe vital tous les soubresauts de nos émotions. Qui donc en a fait le tampon de nos chagrins et nos joies ? Ce cœur qui bat n'est là que pour nous maintenir en vie et voilà qu'il est devenu, et ce, depuis François Villon, le déversoir de tous les poètes. Dans le Larousse, on dit que le cœur est l'organe thoracique, creux et musculaire, de forme ovoïde et principal organe de la circulation du sang. Par contre, un peu plus loin, on n'oublie pas de mentionner que le cœur est le siège des sentiments, des passions, de l'amour, du courage, de la générosité et des pensées intimes. Bien sûr qu'on se doit de le poétiser ainsi puisqu'on s'en sert constamment dans tout écrit empreint de tendresse. Pourrait-on dire à une femme « je vous aime de tous mes reins ? » Avouez que phonétiquement, ce serait déjà inadmissible ! Somme toute, le cœur n'a pas pour seule fonction de nous maintenir au nombre des vivants, mais de gérer nos moindres élans… et je n'ai rien contre ce fait, loin de là ! Il est évident que toute pensée vient d'abord de la tête et de l'esprit, mais si c'est au cœur à qui on veut tout attribuer, pourquoi pas ? Pauvre cœur… ne l'entend-on pas battre à toutes les sauces ? Ne signe-t-on pas « du fond du cœur » ? Ne dit-on pas « je vous donne mon cœur »… quand finalement, on se donne en amour ? À la moindre émotion, à la moindre joie, on s'écrie : « Je pense que le cœur va me sauter de la poitrine. » Dans la peine, on murmure : « J'ai le cœur au bord des lèvres. » Et même dans les malaises les plus idiots, comme une simple indigestion, on se plaint : « J'ai mal au cœur ! » Il prend tout, certes, mais que donne-t-il ? Un cœur ne donne rien… il se donne ! C'est par lui que l'on régit sa vie et avec lui que se trament les plus doux complots de notre existence. Être un bon travailleur, « c'est avoir du cœur au ventre » et faire don de quelques dollars, c'est « avoir le cœur à la bonne place ». Ne plus visiter sa vieille mère, c'est être « sans cœur » et ne pas pleurer devant le cercueil d'un ami, c'est « avoir la rage au cœur ». Pauvre de lui, même les romanciers les plus modernes s'en servent encore pour « faire battre la chamade » quand leur héroïne est dans les bras de leur héros. De ce pauvre cœur qui bat dans nos poitrines, Dieu qu'on s'en est servi dans les chansons. Vous vous rappelez sans doute de « Je te tiens sur mon cœur » ou « Mon cœur est un violon » ? Je me souviens même d'une chanson que ma mère turlutait jadis et qui s'intitulait *Mon cœur est en chômage*. Ça se terminait même par « il serait bien dommage de le laisser rouiller ! » On parle aussi du « cœur du bon Dieu » qui est si grand, du « cœur de la ville » et j'en oublie. Ah ! s'il n'avait été inventé, de quel mot nous servirions-nous pour si bien nous exprimer ? Dans les citations les plus célèbres, il revient sans cesse et n'est-il pas agréable de lire : « Deux étions et n'avions qu'un cœur » ? Même saint Luc dans son nouveau testament a écrit : « Où est votre trésor, là aussi sera votre cœur. » Ça remonte à loin n'est-ce pas ? Même la Bible l'étale avec honneur ! Plus tard, un Paul Verlaine s'en servait pour nous dire « il pleure dans mon cœur comme il pleut sur la ville » pendant que monsieur Toulet s'écriait que « rien n'est plus féroce que le cœur ! » Et ce cher Racine qui a cité dans Phèdre que « le jour n'est pas plus pur que le fond de mon cœur ». Pourriez-vous trouver une phrase plus belle que celle-là ? Oui, il est précieux ce pauvre cœur qui bat et c'est pourquoi il faut en prendre grand soin, car il a une importance qui dépasse la fonction de ses pulsations. On doit le nourrir de tendresse, de mots d'amour, d'affection et de tout ce que vous pouvez y ajouter mais il faut savoir le ménager car à trop le nourrir d'émotions, on risque fort de le voir éclater. On oublie trop souvent qu'il n'est qu'un organe qui s'épuise avec le temps. On le harcèle, on lui demande sans cesse de comprendre et on le tient responsable de tous ses malheurs... sans se douter qu'à le blesser ainsi, il risque de s'évanouir brusquement au creux de notre poitrine. Pour le garder aimant et intact, ce pauvre cœur, il faut d'abord y penser avec sa tête, son intelligence, sa vivacité. Telle une plainte, il faut savoir parler à son cœur, lui dire qu'on l'aime et que c'est à cause de lui qu'on aime. Il ne faut plus y verser ses déboires, mais en faire le vase sacré de nos plus doux instants. C'est en le traitant avec respect et dignité qu'il battra sans cesse sur toutes les gammes du verbe aimer !

## *Le charme des secrets*

Doux aveux qu'on se murmure à l'oreille en se promettant bien de ne jamais répéter à qui que ce soit de telles confidences. Les secrets ont certes leur charme, mais sont-ils seulement respectés ? Dans la plupart des cas, je serais porté à dire qu'on ne dévoile jamais ce que l'autre nous confie… surtout quand l'amour est en cause. Un secret gentiment murmuré est la plus belle marque de confiance que l'on puisse faire à quelqu'un qu'on aime. On n'ouvre pas son cœur ainsi sans raison et si l'on prend la peine de le faire, c'est qu'un énorme sentiment s'est installé entre le couple, celui de la compréhension. Quand on en vient à se dire ce qu'on pourrait garder chacun pour soi, c'est qu'on s'aime et qu'on veut un juste partage des émotions. On ne tient pas à garder pour soi quelque chose qui un jour pourrait surgir d'un ailleurs qui nous blesserait. On vit mal avec « un secret » qu'on ne peut dévoiler à quiconque, surtout à l'être aimé. D'ailleurs, comme le clamait un poète, « les secrets existent-ils pour ceux qui s'aiment ? » Il ne faudrait pas par contre tomber dans le piège des grands aveux. Il y a des choses qui appartiennent au passé et qui n'ont pas à être mises au jour quand l'aube se lève sur l'amour. « Trop parler nuit »… parfois, et l'oublier serait irréparable en certains cas. Quand je parle du charme des secrets je ne parle pas de la confession de l'enfant du siècle que vous êtes. Je ne parle pas de déposer sur les épaules de l'autre un fardeau qu'il n'a pas à supporter. Le charme des secrets, c'est l'aveu des mots qu'on pense et qu'on ne veut dire qu'à une seule personne, c'est-à-dire, à celle que l'on aime. De plus, il faut avoir la certitude d'aimer, car si l'amour n'était que passade, le charme pourrait vite être rompu par une trahison qui se voudrait désillusion. Les secrets de son cœur, on ne les répand pas après quelques heures ou trois semaines de fréquentation. On apprend d'abord à se connaître, à se faire confiance, à s'aimer et, enfin, on peut se pencher à l'oreille de l'autre. Dans de tels cas, même si la fin d'une liaison survenait, on pourrait être assuré que les secrets mutuellement confiés ne seraient jamais dévoilés. Dire « je t'aime » est un aveu qui peut être encore plus doucereux s'il est murmuré à l'oreille tel un secret bien gardé. L'écrire ?... on le peut, mais sachez que les écrits demeurent et que les mots restent toujours à prouver. Dans le charme des secrets qu'on échange en amour, il y a aussi ce merveilleux contact qui fait que plus on s'approche de l'autre, plus on hume l'odeur d'un baume ou d'un parfum qui nous enivre. La voix qui murmure ne ressemble jamais à celle de tous les jours et les sons plus mélodieux se veulent des chansons pour l'ouïe qui les reçoit. À quelques pouces de l'oreille, ne sommes-nous pas aussi à quelques pas des lèvres ? De ces doux secrets qu'on s'échange naissent bien souvent les préambules... de nos plus belles nuits d'amour. Ce « j'ai à te dire tout bas », ce vent doux qui s'amène sur le profil de l'autre, n'est-ce pas là un moment exquis à vivre. N'est-ce pas parfois par ce chuchotement qui se veut plus tendre qu'un baiser qu'on ouvre ensuite la porte de la chambre où le champagne est déjà en train de respirer ? Que de doux aveux on a pu se faire sous forme de secrets. Bien souvent, on avoue : « Ce que je te dis là, je ne l'ai jamais dit à personne d'autre. » Et ce n'est pas toujours vrai, mais ça fait aussi partie du charme des secrets que de mentir ainsi... amoureusement. Peut-on se targuer vraiment d'être le premier à hériter ainsi d'un secret ? Qui sait si ce n'est pas déjà le secret de l'autre, juste avant. Monsieur de la Rochefoucaud, dans ses pensées jadis publiées, disait : « Comment prétendons-nous qu'un autre garde notre secret, si nous n'avons pu le garder nous-même ? » Il parlait sans doute de confidences qu'on finit par colporter d'une bouche à une oreille, mais le secret qui est en nous a parfois besoin d'être partagé. Je ne connais personne en ce bas monde qui puisse vivre toute sa vie avec un secret bien à lui qu'il emportera sous terre. Tôt ou tard, il finira par trouver l'âme sœur avec qui le partager. Là, on parle de grands secrets pour ne pas dire de profondes confessions, mais quand j'insiste sur le charme des secrets, vous savez fort bien que je veux nettement dire « tout ce qui vient du cœur et qu'on peut déposer en un autre ». Ce sont finalement des mots qui n'ont rien à cacher, mais qu'on aime divulguer comme s'il s'agissait de secrets bien gardés. On les offre telles des roses, en exclusivité à la personne que l'on choisit pour s'en faire le vase. Le charme des secrets, c'est finalement un jeu délicieux qui se joue à deux, quand on s'aime tendrement ou comme deux enfants. C'est le jour où l'on n'a plus rien à murmurer à l'oreille de l'autre que naît le drame. Tant qu'on pourra, ne serait-ce que pour se rapprocher d'un parfum, souffler des mots d'amour sous forme de secrets à l'être que l'on aime, je crois que le charme ne sera jamais rompu et que la vie à deux… aura toujours sa raison d'être !

# *Ce mal d'aimer...*

La douleur est là, juste au cœur, et l'on sent comme une boule qui vient nous étrangler graduellement. Ce symptôme peut certes s'attribuer à tous les maux du corps humain, mais « aimer » peut faire aussi mal que d'avoir de la peine, parfois. C'est un mal « bien » par contre, un mal qu'on prend en patience et qu'on nourrit soi-même de son masochisme pour ne pas qu'il guérisse. Entre deux êtres qui s'aiment, je pense que le temps d'aimer est plus souffrant que celui des adieux. Se quitter, se laisser pour toujours, ça fait mal aussi, très mal même, mais le temps est un bien grand maître et d'autres amours viennent alléger la peine. Ce mal d'aimer, celui que l'on ressent au moment où l'on a peur que l'extase nous tue avant la fin... est insupportable. C'est une bien dure épreuve à passer, surtout pour ceux qui s'aiment et qui n'en ont pas le droit, pour ceux qui s'aiment sachant qu'ils ne sont point libres de le faire, pour ceux qui s'aiment... désespérément ! À ce moment, le mal ronge l'âme car l'absence est la blessure profonde qui revient dès que l'autre s'en va. Ne serait-ce que pour deux, trois ou quatre jours, ça peut faire vraiment mal d'aimer et de n'être pas près de son amour. On sent qu'il devrait être là et la raison nous rappelle qu'on n'en a qu'un bien piètre morceau de cet amour incomplet. Dès lors, on s'invente des rêves, on s'imagine des îles désertes, des ailleurs, un voyage, on s'imagine tout ce qui pourrait faire que l'amour ne nous darde plus cette douleur au cœur et que la plaie que l'on panse sans cesse se cicatrise à tout jamais. Entre-temps, on a peur que « la douleur s'éteigne », que le mal diminue et qu'à force d'attendre on puisse finir par comprendre. On a tellement peur... que le mal d'aimer s'envenime. Exposé bien étalé, je veux maintenant en arriver au stage où il ne faudrait pas pour autant... « mal aimer ! » À être trop possessif, à vouloir trop ce qui n'est pas à nous peut nous le faire perdre à tout jamais. Là, je sens que j'en atteints plusieurs et que nombre d'entre vous vivez actuellement une telle situation infernale. Si la maladie n'est pas contagieuse, elle n'est pas rare pour autant et ce « mal d'aimer » naît dès l'instant où la trop grande émotion l'emporte sur la raison. Au-delà du réel, plus loin que le rêve ! Voilà où l'on voudrait que la belle histoire nous emporte. On ferait même fi de toute pudeur, toute entrave... pour s'approprier entièrement ce qu'on doit partager. Et pendant ce temps, on oublie que l'autre aussi souffre de ce mal d'aimer. On oublie qu'un autre cœur ressent les mêmes vibrations, le même tourment... parce qu'on s'imagine qu'on est seul à souffrir aussi atrocement. Déposons donc un baume sur ce « mal d'aimer ». Un baume qu'on pourrait fabriquer en y mêlant patience, respect et amour vrai. On n'a pas le droit d'aimer en fou de la sorte. On n'a pas le droit de se faire ainsi mal quand tous les instants qu'on peut passer ensemble peuvent être enchantements. Si on les gardait bien au chaud, si on les revivait par la pensée, si on en savourait les plus belles pages, nous n'en serions pas à nous faire mal en attendant que le soleil revienne. Un amour avec un pied sur le trottoir et l'autre dans la rue, c'est déjà assez difficile à maintenir en équilibre sans l'écraser davantage de son propre désarroi. Aimez-vous, amants qui n'en avez pourtant pas le droit. Aimez-vous, mais intelligemment, au gré des permissions que le destin vous accorde. Ce « mal d'aimer » qui vous tenaille peut dès lors se transformer en scénario que vous écrirez tous deux de main de maître... au-delà, bien sûr, de tous vos rêves !

## *La patience, cette douce vertu !*

Il en faut certes beaucoup quand on aime, mais il est prouvé qu'elle est bien souvent venue à bout de plusieurs problèmes dans les couples. On entend souvent dire : « Ma patience a des limites ! » Pourtant, dès que l'orage fait place à l'arc-en-ciel, dès qu'un baiser vient sceller l'oubli ou le pardon, on se retrouve à ne même plus penser qu'on a dû être patient envers son ou sa partenaire. Il est vrai que la patience est une vertu et pour ce qui est de l'amour, sans doute la plus belle. S'il fallait qu'on n'ait pas parfois la moindre intention de fermer les yeux, de retenir son souffle, de faire la sourde oreille, c'est qu'on n'aimerait pas comme il se doit. Il est impossible que deux êtres soient identiques en tous points, que deux êtres qui s'aiment n'aient rien à se reprocher l'un l'autre. Si tel était le cas, la vie à deux serait bien monotone, croyez-moi, car ce sont ces différences qui mettent justement un peu de poivre sur un quotidien qui pourrait s'avérer bien fade. L'essentiel, c'est d'avoir une base en commun, d'être, comme on dit, sur la même longueur d'ondes, un sentier avec à peu près les mêmes buts pour ne pas dire les mêmes goûts. De là, on doit accepter que l'autre n'ait pas cette qualité que nous avons et vice versa. On doit admettre les défauts qui agacent, les manies qui irritent… C'est là que la patience, que j'appelle la plus douce des vertus, entre en jeu. La patience, c'est finalement la plus belle preuve d'amour que l'on puisse donner à l'autre. Elle vient à bout de tout si on sait s'en servir avec intelligence. Il est évident qu'on se doit d'être au départ très indulgent et partir du bon pied en se disant « Avec le temps, ça va sans doute s'arranger ! » Oui, mais comment arriver à être patient au point que ce ne soit pas une corvée ? Comment mettre sa patience en pratique sans angoisser ? C'est très simple, si vous aimez, la pire chose de l'autre se devrait d'être moindre. C'est-à-dire qu'il faut minimiser ce qui vous déplaît et ne pas faire d'un grain de sable, une montagne. Il y a bien sûr dans cette dose de patience, une parenthèse qui s'appelle dialogue et qu'il faut savoir utiliser à bon escient. S'asseoir avec son conjoint et discuter est sans doute la meilleure solution, la plus belle prise de conscience qui soit. Si l'on discute, si on lui reproche sur un ton quand même doucereux les failles qui font que parfois la patience est mise à rude épreuve, je suis assuré qu'il peut y avoir amendement sinon effort de la part de l'autre. Si en plus on a la bonne idée d'admettre aussi ses lacunes et même d'interroger l'autre sur ce qui pourrait choquer de notre part, on peut s'aider au point que l'amour ne risquera jamais de prendre fin. La patience est une vertu, mais pas si elle n'est prise qu'en silence. Il faut que l'autre s'en rende compte, qu'il ou qu'elle devine tout ce que vous acceptez par amour. Il ne faut pas cependant être patient au point que l'autre en abuse. C'est là qu'il faut parfois remettre en question certains angles qui, sans diminuer votre amour, vous attristent. Il ne faut jamais en arriver au point de pleurer solitairement sur un oreiller quand la raison n'est que bagatelle. Je crois que si l'amour est réciproque, la patience ne peut être que mutuelle. Si l'on arrive à s'aimer aussi intensément l'un et l'autre, on peut en arriver à pratiquer ensemble cette vertu qui fera en sorte que rien ni personne ne viendra entraver le « à tout jamais » qu'on s'est juré pour le meilleur et le pire… avec patience !

## *Les pieds dans le sable…*

… et les yeux tournés vers la mer, je rêvais tel un enfant devant l'infini de l'horizon. C'était en mars dernier et j'étais à Miami. Croyez-le ou non, mais j'en ai déjà la nostalgie, et ce n'était pourtant pas là mon premier voyage dans ce coin. Il y a parfois de ces petites choses qu'on n'oublie pas. Les pieds dans le sable, oui, je rêvais et je faisais le bilan de ces dix années au cours desquelles j'ai su chaque semaine vous apporter ma petite philosophie de la vie par mes billets. Je ne pensais jamais atteindre vos cœurs à ce point et voilà qu'un second recueil intitulé « Pour un peu d'espoir » en fait foi. Moi, je les écrivais comme ça, ces billets, sans les relire parfois, parce qu'on ne retouche pas ce que le cœur nous dicte. Chaque semaine, j'atteignais quelqu'un sans m'en rendre compte et c'est au fur et à mesure des missives que je me rendis compte que mon aide pouvait être précieuse, que mes conseils arrivaient souvent juste à point et que mes mots venaient parfois sécher des larmes. Moi psychologue ? allons donc, je n'ai aucun brevet à ce titre. Prédicateur ? encore moins… pas quand on a élevé deux enfants et que ma façon de voir la vie n'est finalement que celle de tout le monde. La différence, c'est que j'ai eu la chance d'exprimer ce que bien souvent vous pensez. Je me fais donc le complice de vos sentiments et c'est tous ensemble que nous allons, tels des funambules, sur le fil de nos plus vives émotions. Oui, les pieds dans le sable et mon livre à la main, je le regardais et je pensais à chacun de vous qui me l'aviez inspiré ainsi que le premier tome intitulé *Au fil des sentiments*. Je songeais à cette brave Lina de Rouyn qui m'a prouvé que je valais mieux qu'un vieux trente sous. Je pensais à Fabie, à ses poèmes, à son courage. Je visionnais les visages imaginaires de Lucette, François ou encore de Mathilde qui venait de perdre son époux. Je pensais aussi à ma mère qui m'a inspiré tant de citations et à cette brave grand-maman qui m'avouait me lire plus d'une fois… et j'étais heureux. Au seuil du second tournant de ma vie, je vous avoue être bien avec ces livres entre mes mains. Un jour, je n'y serai plus… mais les recueils survivront sur les étagères des bibliothèques municipales. Une bien petite postérité, mais elle m'appartient et j'en suis fier. C'est d'ailleurs à vous que je le dois, cette belle renommée qu'on m'accorde. Il y avait des vagues comme ce n'est pas possible en ce jour de mars. La mer se déchaînait et rejetait tous ses déchets. Je la regardais et je l'affrontais sachant qu'elle ne pourrait que m'accueillir dans son manteau vert sans me bousculer sur les rives. Je suis de retour depuis belle lurette et, depuis, j'ai fait une petite tournée par ci, par là, afin de promouvoir mon second bouquin. J'ai rencontré partout des gens sympathiques, des gens à qui j'ai pu dire que je les aimais et des gens qui m'ont témoigné le même sentiment. Je suis revenu pour reprendre ma plume et dialoguer encore avec vous des beautés de la vie. Dans ce siècle de violence, nous parlerons encore et longtemps d'amour et de bonheur… ensemble !

## *Bien douces grands-mamans…*

C'est à votre tour de vous laisser parler d'amour… et c'est avec beaucoup de tendresse que je le fais. Quoi ? Ça vous intimide ? Allons donc ! Que serions-nous si vous n'aviez pas été là avant nous en ce temps où, de vos deux bras, vous avez su étreindre nos joies comme nos peines ? Vous a-t-on déjà dit au berceau de ce beau troisième âge, que tout ce que vous aviez fait ne peut s'oublier ? Vous a-t-on seulement dit « merci » ? Je vous vois comblées, entourées, choyées par ceux à qui vous avez donné la vie et si tel n'est pas le cas… c'est que le cœur ne peut être plus ingrat. Une grand-maman, c'est celle sur qui repose le bien-être de la dynastie qui la suit. C'est aussi celle qui a passé bien des nuits blanches pour assurer la survie de ceux qu'elle aimait et qui lui étaient raison de vivre. Que de sacrifices dans le cœur de ces jeunes mamans d'hier, que d'efforts, que de travail… et que d'amour. Oui, il fallait aimer pour ainsi s'oublier et le bon Dieu est certes au courant de cet immense dévouement. C'est de peine et de misère qu'elles ont bien souvent monté la côte des ans et c'est en toute quiétude qu'elles méritent aujourd'hui de la redescendre tout doucement. Elles n'ont pas toujours eu la vie facile, ces pionnières de notre famille. J'ai souvenance de les avoir vues à l'œuvre avec une fournaise à charbon, une machine à laver avec tordeur, une glacière et un poêle à gaz ou à bois. Elles ont traversé deux guerres, ces braves mères, avec coupons de rationnement et le chagrin au cœur de voir partir un enfant pour le front. Quand elles étaient là, parfois désespérées, elles retenaient bien souvent leurs larmes pour ne pas inquiéter, non pas un, mais huit ou dix enfants accrochés à leurs jupes. Leurs journées étaient sans répit et c'est vingt-quatre heures par jour qu'elles œuvraient pour le confort de leurs petits. Le fil à coudre et l'aiguille, elles s'en servaient pour raccommoder le derrière de nos pantalons et la machine à pédale était l'outil précieux de la maison. Pourtant, elles avaient vingt ou trente ans, tout comme les mamans d'aujourd'hui, avec la seule différence qu'elles n'ont guère pu profiter de leurs cheveux bruns ou blonds. C'était le bon temps, paraît-il ? Leur avons-nous seulement demandé leur opinion ? Le cœur plus grand que la main, elles ont vu peu à peu apparaître les premiers cheveux gris sans jamais se plaindre du moindre souci. Retraitées dans un monde où tout a évolué, elles sont encore là et, la plupart, heureuses d'avoir encore à tricoter pour leurs petits-enfants. Pour certaines, c'est le repos bien mérité de la guerrière et c'est pourquoi il nous faut leur rendre ne serait-ce que le dixième de la monnaie de la pièce. Elles ne demandent rien et je le sais. N'ont-elles pas toujours tout donné sans rien exiger ? C'est maintenant à nous que revient la joie de les combler de notre amour et de notre reconnaissance. Une grand-maman se doit d'être l'invitée d'honneur de nos banquets. Bien assise et entourée, couvrons-la de douceurs et laissons-lui savoir à quel point elle est chère à nos cœurs. Si grand-papa vit toujours, qu'il soit aussi de la partie et qu'il partage avec elle ce juste retour des bontés de la vie. À vous qui les avez encore et qui semblez parfois l'ignorer, je vous en prie, faites juste en sorte de vous rappeler, et je doute que le cœur puisse rester fermé. Qui sait si après s'être tant retenues au temps de la misère, vous ne verrez pas perler une larme de joie sous leurs paupières. Bien douces grands-mamans, au nom de tous… je me prosterne très humblement !

## *Entre deux sanglots…*

Prenez une grande respiration, sortez un papier-mouchoir et effacez si possible d'un trait cette tristesse qui vous arrache le cœur. Pas facile à vivre, une peine d'amour, n'est-ce pas ? Possible à survivre cependant ! C'est bête comme ça la vie, on gagne, on perd, on rit et on pleure. Il y a des maux qui font du bien et d'autres qui font atrocement souffrir. Selon le « seuil de douleur » de chacun, on peut atténuer sa blessure ou s'en plaindre comme si l'aiguille était encore plantée en plein milieu du cœur. C'est fini, il ou elle est partie et vous restez seul bien en face du fait accompli. Il est évident qu'on n'a pas le goût de chanter et encore moins d'aller danser. Il y a toujours des âmes charitables qui, dès le lendemain, vous incitent à vous divertir pour vite oublier, mais ce n'est pas si facile que ça, ne croyez-vous pas ? On ne passe pas ainsi d'une larme à un rire… à moins que ce rire en soit un de démence et là, c'est dangereux. Mieux vaut en rire ?… sûrement pas d'un tel chagrin ! Entre deux sanglots, ce qu'il n'est pas bon de faire par contre, c'est de s'asseoir sur sa tristesse et de nourrir son désarroi de tout ce qui a servi à si bien nous aimer. On n'a pas le droit d'être masochiste au point d'écouter seul les chansons qu'on écoutait à deux. On n'a pas raison d'aller s'asseoir au bistrot qu'on fréquentait et de s'imaginer qu'il ou qu'elle est encore là. On ne se fait pas un monologue de sa perte, on ne titube pas sur sa peine et on ne se saoule surtout pas dans le but de noyer la triste réalité. Je sais que toutes ces solutions sont employées par les « perdants » du verbe aimer, que l'on ne se console pas « avec intelligence » parce que, dès qu'une peine d'amour survient, on perd brutalement conscience. On commence donc par une heure, un jour à la fois pour ensuite se dire : « Tiens, ça fait déjà une semaine ! » Je ne dis pas qu'il faut compter le temps qui passe, il suffit juste d'essayer de le vivre en dépit de son malheur. Rappelez-vous de cette peine d'amour vécue il y a quelques années, car celle-ci n'est sûrement pas la première ? Vous souvenez-vous du cheminement emprunté pour la surmonter ? Non ? vous l'avez oublié ? Bien sûr que la plupart des gens l'oublie… parce qu'on ne compte plus la revivre ! Dans ce cas, savez-vous ce que je ferais, moi ? Je prendrais une gorgée à la fois d'un tout nouveau mode de vie. Je ne me pencherais surtout pas sur tout ce qui nous a réunis. Je n'aviverais pas mon mal en revivant lamentablement ce qui n'a plus sa raison d'être. Non, je lirais, j'écouterais une toute autre musique, je partirais quelque part, seul dans le seul but de voir d'autres visages, d'autres cieux. Entre deux sanglots, je ferais tout pour retrouver assez de force pour vaincre et non me laisser abattre par ce qui, au fond… n'en valait pas la peine. Je me jetterais corps et âme dans le travail, je ne laisserais rien entraver ma pensée positive afin que la convalescence soit de courte durée. Je ne me permettrais pas de m'accrocher, je partirais le plus vite possible sur la route de l'inconnu, de l'aventure, afin qu'un autre amour, aussi passager soit-il, vienne enterrer ma peine. Là, endurci, nanti devant la moindre intempérie du genre, je partirais à la conquête d'une nouvelle vie jusqu'à ce que je trouve celle qui ne me laissera jamais, misérablement seul, entre deux sanglots. Oui, ça se guérit une peine d'amour. Oui, ça s'enterre et ça s'oublie… tout comme l'écureuil qui cache arachides et noix qu'il ne retrouve pas !

# *Les dures concessions*

Oh non!... ce n'est pas facile de faire des concessions dans sa vie de couple mais, qu'on le veuille ou non, c'est nettement essentiel pour sa survie. Il faut en faire et souvent à part ça. De plus, ce n'est pas toujours à la même personne de les faire, mais aux deux, en juste partage et sans analyser si celles de « monsieur » sont plus méritoires que celles de « madame ». Oui, je dis « les dures concessions » parce c'est effectivement très difficile d'avoir même à y penser quand on a été pendant je ne sais combien de temps à ne vivre qu'en fonction de soi. Vous savez, si on fait le bilan de ce qu'est une vie à deux, c'est en tout premier lieu « deux étrangers » qui se retrouvent sous le même toit. J'ai toujours dit qu'on n'était pas aussi parent avec sa femme qu'avec ses enfants puisqu'elle vient d'un autre milieu, avec une autre façon de vivre et que les enfants sont les fruits héréditaires de nos bonnes ou mauvaises manières. Donc, au départ, c'est la fille de Gustave qui décide de vivre avec le fils d'Ephrem et ni l'un ni l'autre n'ont été élevés en fonction d'avoir à vivre ensemble un jour. Que ce soit unis par le mariage ou tout simplement d'un commun accord, vous voilà donc dans la même maison avec le même réfrigérateur, un téléviseur et un seul lit pour deux. Déjà, c'est beaucoup moins que ce que vous aviez lorsque vous étiez seuls puisque, dès lors, il vous faut partager. Il n'est pas dit que chacun va poursuivre sa petite vie égoïste, comment la chose pourrait-elle être possible? Il faut donc apprivoiser ce cœur et faire en sorte qu'il soit agréable pour deux. Si ça se fait? Bien sûr, mais au prix de plusieurs concessions, croyez-moi, car vivre à deux, c'est réapprendre à vivre entièrement et... différemment. La salle de bains sert maintenant pour deux, le lavage, c'est en double qu'il s'accumule et le marché que l'on fait à l'épicerie, c'est en fonction de deux qu'il doit être planifié... goûts personnels inclus. On ne force pas son conjoint à manger des palourdes s'il a toujours détesté les fruits de mer et vous, monsieur, ne la forcez pas à s'intéresser à la boxe si elle a toujours eu horreur de la violence. Par concessions, je veux dire qu'il faut faire en sorte de plaire à l'autre en attendant le juste retour des petits sacrifices qu'on s'impose. Moi, je me souviens qu'étant jeune marié, ma femme ne me suivait le samedi soir dans les boîtes de nuit que pour me faire plaisir, car je savais qu'elle n'aimait pas ces endroits. Par contre, je m'efforçais d'aller avec elle chez sa sœur qui avait un chalet à la campagne... moi qui détestais la villégiature. Très sociable, elle aimait recevoir la parenté à souper, à coucher même, et peu sociable, j'aurais préféré ne jamais entendre la cloche sonner. On faisait chacun de son côté... des concessions, sachant que c'était là le seul moyen de tenir le ménage en équilibre et d'éviter ainsi bien des querelles. Remarquez que nous savions, comme vous tous d'ailleurs, que nous n'étions pas pareils et que nous n'avions pas ce qu'on appelle des goûts en commun sur toute la ligne. Nous n'avons pas signé de pacte à savoir ce qu'on ferait ou ce qu'on mangerait. Non !... nous avons tout simplement mis un peu de notre bon sens dans notre soupe et fait en sorte que chacun puisse trouver, dans l'altruisme de l'autre, sa petite part de bonheur. Ce qu'il faut éviter cependant, c'est d'abuser du plus faible en imposant graduellement ses goûts au détriment des siens. Je me réfère surtout à il y a une vingtaine d'années pour qualifier de « dures » ces concessions du couple, car j'ai l'impression que les couples de l'heure sont beaucoup plus aptes à comprendre ce doux partage. L'évolution a réussi à éteindre ce côté « dominateur » que nous avions, hommes d'hier, élevés en roi et maître et sûrs de trouver en sa jeune compagne la réplique soumise de sa mère. Et comme nous avions l'habitude de dire que « les contraires s'attirent » il est évident que nous partions dans cette vie à deux sans même analyser si la bataille serait de miel ou de fiel. Les hommes étaient nettement plus égoïstes, j'en conviens, tandis qu'aujourd'hui, grâce à ce sang-froid qu'ont les petites femmes à déposer le linge à vaisselle dans les mains de monsieur, elles ont peut-être arrondi cet angle du je, me, moi, d'autrefois. Par contre, ce n'est pas parce qu'on fait un pas en avant qu'il faut en faire trois en arrière. Le mot concession a certes plusieurs synonymes, mais la définition est la même et le jeu se joue toujours à deux, ne l'oubliez pas. Vient un temps dans la vie où l'on en fait de moins en moins, parce qu'on n'a plus à en faire, que chacun a trouvé son contentement dans la division l'un de l'autre et dans la modération des exigences. C'est donc en partant qu'il faut mettre les chances de son côté si l'on veut que ça dure et qu'on puisse se rendre jusqu'au point où l'on n'a plus à attendre ça de l'autre. Le temps a dès lors bien fait son œuvre et ce qui était corvée n'est plus qu'habitude ou tout simplement derrière nous. On avance sans cesse, on raisonne de plus en plus, on s'aime autrement, on se comprend davantage et les concessions si pénibles jadis… sont depuis longtemps le baume de nos plus doux sentiments. Ah ! si seulement on l'avait su avant !

## *Vieillir ensemble...*

Je me demandais pourquoi la chanson *Le temps qu'il nous reste* était si populaire et, à écouter le texte, j'ai compris l'intelligence du thème et saisi ce besoin du couple d'un certain âge de pouvoir gracieusement vieillir ensemble. Ce n'est guère un thème qui se prête aux jeunes couples qui ne font qu'à peine débuter dans cette vie à deux, mais qui réjouit ce même couple à l'orée de la cinquantaine qui désire, et pour cause, poursuivre cette route à deux jusqu'au dernier jour. Vieillir ensemble, c'est se rappeler... parfois avec nostalgie, ses folies d'antan, ses joies, ses chagrins et tous ces combats livrés à deux pour surmonter les obstacles. Quand on a fait un bon bout de chemin ensemble, quand on a lutté côte à côte, il est équitable que le couple en vienne à désirer ce troisième âge, main dans la main... comme si le temps écoulé n'avait plus d'importance. Trop de couples se séparent à l'aube de leurs cheveux gris et c'est le plus triste tableau qui puisse s'offrir à l'œil. La mort, l'inévitable sort qui nous guette devrait être le seul frein possible quand un si long chemin a été parcouru. Vieillir ensemble... et vieillir dans la joie, c'est se pencher sur le bonheur de ses enfants, partager la joie de ses petits-enfants et espérer qu'à leur tour ils puissent traverser le long périple de la vie, unis et indissolubles. C'est aussi se prendre la main, regarder vers le ciel et espérer s'y retrouver à tout jamais. Quand l'un des deux s'en va... l'autre n'a plus peur de l'y rejoindre, car c'est le seul espoir de renouer ce merveilleux roman d'amour brièvement interrompu. Vieillir ensemble, c'est se dire qu'on ne s'est pas trompé en se disant « oui », c'est se prouver qu'on était fait l'un pour l'autre, c'est s'avouer qu'on ne peut vivre l'un sans l'autre !

## *Ça ne va pas… ?*

Tiens ! on dirait qu'un petit nuage gris survole votre nid d'amour. Ça ne va pas ? Il y a un peu d'orage dans l'air en ce qui concerne votre vie de couple ? Déjà ? Allons, gardez votre calme et que diriez-vous si je vous proposais qu'on en parle tous les trois. Pourquoi ? Tout simplement parce que je me souviens de ces premières années de vie à deux et que mon expérience saura peut-être vous être utile. Vous savez, je n'étais guère mieux que vous et je n'avais nullement réponse à mes questions. Le temps a fait que je revois tout ça maintenant d'un œil différent et je me dis : « Si c'était à recommencer, je ne commettrais pas telle ou telle erreur ! ». C'est un peu l'adage de « Si jeunesse savait et si… » ah non ! je suis encore bien trop jeune pour m'emparer de la seconde phase du proverbe. Bon, ça ne va pas ou, du moins, ça ne va plus comme ça allait. Je parierais même que ça fait plusieurs jours, petite madame, que vous boudez dans votre coin, pendant que votre mari ne sait plus sur quel pied danser. Loin de moi l'idée de vous dire qu'il n'a pas tort dans l'incident qui vous concerne, mais puisqu'on dit de nos jours que la mode est au dialogue, qu'en faites-vous ? Seriez-vous à ce point vieux-jeu ? Voulez-vous nous imiter à tout prix et commettre toutes nos bévues ? Nous, les couples d'hier, on ne nous a pas appris à dialoguer. On se mariait pour le meilleur et pour le pire… et quand le pire survenait, on se taisait, on se boudait, on angoissait, on se haïssait et on se ruinait la santé pour ensuite se jeter dans les bras l'un de l'autre après une semaine de ridicule anxiété. Je vous sens tout près d'une séparation, je vous imagine en train de froidement calculer comment vous allez mettre un terme à votre union qui n'est plus ce qu'elle était. Vous en êtes là parce que ça semble la solution la plus facile de régler le problème, n'est-ce pas ? Mais ce fameux problème, quel est-il donc ? Je suis persuadé que si vous m'en parliez, je risquerais d'éclater de rire. Oui, je dis bien de rire, parce que je me souviens de ces petits problèmes des premières années qui engendraient nos magnifiques querelles de ménage. Mon Dieu qu'on se sentait important d'avoir enfin à notre tour un « grand drame de couple » quand, au fond, ce n'était qu'un peu de beurre fondu trop vite dans une poêle trop chaude. Parlons-en donc tous les trois ! Quatre ans, trois ans, deux ans de mariage… et ce n'est plus comme au premier jour. Il est moins fougueux ? vous êtes moins ardente ? Il veut parfois prendre un verre avec des amis et vous vous sentez délaissée ? et vous, vos amies ? qu'en faites-vous ? Là je présume. Il peut y avoir motif plus grave, mais sachez qu'il n'y a pas un malaise qui n'ait pas son remède. Reprenez le tricot à partir de la première maille. Assoyez-vous et discutez-en ouvertement et voyez si l'incendie est aussi tragique que vous le pensiez. Je parierais cent sous que si vous passiez une heure ou deux à replonger dans ce qui vous semble sans issue, vous apercevriez la porte de l'intelligence. On ne se quitte pas comme ça, tout simplement parce que parfois, ça ne va pas. S'il m'avait fallu le faire à chaque petit ennui matrimonial, je serais certes allé en Cour au moins vingt-neuf fois en ces vingt-neuf années de mariage. Voyons donc ! Il est tout à fait normal qu'il pleuve de temps en temps sur votre ménage. Que serait une union sans désaccord, sinon une routine bien monotone. Il faut parfois « du piquant », de l'opposition, de la chicane même pour se rendre compte qu'on a du caractère et que l'on s'aime. Ça va mieux maintenant ? Pourquoi ne pas aller en sourire tous les deux dans le tête-à-tête d'un gentil restaurant ? C'est promis, oui ?

## *Un homme… ça pleure aussi !*

« Relève-toi et arrête de pleurer, un petit gars, ça ne pleure pas ! » Combien de fois avons-nous entendu ces mots de la bouche des pères et des mères d'autrefois et je persiste à dire que ça n'est pas tout à fait passé de mode. On pouvait s'arracher les deux genoux sur le trottoir et, je m'en souviens, il ne fallait pas pleurer au risque de passer pour une « feluette ». Au pensionnat, c'était la même chose et les sœurs grises, qui n'y allaient pas de main morte dans leurs punitions avec gifles à l'appui, nous défendaient bien de pleurer. Ah ! ces braves fiancées du bon Dieu, que de souvenirs amers j'ai gardés d'elles ! Cette loi de naguère a si bien été implantée dans le cœur des hommes que nous avons grandi avec cet art incroyable de retenir nos larmes quand nous aurions dû les verser et d'esquisser un sourire quand l'âme était plus qu'en détresse. On nous a si bien inculqué cette force que je ne me souviens pas d'avoir pleuré depuis… du moins, publiquement. Devant la perte d'un être cher, il nous fallait demeurer stoïque et laisser l'épouse prendre son mouchoir. De cette façon, elle pleurait pour deux et « l'homme fort » se retenait tellement qu'il se faisait de la bile à en perdre sa vésicule. Imaginez ! S'il avait fallu que l'homme pleure devant sa femme et ses enfants, tous auraient pleuré davantage et la panique de la douleur aurait doublé d'importance. On se devait et on se doit encore de garder cette image forte… de force, parce qu'elle rassure ceux qui nous entourent, parce qu'elle donne du courage à ceux qui se laissent aller. Finalement, avec le cœur aussi tendre qu'une rose, un homme se doit d'afficher un cœur de pierre pour sauvegarder l'équilibre de son entourage. Le pire, c'est qu'on dit ensuite : « Lui, c'est un vrai sans-cœur, il ne pleure jamais ! » Alors, figurez-vous donc qu'un homme, ça pleure aussi. Oui, ça pleure, mais encore en silence, dans le noir de sa chambre ou dans la solitude d'un isolement. Pourquoi ? Parce qu'on ne lui a jamais permis de le faire devant tout le monde, parce qu'il a été habitué à se retenir et parce que, du jour au lendemain, évolution ou pas, on ne peut nous apprendre à verser toutes nos larmes en public quand hier encore un tel geste eut été tragique. Il n'est pas toujours facile d'être un homme et si l'on parle beaucoup de condition féminine il faudrait peut-être parfois s'arrêter sur la condition masculine. C'est presque à se demander si l'homme n'a pas toujours été qu'un pourvoyeur. De nos jours, comme la femme gagne très bien sa vie, on en voit de plus en plus mettre le mari au rancart quand ce n'est pas carrément dehors. Un homme, mesdames, c'est un être humain rempli de sentiments et étranglé par les émotions. Les jeunes qui prennent la relève ont maintenant ce droit de pleurer qui nous était refusé. Ils n'auront plus à se cacher dans le creux d'un oreiller pour déverser leurs chagrins… et je les envie. Ils ont toujours pleuré, ces hommes que vous croyiez de fer. Ils l'ont fait en silence et en privé, comme on le leur a appris. Sensibles, romantiques pour la plupart, ils s'émeuvent devant une joie comme une peine. Sans papier-mouchoir à la main, ils avalent leur salive pour que tout ce qui les trouble ne sorte pas du coin de leurs yeux. Oui, un homme, ça pleure et plus souvent qu'on pense. D'ailleurs, c'est lorsque vient le troisième âge qu'on se rend compte de toute cette retenue d'une vie. Ils sont là, les cheveux blancs, le cœur au bord des lèvres, la larme à l'œil. Pourquoi ? Tout simplement parce qu'à quatre-vingts ans, on redevient un tout petit enfant à qui on n'osera plus dire… qu'un homme, ça ne pleure pas !

## *Quand l'un s'éloigne de l'autre…*

«Je ne sais trop pourquoi, me disait une amie, mais j'ai l'impression que M… s'éloigne de moi, qu'il n'est plus le même, qu'il…» Et j'ai eu droit aux suppositions les plus saugrenues, aux certitudes les plus «incertaines». Cafard de ce mois de février qui n'en finit plus? Dépit de l'après temps des Fêtes où la romance était plus ardente? Triste réalité de l'interprète qui sépare en deux l'hiver d'un printemps, le froid de la naissance des fleurs. Ou serait-ce tout simplement que, réellement, il s'en va doucement, sournoisement, sans rien dire, sans blesser, sans trop que ça paraisse? C'est toujours dans de pareils moments qu'on n'aime pas être le confident de ce que j'appelle souvent «l'impossible». Dieu qu'il est difficile de dire: «Allons ne t'en fais pas», quand on n'a pas d'autre choix que de se rendre compte que vraiment… l'autre s'en va. Il s'en allait et c'était vrai, mais pourquoi? Là est toute la question, comme aurait dit Shakespeare, mais la réponse n'est pas toujours au bout de la ligne. Heureusement, ce n'est pas d'un mariage qu'il s'agit, mais d'une simple et belle histoire d'amour. Une histoire d'amour qui avait pris naissance il y a tout juste un an. Un sentiment si fort, si différent, disait-on qu'on n'en verrait jamais la fin. Que de chansons on aurait pu écrire sur ces regards. Que de poèmes on aurait pu créer sur de simples soupirs. Se quitter pour eux était déjà un drame, n'était-ce que pour une fin de semaine, car ni l'un ni l'autre, n'étaient libres finalement. C'était donc comme dans un roman célèbre, un merveilleux bonheur d'occasion. Un roman qui débutait le lundi pour se terminer le vendredi puisque ces tourtereaux travaillaient dans le même bureau, lieu de naissance de leur amour. Que de dîners en tête-à-tête, que de belles randonnées à travers la ville et que de temps supplémentaire pour la forme… écoulé bien souvent dans des endroits faits pour s'aimer l'après-midi. Et voilà qu'il s'en va tout bonnement, très poliment, refusant d'admettre qu'il le fait et que l'autre broie du noir. Pourtant, elle a compris avec ce cœur qui ne demande qu'à aimer, que « la parodie » est presque terminée. Elle a vraiment saisi le message quand il lui dit qu'il doit rentrer, qu'il est fatigué, qu'il a eu une dure semaine, que son auto est en réparation, que des amis l'ont retenu éloigné du téléphone. Finis ces doux appels qui se tramaient entre parenthèses. Éteinte la voix au bout du fil qui murmurait il n'y a pas longtemps « je t'aime ». Le rêve a cédé sa place à la raison et c'est dommage, parce que ce soir, un cœur est triste de voir enfin, face à face, ce à quoi il s'attendait, c'est-à-dire… la fin ! Pas tout à fait, lui dis-je, parce que le cœur se nourrit longtemps de tels souvenirs. J'ai eu beau me mettre à sa place, mais j'ai senti que ce cœur meurtri souffrirait en silence dans le froid de l'hiver. Bien sûr que le bonheur prendra forme encore une fois, que d'autres soupirs naîtront, mais n'empêche que peu à peu, il s'en va, celui qui était sa vie et c'est, de l'amour, la plus douloureuse agonie. « Il s'en va ? Ne le retiens pas, lui ai-je dit. Puisqu'au départ, tout semblait impossible, ne garde au cœur que le bon de ce qui fut possible et enfouis-le à tout jamais dans le coffret de tes plus belles pensées. » Ils se revoient tous les jours, de moins en moins cependant, et c'est normal. Ne devient-on pas myope… quand on voit son bonheur se perdre au loin ?

## *Les affres du dépit…*

Oh non ! Je ne dirais pas que ceux qui se sont aimés puissent être portés à se vouloir du mal lorsque tout se termine. Pas plus que je dirais qu'un enfant puisse réagir méchamment quand on le prive de son désir le plus cher. Dans un cas comme dans l'autre, et dans bien d'autres, c'est ce pauvre dépit qui agit sans qu'on y puisse rien. Qu'est-ce donc que le dépit finalement, sinon un chagrin mêlé d'une colère qui nous porte à poser parfois des gestes qu'on regrette amèrement. Le dépit, c'est une déception personnelle, un froissement d'amour-propre, une aigreur, un désappointement, une rancœur, un ressentiment et même une jalousie. Imaginez alors tout ce que ça peut nous faire faire en tant que faux pas. Là où l'on rencontre le plus souvent cet oiseau de malheur qu'on appelle le dépit, c'est surtout en amour. C'est incroyable tout ce que les déceptions peuvent engendrer. On dit des mots qu'on ne pense pas vraiment, on écrit des lettres très amères, on attaque et quand l'autre s'interroge sur le pourquoi d'une telle méchanceté, on finit par admettre, si l'on est honnête, que le dépit est à la base de nos actes les plus bas. Concevoir du dépit, c'est admettre qu'on aime encore, parce qu'autrement on ne penserait jamais à se venger ou même à offenser par des mots, un être qu'on a couronné de la tiare de sa plus vive tendresse. Si seulement on pouvait se dire qu'on ne peut pas tout avoir juste en claquant des doigts et qu'il faut parfois se soumettre à l'impossibilité de telle ou telle situation. Si seulement on pouvait comprendre qu'il est essentiel de faire des concessions pour que le beau sentiment de l'amour n'ait pas à souffrir des affres que le dépit lui fait subir trop souvent. Pourquoi risquer de tout perdre pour une simple contrariété ? N'est-on pas trop exigeant ou trop égoïste quand on aime ? Comment peut-on prétendre aimer et faire vivre à l'être cher les moindres parcelles de notre dépit. Bien sûr que j'ai dit que le dépit était une forme d'amour, mais c'est mal aimer parfois et l'on ne se rend pas compte à quel point l'on peut blesser ce qui ne peut guère se panser par la suite. Par dépit, on va jusqu'à rendre l'autre jaloux en parlant d'une troisième personne. On pique, on insère peu à peu ses ongles dans le cœur de l'autre parce que, tel un enfant, on n'a pu obtenir le jouet convoité… lors d'une soirée préméditée. Oui, je dis bien « jouet », car lorsque l'amour prend la forme d'un « il faut que tu sois là, sinon… » c'est qu'on s'amuse avec le verbe et qu'on ne le conjugue plus. Le dépit, c'est en quelque sorte la petite vengeance qu'on sert à l'autre parce qu'on n'a pas eu ce qu'on désirait au moment voulu. Le pire, c'est qu'il existe des dépits moins flagrants, mais tout aussi malsains. On garde son calme, on ne s'emporte pas, mais le sarcasme et le cynisme ont plus d'effet que les injures. Qui trop embrasse mal étreint, dit-on et c'est sans doute vrai puisque le dépit est la plus odieuse façon de serrer quelqu'un dans ses bras. C'est en quelque sorte la gifle qu'on n'administre pas, le baiser de Judas qu'on ose encore donner et quand tout le fiel moisi est craché, on se repent, on s'en veut, on pleure même, tout ça pour dire à l'autre à quel point on l'aime. Une chose par contre : l'autre, cette victime du dépit, saura-t-il ou saura-t-elle pardonner sans cesse ces emportements, ces vils écarts de conduite ? Ne risque-t-on pas, à être méchant, de voir s'enfuir l'être armé de patience que nous aimons ? Il paraît qu'on peut même atteindre la folie quand on voit l'autre s'en aller ainsi… sans le moindre dépit !

## *Chère Mathilde...*

C'est pour vous que j'écris ce billet et pour toutes celles qui auraient eu à vivre votre peine et traverser vos heures sombres. Un beau roman d'amour que celui de Mathilde et l'homme de sa vie. Alors qu'elle n'avait que dix-neuf ans et lui à peine vingt, il lui avait dit un soir : « Que diriez-vous si nous faisions, ensemble, une longue route qui durerait toute une vie ? » Quelle façon galante de faire une demande en mariage. Avouez que de nos jours cette formule n'est guère employée et que les jeunes auraient beaucoup à apprendre de ceux qui les ont précédés. Toujours est-il qu'elle fut longue la route des tourtereaux de jadis, puisque c'est quarante-sept ans plus tard, soit maintenant, que Mathilde m'écrit pour me confier son immense chagrin. Son mari, celui qu'elle appelait jadis « mon noir » et qui lui a fait trois filles, apprit l'an dernier qu'il souffrait d'un cancer et que ses jours étaient comptés. Mathilde pleura bien sûr, mais en silence... ne voulant émouvoir davantage celui qui savait déjà qu'il allait partir. Fidèles l'un à l'autre, heureux de vivre ensemble, ils se tenaient encore la main tout comme jadis, à quelques pas de leurs noces d'or. Les jeunes qui les voyaient ensemble les appelaient encore « les amoureux ». Ils espéraient ouvrir cette porte du troisième âge avec autant d'amour qu'ils avaient poussé la porte de leur tout premier logis. Lui, attristé par la mauvaise nouvelle, lui disait : « J'aurais froid si ton cœur n'était pas là pour me réchauffer comme au premier jour. » Dans les moments les plus difficiles, Mathilde lui a écrit des mots si tendres qu'elle a parfois réussi à lui faire oublier le sort qui l'attendait. « Et quand il m'embrassait à soixante-huit ans, j'en frémissais tout autant que je le faisais à dix-huit ans. » Peut-on imaginer plus belle tendresse, plus grand amour ? Les dés en étaient jetés et, en janvier dernier, Dieu rappelait à lui l'homme qu'il lui avait un jour donné… ou devrais-je dire, prêté. Mathilde a maugréé. Elle ajoute même : « Pourquoi vient-on séparer ceux qui s'aiment, quand tant de conjoints voudraient se défaire l'un de l'autre. » Vous avez raison, Mathilde, mais là est, paraît-il, le mystère des édits du bon Dieu. Mathilde me demande si je peux, par un billet, lui redonner confiance en la vie. Chère dame au cœur tendre, puis-je seulement vous dire que votre bien-aimé n'est pas tout à fait parti. Puis-je vous dire que son dernier soleil s'est couché au bout de l'horizon mais que, par-delà l'obscurité, une autre lumière déjà l'inonde de ses rayons ? Puis-je vous dire qu'il ne verra pas comme vous dites couler les érables, mais que ses souffrances physiques sont terminées et que vous n'avez plus à le voir geindre dans la douleur de cet horrible cancer du poumon. Puis-je aussi ajouter que du haut du ciel il vous regarde, vous aime et vous murmure tendrement « je t'attends ». L'entendez-vous parfois chuchoter encore à votre oreille ces mots d'amour qui faisaient votre joie ? Non, Mathilde, vous n'êtes pas seule à pleurer ainsi la perte d'un être cher. Je connais une certaine Juliette et plusieurs dames de votre âge qui tricotent le soir devant le portrait de l'homme qu'elles ont aimé. La vie est ainsi faite, elle donne et reprend. Celui que vous appeliez « votre noir », il est toujours là dans votre mémoire. Gardez-le ainsi, pour vous seule, en souvenir des plus beaux moments de votre vie. Par contre, faites en sorte que chaque jour qui se lève ait sa raison d'être. René voudrait tellement que vous jetiez maintenant tout votre amour… sur vos enfants !

## *Quand le cœur pose un point final…*

Vous êtes triste, petite madame ?…. à en pleurer même, parce que celui que vous aimiez ne vous aime plus ? Et vous, monsieur, vous avez perdu votre sourire parce que celle que vous croyiez acquise pour la vie vient de vous faire savoir sans vous le dire qu'elle en aimait un autre ? Ce sont bien sûr des situations difficiles à vivre, surtout quand l'on réalise que c'est le dernier Noël qu'on vient de passer ensemble. L'hiver est bien cruel, me direz-vous, mais je vous répondrai qu'il l'est encore moins que le mensonge. Quand le cœur pose un point final, il faut savoir l'accepter et tenter de comprendre. Vous savez, dans toute rupture, la torture est la même pour celui ou celle qui part, que pour celui ou celle qui reste là à se demander pourquoi. Il me serait trop facile de vous dire que « toute bonne chose a une fin » car je sens cet adage, aussi vrai soit-il, serait très dur à prendre dans de tels moments. Ce qu'il faut se demander dès lors, c'est le pourquoi de cette rupture. Il y a certes une raison pour qu'on ne s'aime plus comme ça du jour au lendemain. Quelque chose a dû se produire lentement pour que la fin arrive. L'erreur de tous ces êtres délaissés, c'est de n'avoir pas su capter en chemin « leurs propres erreurs » face à l'autre. Plusieurs s'écrieront : « Mais comment peut-on arriver à ne plus être aimé après s'être tant aimés ? » Oui, ça arrive, hélas… et c'est là bien cruelle rançon pour celui ou celle qui part en emportant un souvenir alors qu'on voulait vivre tout un livre. Vous savez, quand le cœur pose un point final, ce n'est pas qu'il est devenu de pierre pour autant. Il n'y a rien de plus patient qu'un cœur aimant et je parierais tout ce que j'ai que celui ou celle qui a posé le point l'a fait après avoir tout essayé, tout espéré, tout tenté, tout rêvé… en vain ! Oui, je dis en vain car, la plupart du temps, même le plus franc dialogue n'y peut rien. C'est petit à petit que le cœur se ferme, c'est peu à peu qu'il étrangle ses soupirs et c'est sans autre avertissement qu'un jour, il ne ressent plus rien. Vous vous sentez victime de cette rupture ? Faites seulement un bon examen de conscience et tentez de savoir si vous avez donné autant que vous avez reçu. Vous lui avez certes dit : « Il faut me prendre comme je suis », sans effort, sans amélioration, sans tendresse, sans aucun geste, et vous pensiez que le roman allait durer toujours. Quand le cœur pose un point final, c'est qu'il en a assez de s'accrocher à des points de suspension, de pleurer sur un point d'interrogation et de ne plus rêver au point d'exclamation. Il pose le point parce qu'il a fait le point et que tout ce qui se voulait rêve, s'est avéré triste réalité. Tiens ! voilà qu'on s'étonne et qu'on se demande ce qu'on a pu faire pour que le bail de l'amour soit aussi court. On se dit sans doute qu'il ou qu'elle était trop exigeante, trop gourmande peut-être ? Doit-on mesurer son appétit quand on aime ? Doit-on calculer au compte-gouttes ses caresses, ses baisers, ses marques d'affection ? C'est à se sentir trop sûr de soi qu'on finit par tout perdre. Le défaut de l'autre est sans doute de vous avoir dit à quel point il ou elle vous aimait. Comme il est rassurant de s'entendre dire « je t'aime » dix fois par jour. Ce qu'on oublie par contre, c'est qu'il aurait peut-être fallu répondre « et moi aussi » au moins une fois pour que le cœur s'entrouvre encore. Un autre amour viendra, mais en sera-t-il de même la prochaine fois ? L'hiver aura-t-il su vous enseigner qu'aimer ne se fait pas à sens unique ? Quand le cœur pose un point final, je pense… que ça doit faire très mal !

## *Le temps de l'oubli*

Bien sûr qu'on pense que c'est facile lorsque survient la rupture du corps et du cœur. Bien sûr qu'on se dit « J'en ai eu assez et il me faudra maintenant passer à quelqu'un d'autre ! » De tels mots, on les prononce quand on a encore le ventre plein d'un amour dont on a été fort gourmand. On ne pense pas un seul instant que le temps de l'oubli fera encore plus mal que tout ce que le cœur a su avaler sans protester. On s'imagine être plus fort que les plus forts et on l'est... un jour, deux, trois même, pour ensuite se sentir déjà tenaillé par une émotion plus forte encore que celle ressentie lors de « la belle histoire ». Cesser d'aimer du jour au lendemain n'est pas chose facile, surtout si l'on a aimé passionnément et que c'est la raison qui vient mettre un terme au rêve. Cesser d'aimer froidement, jeter ses sentiments par-dessus bord, se forcer à ne plus voir en l'autre ce qu'on y trouvait, faire semblant de haïr, de dire même que toute bonne chose doit avoir une fin, ne sont que prétextes pour éviter les larmes qu'on ne veut point verser. Cesser d'aimer, c'est exactement comme cesser de boire pour l'alcoolique et cesser de fumer pour les mordus invétérés du tabac. À toute fin abrupte, voulue ou pas, il y a la période de désintoxication... et l'amour, hélas, n'y échappe pas. Seul avec sa peine, tentant de savourer cette solitude parfois voulue, on pense et le temps passe nous ramenant sans cesse à la mémoire les plus doux instants d'un roman qui n'en était qu'au premier tome. On a beau laisser à l'autre la responsabilité de l'échec, la culpabilité nous défonce le cœur de ses dards les plus vifs. On a, dernier recours, la satisfaction de se dire qu'au moins on ne souffrira plus… pour se rendre compte que l'absence est plus douloureuse que les contraintes. On évalue cet amour déjà mort et l'on se dit « Ah ! si seulement nous nous étions aimés avec la même intensité ! » On blâme l'autre parce que trop excessif, on a oublié de lui demander s'il fallait vraiment que les mots viennent appuyer la force du sentiment. On déraisonne quand l'autre raisonne et l'on retrouve la raison quand l'autre semble vouloir ne vivre que pour nous. Finalement, on a peur de l'amour, on a peur de s'embarquer au point d'avoir à être fidèle. Égoïstes, il nous faut tout… la chèvre et le chou. D'autres, plus calculateurs, iront jusqu'à prétendre que c'est pour la vie quand quelques nuits ont suffi à prouver que la fantasmagorie se vivait surtout dans le sexe. Peu importe le canevas de ces amours qui naissent, c'est lorsqu'elles prennent fin que le chef-d'œuvre ne vaut plus rien. On a beau se dire comme la chanson « C'est beaucoup mieux comme ça ! » ou « Ça va mieux » pour sentir déjà la première rechute de ses plus profonds sentiments. Le sevrage est très dur quand s'amène le temps de l'oubli. Le pire, c'est qu'on ne peut tricher avec cette rupture. Un être qui n'est plus là, ce n'est pas une cigarette qu'on peut emprunter au voisin. On ne grimpe pas dans les rideaux, mais on se sent agité, tourmenté, défaitiste. On dort pour ne pas avoir à vivre de souvenirs et l'on pleure d'avoir osé vouloir en rire. On pensait avoir oublié ou presque, et voilà que des images que l'on voudrait revivre surgissent devant nous. On se revoit ici et là, on se remémore une chanson, un dîner, une atmosphère, un vin qu'on avait découvert ensemble, de longues promenades sans parler, un sourire, une question, une réponse… et la tristesse nous envahit comme si l'être cher était parti pour la vie. Si tel était le cas et que la mort eût séparé les amants, je pense que l'oubli ne perdrait pas ainsi la tête. À savoir que l'autre est quelque part et à ne pas savoir si son repentir n'a d'égal que le nôtre, c'est déjà d'un fer rouge que se marque l'oubli. À sentir que tout aurait pu se poursuivre, que le sursis aurait pu être plus long est encore une plaie vive que l'on ressent. Par contre, les dés sont jetés et le temps de l'oubli est venu. Comment ? Question difficile puisque la réponse n'est jamais la même... d'un amour à l'autre. C'est en prenant de part et d'autre les angles négatifs de l'histoire qu'on finit par se convaincre qu'il valait mieux y mettre un terme. Votre amour était-il plus fort que le sien ? Sentiez-vous le juste retour du don que vous faisiez de vous-même ? Receviez-vous autant que vous donniez ? Vous aimait-il comme vous auriez aimé l'être ? Si à une seule de ces questions, vous pouvez répondre « non »... vous avez abrégé votre tourment en le quittant. Reste maintenant à en abréger la pénible phase de l'oubli. S'aimer pour le cœur sans ne plus rien partager, ce n'est plus assez et ne s'aimer que pour le corps sans y accrocher son cœur, c'est déjà un triste sort. Amants de quelques semaines ou de plusieurs années, sachez que l'amour se doit d'être pris à genoux avec, cependant, le cœur dans les chevilles et l'âme dans la tête. Le temps de l'oubli est comme une convalescence après une délicate intervention. Les premiers jours, ça fait très mal et par la suite, ça s'atténue. Il arrive parfois que la douleur réapparaisse, mais pour quelques heures, le temps d'un souvenir. Ça finit par passer et graduellement, ça s'éteint à tout jamais. C'est d'ailleurs dans ce cruel temps de l'oubli que l'on doit fermer les yeux sur elle ou lui... et réinventer sa vie !

# *La seconde fois*

Nous étions heureux ou malheureux et voilà que la vie nous sépare brusquement. Que ce soit par le décès du conjoint ou une rupture, il arrive toujours dans la vie que l'un des deux se retrouve seul. C'est là, bien souvent, que commence le drame de ce que j'appelle « la seconde phase » de la vie. J'entends souvent des dames me dire : « J'ai refait ma vie avec quelqu'un d'autre. » On ne refait pas sa vie, on la poursuit tout simplement avec quelqu'un d'autre, que ce soit la seconde ou la troisième fois. Je ne sais trop pourquoi, mais j'ai remarqué que, dans de tels cas, la femme est beaucoup plus pressée que l'homme à « remeubler » sa solitude. Est-ce la peur de voir les ans s'écouler en se retrouvant toujours seule ? Est-ce parce qu'il est plus difficile pour une femme de quarante-cinq ou cinquante ans de trouver « le partenaire » que l'obsession est plus grande ? Je ne saurais dire, mais je présume que ces raisons, et bien d'autres que j'ignore, font que je n'ai pas tort de dire que la femme est plus apte à revivre une vie de couple une deuxième fois, et ce, le plus tôt possible si je me réfère à certains cas rencontrés. Nous n'avons qu'à lire les courriers de rencontre, les annonces des agences matrimoniales et on peut vite noter qu'il y a beaucoup plus de colonnes de femmes que d'hommes et, dans le cas de ces dames, c'est toujours « dans un but très sérieux ! » On va même parfois jusqu'à étaler son avoir pour attirer le mâle… sans penser un instant qu'il existe un tas d'escrocs qui recrutent leurs victimes dans ces pages de journaux. Bon, là, je déroge un peu du sujet, mais il me fallait le dire ne serait-ce qu'en guise de précaution pour certaines.

L'amour, la seconde fois, ça se trouve et une vie à deux, ça peut recommencer, mais faut-il seulement en connaître les règles de conduite. C'est surtout de ça que je veux vous parler, car poursuivre sa vie avec François n'est pas tout à fait comme la poursuivre avec Gilles, Claude ou son défunt mari. Il en va de même pour les hommes, et la Gisèle qu'on vient de croiser et qu'on décide d'épouser n'est pas la Louise qu'on a enterrée ou quittée. La plus grande erreur que l'on puisse commettre la seconde fois, c'est justement de comparer avec la première. On ne doit jamais dire à l'élue de son cœur : « Tu sais, Louise faisait ça comme ça, elle ! » ou « Je ne voudrais pas t'offenser, Paul, mais Richard ne laissait pas traîner ses choses ainsi. » Voilà deux exemples de ce qui peut provoquer en quelques mois, le pire des fiascos. Poursuivre sa vie avec quelqu'un d'autre, c'est effacer de sa mémoire (du moins pour l'autre) tout ce qu'on a vécu avant. Il faut donc se réadapter, apprendre à connaître ce nouveau partenaire, l'étudier de très près, se dévoiler aussi avec ses qualités et ses défauts et finalement s'unir, étant sûrs qu'on est prêts à s'accepter l'un l'autre. Somme toute, c'est la même formule de « la première fois » qui surgit à nouveau. Rappelez-vous de vos fréquentations. Vous n'avez pas uni votre vie aveuglément la première fois ? Pourquoi le feriez-vous la seconde fois ? Il n'est pas nécessairement question de mariage ici. Je parle aussi au nom de tous ces couples qui vivent ensemble sans se passer l'anneau au doigt. Que ce soit pour eux la seconde ou la cinquième fois, ces conseils d'usage sont aussi pour eux. On entend souvent dire : « Bah, si ça n'a pas marché avec le premier, elle ne réussira pas plus avec le second ! » Affirmation gratuite mais qui parfois s'avère juste parce qu'on répète, avec le second, les mêmes erreurs qui ont fait que le premier est parti. Comment s'organiser alors pour que ça marche bien ? J'y arrive ! Si, à la base, votre seconde union est appuyée sur un amour très fort, vous avez de fortes chances de réussite. Ce n'est pas parce que c'est la seconde fois qu'on ne s'embarque qu'avec la raison ou qu'on épouse un emploi, un salaire, bref, une sécurité. On ne s'achète pas du bonheur ainsi et c'est là le drame de plusieurs personnes. Le second être à partager sa vie nous arrive avec des qualités et des défauts que le premier n'avait pas. On doit donc au départ faire le calcul du pour et du contre et finalement, mesurer le tout avec doigté. Si la vie a été infernale avec le premier et qu'on s'aperçoit qu'il en sera de même ou pire avec le second, s'embarquer, c'est du masochisme à ce moment-là. Si la vie a été plus qu'agréable avec le premier et qu'elle sera juste un peu plus difficile avec le second, là, il faut réfléchir, se servir de son jugement et évaluer ses chances de bonheur. On ne doit pas regarder tout simplement s'il ou si elle a les mêmes qualités que l'autre. On doit ausculter les défauts du premier et se rendre compte que le second ne les possède peut-être pas. Si le premier buvait comme un trou tout en vous portant sur la main et que le second a moins de petites attentions mais qu'il ne boit pas, c'est déjà ça de pris, non ? C'est de cette façon qu'il faut analyser son second bonheur, mais sans jamais le dire à l'autre, sans jamais comparer les deux ni avec ses amies, ni avec sa propre parenté. Si l'on poursuit sa vie avec autant d'amour que la première fois, si l'on accepte celui ou celle qu'on choisit avec ses bons ou ses mauvais côtés, c'est que l'on aime vraiment. L'autre n'a-t-il pas à accepter aussi l'être que l'on est ? Si l'on part du bon pied, sans trébucher, il est sûr que la seconde fois peut surpasser la première. Une seule condition cependant. Ne vous y jetez pas… tête première !

## *Le temps des retrouvailles…*

Nul doute que vous avez deviné que je parlais de ce temps des festivités qui s'amène à grands pas. C'est sûr que nous allons retrouver tous ceux qu'on aime, qui font partie intégrante de notre vie et qui partageront avec nous, ce joyeux temps des Fêtes. Quand je parle de retrouvailles, je veux dire… ceux qu'on a mis au rancart, ceux qu'on ne voit plus après les petites querelles de familles, bref, ceux qu'on a volontairement omis de nos pensées depuis trop longtemps. Noël est un temps de paix, d'amour, de réflexion. Il faut réfléchir et admettre que le temps d'une vie est bien trop court pour que les obstacles subsistent entre ceux qui se sont aimés pour graduellement se délaisser. Il faut anéantir cette muraille de rancune, effacer l'animosité, passer l'éponge, pardonner… et se retrouver. Trop de familles ont été décimées à cause d'un stupide incident de parcours, trop de freins ont été appliqués dans une fraternité qui jadis formait la plus belle entité. On a juré de ne plus se parler, de ne jamais se revoir et l'on a trop tenu promesse. Combien de Noëls se sont écoulés sans la présence d'êtres chers qu'un vil orgueil nous prônait d'exclure. Il est tout à fait normal qu'au sein d'une grande famille l'accord ne soit pas toujours harmonieux d'un bout à l'autre de l'année. Vous avez tiré les volets sur l'un ? Aviez-vous tort ou raison ?…. là n'est pas la question. Adultes que nous sommes, il faut apprendre à tourner la page, faire un examen de conscience et constater que ce sont bien souvent les enfants qui défraient la note des grands. Se revoir, se serrer la main, s'offrir ses vœux, voilà ce qui s'appelle sagesse et maturité.

On efface le tableau de sa rancœur et l'on ouvre sa porte et son cœur. Le temps passe et ne revient jamais. On s'entête, on tient son bout et l'aube d'un nouvel an se lève sur les mêmes frustrations. Faisons donc la paix, ne serait-ce qu'un jour. Il n'y a rien de plus meurtrier que de nourrir sa petite vengeance. On s'est juré que c'était fini, mais on a oublié de le dire… temporairement. Ce venin qu'on avale, cette haine qui prend forme d'indifférence ne figurait pas au tableau de notre enfance. Qui sait si ce geste que vous poserez ne sera pas celui qui ouvrira la porte de la bonne entente. Les sentiments varient, changent de teinte et c'est bien souvent à nouveau la plus belle étreinte. Si l'âme peut accueillir le jour avec recueillement, le cœur doit être inondé de joie. Retrouvons-nous gentiment, simplement, comme si rien ne s'était jamais passé. Trinquons à nos santés, découvrons ce bonheur de redécouvrir l'angle d'un nouveau départ. Que ce soit lui, elle ou vous qui fassiez le premier pas… qu'importe ! Il est encore temps de faire ce tout petit effort. Vous êtes-vous arrêté à penser que dans cinquante ans… nous serons tous morts ?

# Avec le rêve…

# *Une bouffée d'air frais*

Enfin, on peut entendre les oiseaux gazouiller, les voir même préparer leur nid et admirer de près la nature déjà en fleurs. « Encabané » pendant tout un hiver, c'est bien le mot à employer, il est temps d'ouvrir la fenêtre, de prendre une grande respiration et de refaire le plein d'air pur pour nos pauvres poumons. Jc ne sais pas si vous êtes comme moi, mais j'ai une envie folle de vivre et d'absorber le renouveau de la saison. J'ai déjà fermé la télévision pour l'été et je m'apprête à donner à mon corps tout le bien-être dont il a été privé pendant les longs mois d'hiver qui viennent de nous quitter. Le printemps, c'est comme une cage qui s'ouvre pour nous permettre de prendre un envol. N'a-t-on pas assez regardé par nos fenêtres, à compter les jours ? J'ai le goût d'être sain, de faire le ménage de ma petite personne tout comme je le ferais pour une pièce défraîchie. Fini le temps où je devais me contenter des longues soirées à regarder, parfois désintéressé, la succession d'images du petit écran. Si l'hiver a le don de nous meubler l'esprit, le printemps pour sa part nous permet de faire le « tune up » de notre physique. On se regarde pour se dire : « Tiens, j'ai pris de l'embonpoint, mon pantalon ne ferme plus ou dans le cas des dames, c'est une fermeture éclair qui refuse de monter, il faut que je fasse quelque chose. » Ce petit quelque chose, c'est dehors qu'il vous attend et non bien étendus sur vos divans. Il n'est pas donné à tous de se permettre le jogging… on n'en a pas toujours l'âge et s'y prêter soudainement pourrait s'avérer plus dangereux que bénéfique. Non, ce qu'il faut, c'est y aller lentement mais sûrement. On commence par de longues marches. Je parierais que quelques-uns d'entre vous n'ont pas encore fait le tour de leur quartier. Pas à pas tout en se gavant d'air frais, on arpente les rues de son petit coin et, tout en déliant ses membres, on découvre ce qu'on n'avait encore jamais vu. Il y a aussi bien sûr, la bicyclette sur laquelle il ne faut pas avoir peur de remonter. Si vous saviez comme ça active la circulation sanguine. La première fois que j'ai emprunté celle de ma fille, j'en étais gêné. Je pensais qu'on dirait: « Tiens, un autre qui se prend pour un p'tit jeune »... et d'un coup de pédale à l'autre, je croise sur mon chemin des gens aux cheveux plus que grisonnants qui se hasardent sur les vélos de leurs petits-enfants. Remarquez qu'il y a mille façons de prendre cette bouffée d'air frais. Vous aimez jardiner ? Allez-y gaiement. Vous êtes jeunes ? encore en forme ? Pourquoi pas le tennis, la natation ou même une partie de badminton avec vos enfants ? Il n'est jamais trop tard pour se reprendre mais, de grâce, cessez de prendre votre voiture pour vous rendre au dépanneur du coin. Les jambes ont vraiment besoin d'être en mouvement, elles ont été inertes trop longtemps. Les pieds sont faits pour marcher et non pour s'écraser sur un pouf... c'est comme ça qu'on cultive les phlébites ! Faisons vite faire à notre façon de vivre « la culbute » du bon vouloir. Fermez vite votre télé, dès aujourd'hui... vous aurez bien l'occasion de l'ouvrir de temps en temps, les jours de pluie !

# *Un coup de soleil…*

Au milieu d'avril ? Il doit être complètement fou celui qui écrit ce billet, pourriez-vous penser. Oui, fou de joie d'avoir découvert qu'il était possible de prendre un « coup de soleil » tous les matins lorsqu'il s'infiltre par ma fenêtre en guise d'espoir pour les mois à venir. Prendre un coup de soleil à ma façon, c'est le boire de ses yeux, lui dire des mots tendres… afin qu'il ne parte plus, qu'il soit à tout jamais à nos côtés et que chaque réveil soit comme celui de ce doux matin. Pour moi, prendre un coup de soleil, c'est exactement comme prendre un « p'tit coup de gin »… juste ce qu'il faut pour vous remonter le moral. J'ai remarqué, en entrant au bureau, que les visages étaient tous rayonnants lorsque le soleil se levait en même temps que les employés. On dirait que ça change non seulement « la face » des gens, mais aussi celle du monde. Si la pluie inspire grandement les poètes, il n'en est pas de même pour ceux qui ont à peiner chaque jour pour un gagne-pain. On ne peut hélas, tous se nourrir de pétales de rose et l'être humain, très terre-à-terre, a besoin de cet ingrédient qu'est le soleil pour avoir le cœur à la bonne place et le sourire aux lèvres. Même au lendemain de la dernière grosse tempête, je me rappelle que les gens étaient heureux parce que le soleil s'était montré le bout du nez comme pour leur dire : « Ne sortez pas vos pelles, je vais vous faire fondre tout ça ! » C'est presque à se demander si le soleil n'est pas le bon Dieu tellement on s'accroche à lui. On en parle sans cesse dans toutes les chansons, on en parle entre nous, on songe à des vacances « au soleil », on l'implore de se montrer pour réanimer nos plantes, on le veut jusque sur ses rôties du matin, si je ne m'abuse. De plus, n'est-il pas la vitamine par excellence pour notre santé ? Ne nous dit-on pas, quand ça ne va pas, de prendre des vacances, d'aller refaire le plein au soleil ? Je me suis dirigé vers le sud cet hiver et je me souviens que la première chose que j'ai faite en arrivant à mon hôtel fut de m'étendre sur le balcon et de prendre une centaine de bouffées de rayons solaires. C'est comme si j'étais venu de très loin chercher un remède qu'on n'avait pas chez nous. Un coup de soleil, comme je l'entends, ça s'ajoute aussi merveilleusement bien sur le moindre roman d'amour. Bien sûr que les amants s'aiment sous la pluie comme par les tempêtes, mais ne venez pas me dire que vous n'êtes pas plus tendre quand le soleil s'en fait témoin. Dans toute gravure romantique, ne voit-on pas toujours un lever ou un coucher de soleil ? N'est-il pas là, flamboyant ou discret, comme si lui seul pouvait servir de musique de fond à un grand amour ? Et c'est vrai ! On a beau s'inventer tous les décors, rien ne peut remplacer cet astre sublime à l'arrière-scène de nos pensées. « Y fait-tu assez beau ce matin ? » me disait une vieille dame. Pourtant, les camions nous éclaboussaient, les autos se suivaient à la queue leu leu dans une rue trop étroite. Oui, il faisait beau, parce que le soleil était venu nous faire oublier tous les tracas de la veille. Il faisait beau dans le cœur de cette vieille dame, parce qu'elle sentait que les rayons étaient déjà de plus en plus forts ; pour d'autres, c'est déjà le rêve de se voir dans un jardin où l'on sème la future naissance des fleurs. Pour les amoureux, ce sont les longues promenades du matin dans un parc éclairé d'or. Somme toute, un coup de soleil, c'est le plus beau coup de printemps sur la toile de notre aurore !

## *Comme un battement de cœur…*

L'aveu est tendre, doux, sentimental. Oui, l'aveu est sublime quand on en est à dire « je t'aime » avec la fougue qui nous étrangle. Une vie sans amour, c'est comme une nuit sans étoiles. Tout est gris, triste, sans espoir, et l'on attend mélancoliquement que vienne le sursaut qui, comme un battement de cœur, nous permet de croire à nouveau que l'impossible est aisé quand on lui retire son armure. Être en amour, c'est le plus bel état d'esprit qui puisse être… et le plus beau vaisseau pour nous conduire jusqu'à notre propre mer à boire. Comme Aznavour l'a bien chantée, cette mer infinie, et comme les poètes d'antan l'ont bercée de leurs mots jusqu'au moindre des flots. Comme un battement de cœur… la vie poursuit son cours, avec en notre âme, tantôt oui, tantôt non, l'envie de vivre une belle histoire. On se retient souvent se disant qu'on n'a plus le courage de tout recommencer. On s'en abstient aussi de peur d'avoir encore à suer, à se battre contre le sentiment, à pleurer encore une fois et l'on préfère garder en veilleuse cet amour qui prendra tout notre souffle. On se contente de celui déjà acquis en se disant qu'un jour, peut-être. La chèvre et le chou, quoi ! Il est vrai, et je l'appuie, que les plus grandes amours de l'histoire ont eu leur large part de souffrances. Il n'a jamais été facile pour personne d'aimer au point de compter ses pulsations, mais Dieu que la chose est belle quand on s'en donne le défi. S'il avait fallu que Roméo ne chante pas sous le balcon de Juliette, que serait-il advenu d'elle ? Si De Vigny n'avait croisé sur son chemin que Marie Dorval, de qui pourrions-nous nous inspirer pour vivre la nôtre ? Et c'est le cercle vicieux qui fait que d'un battement de cœur à un autre, nous en sommes à inspirer ceux qui nous succéderont. Comme un battement de cœur, c'est aimer en toute simplicité, c'est aimer de sa seule force, par ses propres moyens, avec des mots et des gestes qui émanent du fond de notre pauvre âme en peine. C'est parfois un « puis-je te dire que je t'aime ! » tout comme un « et si nous allions au cinéma ce soir ? » Le cœur ne peut donner plus qu'il ne contient mais, de grâce, ne laissez pas le vôtre garder égoïstement tout ce qu'il a à verser sur autrui. N'ayez crainte de le mettre au premier rang de la guerre des sentiments. Laissez-le battre pour se battre. Donnez-lui la chance d'aller jusqu'au bout de son souffle afin qu'il vous entraîne jusqu'au bout de vous. Ne l'enfermez pas dans une tour d'ivoire parce que… aimer encore sera trop épuisant. Ne le laissez pas se renfermer sur ce qui s'ouvre à lui en vous disant que l'an prochain, l'autre cœur sera encore dans l'attente. Ne risquez pas de perdre bêtement ce que vous désirez plus que tout au monde parce que… demain ne sera pas trop tard. Les sursis ont été bien souvent la perte des plus grands amants. Ce sourire qui s'offre à vous, ce regard qui vous trouble, pourquoi les laisser se poser ailleurs ? Pour vous dire qu'il devait sans doute en être ainsi ? Ah non ! ce serait trop facile de tout laisser au gré du destin sans jamais tendre la main. J'ai trop vu de gens se plaindre de n'avoir jamais rien croisé et, pourtant, ils ont eu les plus belles chances d'être heureux. Quand le bonheur passe, il faut le saisir à deux mains. Ne pas oser, attendre, se dire que… ah ! mon Dieu, comme c'est là vieillir mal ! Quand les jours vous font un clin d'œil et que la nuit vous suggère un visage, une main ou de tendres yeux pers, ne soyez pas maladroits au point de vous dire : « Bah… ça passera ! » Oui, ça passera… hélas, comme un battement de cœur qui n'aura jamais plus le hoquet !

## *Quand l'espoir luit...*

Enfin, les beaux jours qui renaissent et, avec eux, un printemps qui nous fait déjà le plus charmant des clins d'œil. Nous sommes déjà en mai, mais rappelez-vous cette fin d'avril où, d'un jour à l'autre, l'hiver avait cédé sa place à la saison suivante. Les gens grattaient déjà leur terrain et les enfants à bicyclette déambulaient sur les pistes comme si l'hiver ne les avait pas empêchés de le faire. Quand tout renaît de la sorte, c'est là que l'espoir luit dans le cœur des braves gens. On se prépare à ceci, à cela, et l'on prend d'emblée une bonne bouffée de santé. Moi qui habite tout près d'un hôpital, il m'a été donné de voir, en ces jours de premiers bourgeons, des malades s'emparer audacieusement des balcons de leur étage afin de puiser dans le ciel quelques vitamines de soleil. Je les regardais et je vous avoue en avoir eu le cœur serré. Pendant qu'on est là à se projeter un été, des vacances, un voyage peut-être, eux ne demandent à la vie qu'une petite dose de santé, ne serait-ce que pour sourire aussi à ce merveilleux printemps. Ils ne demandent pas, ils mendient ce qu'on a et qui nous semble acquis. J'ai vu un vieillard... de trente-cinq ans environ, cheveux blancs, joues osseuses, miné par une terrible maladie sans doute, me sourire et me laisser entrevoir que lui aussi venait d'entendre le chant des oiseaux. J'ai vu des vieilles dames se promener de long en large sur ces balcons de ciment, vêtues d'une robe de chambre et portant même un foulard, se dire entre elles : « Je pense qu'on va avoir un bel été ! », sans se douter un instant qu'elles n'en verront peut-être que la moitié. C'est incroyable comme plus rien ne fait peur quand l'espoir luit. C'est comme si la terrible faucheuse de vie décidait de prendre une saison sabbatique. Ah ! si seulement il en était ainsi ! Impuissant devant le tableau de ces êtres qui n'aspirent qu'à un rétablissement ou à une faible lueur d'espoir, je me dis qu'il y aura toujours des personnes pour nous faire prendre conscience du bien qui nous entoure. Il y a dix ans, d'autres malades étaient sur ces mêmes balcons et dans dix ans, ils auront également des successeurs, ceux qui me regardent. Nous avons tous, dans la vie, notre part de joie et de souffrance et qui d'entre nous n'a pas eu un jour à vivre de tels moments ? Bien sûr que nos maladies n'étaient pas très graves puisque nous sommes là, les bien portants, à parler de ce vieillard… de trente-cinq ans. Il s'en ait fallu de peu parfois pour qu'on lui ressemble. La maladie n'a que deux lois, elle s'en va ou nous emporte dans l'au-delà. Heureux de constater que j'étais en très bonne forme cette année, j'ai eu, pour ces malades que je voyais de ma fenêtre, une pensée profonde à laquelle s'est jointe une ardente prière. L'an dernier, j'étais moi-même dans un bien triste état et qui sait si ces gens n'ont pas prié pour moi ? Comme c'est là le seul réconfort que l'on puisse s'apporter les uns les autres, n'en soyons pas avares. La science fait tout ce qu'elle peut et les soins les plus adéquats ont pour mission de vous sortir de là. Soyez optimistes, chers malades du temps présent. Gardez la force et la foi et dites-vous que ce que vous traversez n'est qu'un mirage. L'espoir luit ?…. qu'il scintille dans votre cœur et qu'il vous amène vers la plus douce réalité qui soit, votre guérison. On ne doit jamais désespérer, c'est là le plus court sentier du cimetière. Ce vieillard de trente-cinq ans ne m'a-t-il pas souri tout à l'heure ? J'ai cru voir dans ses yeux un combat qui en disait long. Oui jeune homme, je vous l'affirme et vous le dis : vos cheveux blancs… redeviendront blonds !

## *Sur un air de valse…*

Juste au moment où je m'apprêtais à écrire ces lignes, *Le Beau Danube bleu* de Johann Strauss tournait à la radio. C'est donc sur un air de valse que je m'embarque dans la calèche de cette nouvelle année. Nous n'en sommes encore qu'à l'aube et si le temps des réjouissances s'éloigne derrière nous, celui des bonnes résolutions ne fait que commencer. Avouez que l'on pousse tous un « ouf » de soulagement quand les Fêtes sont terminées. C'est épuisant, non ? On s'est amusé, on a vu un tas de gens, on a mangé, on a dansé, on a chanté, on a peut-être un peu trop bu et on a… je dirais, qu'on a envie que ça s'arrête enfin ! Là, tout redevient normal et la réalité reprend sa place. Comme chaque année, c'est quand tout est fini qu'on se dit : « L'année prochaine, on ne m'y reprendra plus ! » pour finalement tomber toujours dans le même guêpier. On trouve que tout a coûté trop cher, qu'on avait une table trop garnie, qu'on a donné de trop gros cadeaux, qu'on ne le refera plus… et je vous parie ma chemise que l'an prochain vous en ferez peut-être davantage. Allons, ne regrettez rien de ce que vous avez fait puisque vous n'y pouvez rien de toute façon. L'important, c'est que vous avez pu être heureux et vivre de bons moments en compagnie de vos enfants, parents et amis. Le bonheur est une denrée si rare qu'il ne faut pas le marchander. Quand il passe, on le prend et on en profite pour ensuite en défrayer le coût. Tout est fini, mais dans le cœur, est-ce vraiment éteint ? Ce n'est pas parce que le sapin a été jeté dans un champ aux quatre vents que son arôme n'est plus dans nos maisons. Ce n'est pas parce que le chat a mangé les derniers os de la dinde qu'on en oublie la saveur et ce n'est pas parce que la radio nous offre le *Danube bleu* qu'on renie *Petit papa Noël*. Chaque chose en son temps, comme on dit, et c'est de bon pied qu'il faut quand même se lever, maintenant qu'il nous faut… encore travailler ! Ah que les matins sont durs quand on commence à compter les jours de janvier et de février. C'est moins drôle n'est-ce pas, mais qu'importe, ce n'est tout de même pas la première fois qu'on traverse un hiver. Moi, aujourd'hui, j'écris sur un air de valse et pourtant, il neige dehors comme ce n'est pas possible. Je sais très bien que demain matin je ne serai pas sur le *Danube bleu*, mais dans l'entrée de ma maison à déblayer ma voiture et à geler comme un rat. Ce qu'il m'est permis de faire ce soir, c'est de rêver, même si je suis face à la réalité. Oui, je m'imagine que la neige est du sable et que janvier est juillet. Il est fou, direz-vous ? Eh oui, je le suis et pourquoi pas. Fou à m'inventer des images, fou à me dessiner des situations, fou à rêver et non à lier et pendant ce temps… la froidure s'écoule sur mon calendrier. J'ai bien essayé d'aller patiner, mais j'ai hérité d'une de ces crampes dans un pied qui m'a laissé savoir que cet effort n'était plus pour moi. Il m'arrive de marcher en plein air quand le vent n'est pas trop violent et d'aider un petit voisin à ériger son bonhomme de neige comme je le faisais avec mes enfants jadis. Je suis donc un homme heureux en dépit du fait que j'ai devant moi, tout comme vous, un tas de comptes à payer et trois mois froids à endurer. Je suis heureux parce que je veux bien l'être et que j'ai choisi un air de valse pour m'ouvrir le bal. Il est si facile d'avoir le cafard et si ardu de voir un soleil à travers une tempête. J'ai choisi la deuxième solution tout simplement parce qu'elle m'aide à reprendre ma motivation, mon sourire, mon courage… au rythme de l'orchestre de Johann Strauss !

# *J'ai douce souvenance...*

C'est toujours avec effarement que j'entends les gens que j'interviewe me dire qu'ils n'ont aucune nostalgie du passé. C'est comme si ce mot était à l'Index et qu'il fallait s'en défendre. Moi, j'en ai des nostalgies, de belles nostalgies... ce qui ne m'empêche pas pour autant de vivre au présent. Comment ne pas se rappeler des beaux moments de sa vie quand on déborde de sentiments. Comment ne pas rêver, ne serait-ce qu'un instant, à les revivre parfois. Bien sûr qu'on n'y peut rien et c'est sans doute parce que le mot « impossible » se fait barricade qu'on « prétend » ne jamais être nostalgique. Nous avons tous un passé fait de joies et de peines et j'avoue qu'il ne me serait pas agréable de revivre certaines années difficiles, je n'ose même pas les repasser en mémoire. Quand il s'agit de nostalgie, on a le droit d'être sélectif et de ne revoir, dans ses pensées, que le meilleur de son existence. Comme le monde évolue sans cesse et que chaque décennie a son contenu, il est normal de se pencher sur ce qui n'existe plus de nos jours. Moi, comme vous sans doute, je revis parfois en images, certains passages de ma jeunesse et je me dis : « Ah ! comme c'était beau dans mon temps. » Je revois certains étés de mon enfance où, en culotte courte, je gambadais au rythme de mon insouciance. Cet âge où tout nous était permis ou presque, ce bel âge où l'on ne craint rien, où l'on ne craint pas les affres de la vie, je m'en souviens et je regrette qu'il ait été de si courte durée. Je revis aussi mon adolescence, alors que mon petit « je, me, moi » n'avait que lui à penser. Tiens, dernièrement on fermait pour toujours le parc Belmont où j'allais danser tous les samedis et c'est avec un petit pincement au cœur que je passe maintenant devant ce grand terrain plat où tout est mort. Jamais plus, je n'entendrai les bruits stridents des montagnes russes et le rire de la grosse bonne femme de bois qui faisait peur aux enfants. Déjà, c'est là une belle nostalgie que je vis et comment pourrais-je dire : « Il était temps que ça se termine » quand tant de joies se sont écoulées dans ce parc. Je me revois à treize ans, jouant aux billes dans la neige et gagnant avec « ma patate » tous les « smokes » du voisinage. Je revois aussi les carrés à la craie que les filles dessinaient sur le trottoir et que nous effacions de nos semelles pour les mettre en colère. Il m'arrive aussi de revoir le très beau moment où j'ai serré pour la première fois, mon fils aîné sur mon cœur lors de sa naissance. J'ai encore vision du « party de mes noces » et des visages des invités dont plusieurs sont disparus depuis. Peut-on ne pas avoir telle nostalgie quand la musique qui ouvrait la danse des mariés tourne encore à la radio ? Peut-on se dire : « Moi, je ne vis qu'au présent » quand tant de choses ont fait de nous les êtres actuels que nous sommes ? Bien sûr que je ne m'accroche pas au passé, mais je sais d'avance que ce bonheur d'aujourd'hui me sera nostalgie de demain. On n'y peut rien finalement et ce n'est pas parce qu'on est rendu à la quatre centième page d'un livre de vie qu'il ne nous est pas permis de relire les tout premiers chapitres. Oui, j'ai douce souvenance de bien des choses encore et c'est en écoutant Jean Ferrat chanter ce matin *On ne voit pas le temps passer* que j'ai fait cette rétrospective du mien. Être parfois nostalgique est un sentiment que j'aime cultiver… car c'est d'un hier que se trame un demain et moi, j'y tiens.

## *Je prie encore avec lui…*

Quel beau souvenir je garde de la visite du Saint-Père parmi nous. Comment oublier ce charisme qui a suscité ce sursaut d'une foi qu'on avait peut-être laissée en veilleuse involontairement. Moi, depuis ce jour je prie encore avec lui ! Oui, je prie parce que je veux que tous ses messages ne s'anéantissent pas en moi, et que de loin, je tiens à ce que la communion qu'il nous a infusée soit à jamais présente dans mon cœur. Ce doux visage de bonté, cette expression que seul un pape peut posséder, j'insiste pour en garder l'image à tout jamais. Je l'ai suivi à la télévision comme tant d'autres et, chaque fois, c'est comme si je voyais le bon Dieu en personne. J'ai écouté sa parole sans toujours en saisir le sens parce que son image était trop saisissante. Je l'ai vu serrer des mains, embrasser avec une tendresse paternelle des petits enfants sur son passage et bénir des malades qui retrouvaient dès lors le plus bel espoir de leur vie. L'accueil était si chaleureux, la présence si forte, que j'en avais parfois des frissons jusqu'au fond de l'âme. Lors de son passage au Stade olympique où des milliers de jeunes l'acclamèrent, j'ai senti renaître soudainement l'espoir d'un monde meilleur et l'optimisme d'une génération trop souvent en détresse. Ma fille, qui était du nombre, est revenue à la maison avec le chapelet de bois de mon enfance… béni par le pape et ça m'a fait une drôle de sensation. Ce chapelet dans son petit étui de cuir, je le lui ai donné pour qu'elle en garde sans cesse un souvenir impérissable. J'ai donc suivi des yeux ce saint homme jusqu'à la fin de son parcours et c'est avec un soupir de soulagement pareil au vôtre que je l'ai vu regagner le Vatican sain et sauf. Ce qui veut dire en somme que la violence n'a pas su l'emporter sur la voix de Dieu. C'est après que j'ai pu réécouter tous les discours du Saint-Père lors de sa visite à partir de Gaspé jusqu'au Stade olympique. Ses homélies, ses introductions à la messe, ses messages de paix et d'espoir, sa dimension spirituelle, ses éloges à Marie, sa compréhension face à la douleur humaine, son apostolat de la parole du Christ, le mérite de l'union conjugale et l'unité des religions face à Dieu. Voilà donc tout ce qu'il a dit et que j'ai enfin pu saisir à travers le texte intégral de ses nombreux discours. J'ai enfin tout compris de la merveilleuse mission du plus noble représentant de Dieu. J'ai vu comme vous « cette colombe » envoyée par Dieu pour sauvegarder notre foi, j'ai écouté avec émoi les paroles de ses plus grandes convictions, et c'est pourquoi, depuis… je prie encore avec lui !

## *Se connaître*

Voilà qui n'est pas facile. Finit-on vraiment par se connaître à fond ? On prétend à tort ou à raison qu'à vingt ans on ignore tout de soi et que seule l'expérience permet graduellement d'entrouvrir les mailles du tricot de sa vie. J'ai souvent entendu dire par des gens croisés sur mon chemin qu'ils se connaissaient à fond pour les entendre ensuite murmurer « du moins je le crois ». Je n'irai pas jusqu'à dire que l'on ne sait pas qui l'on est mais nous avons tellement à apprendre sur nous-mêmes que l'étude de l'ego me semble sans fin. On se connaît un jour pour ne plus se reconnaître le lendemain. C'est normal, le temps passe et nous change au gré des ans. Celui que nous étions hier n'est sûrement pas celui que nous serons dans dix ans. J'ai cru un certain moment n'avoir plus rien à apprendre sur moi-même et je me retrouve trois ans plus tard à découvrir des angles qu'encore j'ignorais et qui ont sans doute surgi au rythme d'une philosophie qui change d'aspect avec le temps. J'ai même suivi des cours de psychologie pour scruter à fond celui que j'étais et j'ai gradué en connaissant à peu près tout le monde... sauf moi. Se connaître, c'est d'abord s'accepter tel qu'on est, avec les qualités et les défauts du moment. Le temps se chargera bien d'en changer la teinte. Il est bien évident que, dans les grandes lignes, on sait qui l'on est. Nous ne sommes tout de même pas étranger à nous-mêmes. Le bon qui réside en nous, il faut savoir l'extraire. Le mauvais, il faut sans cesse tenter d'en dissiper le fiel. On croit s'être trouvé et un ami nous scrute, nous analyse et nous fait découvrir ce qu'en vain nous cherchions. Admettre ses torts n'est pas facile, on en est toujours à livrer son propre plaidoyer. Si l'on pouvait s'étaler tel un livre ouvert et se dire qu'aucun autre chapitre n'en changera le contenu, ce serait admettre que l'on dépose lâchement les armes. Comme il fait bon s'entendre dire des qualités qu'on ignorait et comme il peut être blessant de se voir débiter des défauts qu'on se refuse d'avouer. Tenter de trop s'analyser, c'est se buter au mur de l'incompréhension. À trop s'ancrer dans la Bible, on finit par ne plus croire ? Il en est de même avec soi. Mieux vaut ne pas trop pousser l'expérience et se contenter de l'essentiel d'un bon équilibre. Pourquoi ne laisserions-nous pas aux autres le soin de nous connaître ! Les yeux d'autrui sont meilleurs juges que les nôtres qui prétendent tout voir… même fermés. Si l'on connaît à fond le tiers de son petit je, c'est déjà beau. Laissons la vie nous enseigner le mystère de notre être. Et d'ailleurs, pourquoi chercher à tant se connaître ? Pour atteindre la perfection ? Comme elle n'existe pas nous serions vite en proie aux déceptions de la vie. Serions-nous plus heureux ? J'en doute ! Les petits travers de son comportement, ceux que l'on ignore, font bien souvent le charme de notre existence. Il se peut qu'avec le temps, qu'avec les cheveux blancs, on finisse par se connaître vraiment. Je n'en sais rien, je n'en suis pas encore là, mais si tel est le cas, c'est sans doute qu'à l'hiver de la vie, on a finalement tout compris. Prendre le meilleur et le pire de soi, c'est déjà le bouquet qui fait, d'un ensemble, un tout acceptable de soi. C'est Lao Tseu qui disait que connaître les autres, c'était sagesse et se connaître soi-même, était sagesse supérieure. Et cette sagesse, quand donc vient-elle ? Au dernier tour de manivelle ? Non vraiment, je ne me connais pas. Je ne me cherche même pas. J'attends, tel un enfant, qu'on me dise qui je suis… et pendant ce temps, je profite de ma vie sans faire de mal… sans faire de bruit.

## *C'était hier…*

Jeudi dernier, alors que je déambulais dans les allées d'un supermarché du voisinage, une dame m'accoste et me lance : « Denis Monette, comment vas-tu ? » Je la regarde, stupéfait, et lui réponds : « Je ne vous replace pas tout à fait »… Voyons, pas de « vous » je te prie, tu as déjà oublié Hermine Gohier ? En deux temps trois mouvements, j'ai revu d'un trait le film de mon adolescence. Comment pourrais-je oublier ce que j'appelle mes plus belles années. Ce qui m'a perdu, c'est que les femmes, avec le temps, changent de coiffure et que de brune qu'elle était, elle est devenue blonde comme les blés. Hermine était du groupe de nos folles escapades. Elle était la confidente de ma première blonde Francine… avec qui elle communique toujours. Il va sans dire qu'on a déployé l'étendard de nos souvenirs, je me suis informé de Francine, de ses sœurs Louise et Suzanne, d'un tel, d'une telle… C'est difficile de revivre ses souvenirs dans une allée d'un marché encombré, mais ce sont des moments émouvants qui font chaud au cœur. Hermine m'a présenté son fils de quatorze ans, m'a parlé de ses autres enfants et je lui ai parlé des miens évidemment. Nous avons revécu ensemble en quelques minutes une époque qui nous tient à cœur et j'aurais certes aimé prendre un café avec elle et creuser plus à fond le livre de nos jeunes années… mais le moment était mal choisi. Des « t'en souviens-tu » ont fusé des deux côtés et on s'est quitté en se disant qu'il « faudrait bien se revoir et causer plus longuement ». C'est curieux comme de telles rencontres peuvent chavirer le cœur. Je suis assuré qu'il vous est arrivé d'avoir à croiser sur votre route, les vestiges de votre passé et que vous en avez éprouvé le même symptôme. Ce qu'il faudrait dans un tel cas, c'est tenter de se réunir, ne serait-ce que le temps d'une soirée et faire le bilan de nos vies depuis le jour où nous nous sommes perdus de vue. On devrait pouvoir oublier qui l'on est et faire un fulgurant retour sur ce qu'on était alors qu'en groupe, nous vivions de nos amours d'enfant, de nos déceptions, de nos joies. En quelque sorte, il nous serait possible d'effeuiller à nouveau la marguerite…

## *L'amour à longue haleine...*

« Qu'est-ce qu'il veut dire par ça ? » vont s'écrier certaines personnes en lisant le titre de mon billet. J'avoue que ça peut prêter à confusion et c'est pourquoi je m'explique. Ce que je veux dire, c'est qu'il est plus intelligent d'aimer à longue haleine que de n'être que sur le choc d'un coup de foudre. « Ah ! que je l'aime donc ! » après une seule soirée, je n'y crois pas trop. Comment peut-on connaître quelqu'un après quelques heures passées ensemble et sauter vite au verbe aimer. On peut certes être attiré, voire ébloui mais, entre nous, avouez qu'alors l'attrait physique est de beaucoup supérieur aux qualités de cœur qu'on ne connaît guère en quelques heures. On a le fameux coup de foudre et on s'endort, malheureux de n'avoir pu le faire avec celui ou celle qui vient de nous faire chavirer. On serait prêt à sauter la clôture, à oublier qu'on a des enfants et un conjoint... pour le seul plaisir d'être dans les bras du « charmeur de serpents » de l'instant. Si on le fait par contre, le lendemain, oh la la que le remords est grand ! On se culpabilise et l'on se dit qu'on n'a pas dû faire bonne figure de s'être jeté si vite dans les bras de l'autre. La plupart du temps, le choc instantané s'arrête dès qu'on débranche, c'est-à-dire, dès qu'on rentre chez soi. C'est bien souvent l'autre qui s'en va, assuré que vous êtes ce genre de personne à partir avec n'importe qui pour le premier lit rencontré au hasard d'un néon. Il est très rare qu'un coup de foudre soit durable, car cette forme d'amour n'est basée que sur l'instantané d'une situation et non en profondeur. Quand je parle de l'amour à longue haleine, là, c'est nettement différent et combien plus sublime. Ce genre d'amour, celui qui se développe à l'insu de l'un ou l'autre, celui qui s'ouvre telle la rose et ses pétales, celui-là, j'y crois ! J'y crois, parce que plus le temps s'est mis de la partie, plus la relation se veut avertie. Quand on en vient à s'aimer profondément, connaissant tout l'un de l'autre, sachant qu'on n'a plus à s'étonner de rien, on se regarde et l'on se surprend à se demander comment on en est venu à s'aimer de la sorte. On invoque le destin, le temps et son pouvoir, la découverte du cœur, bref, on ne peut vraiment pas dire pourquoi l'on s'aime… puisque c'est à petits pas que le verbe aimer a creusé le sillon d'un cœur à l'autre. Ce qu'il y a de plus merveilleux dans ces amours à longue haleine, c'est que plus le temps passe, plus on s'aime… sans plus savoir pourquoi. Quelle douce magie quand on en vient à se dire : « Si tu savais comme je suis bien avec toi » ou encore « Tu sais, plus ça va, plus j'ai envie d'être avec toi ! » Quand deux êtres peuvent s'avouer de tels mots après un an ou deux, c'est que l'amour ne leur a pas joué de vilain tour. C'est aussi qu'ils ont su s'apprivoiser, se comprendre, s'accepter l'un l'autre, poursuivre ensemble une route qu'on était loin d'imaginer et se dire encore qu'on ne se rappelle pas comment cette belle histoire a commencé. Quelques-uns iront jusqu'à dire : « Et pourtant, ça faisait cinq ans qu'on se connaissait ! » Bien sûr, après ? Votre amour actuel ne valait-il pas la peine de prendre tout son temps pour vous atteindre ? N'êtes-vous pas en train de vivre les plus beaux jours de votre vie ? Combien de « coups de foudre » changeraient de place avec votre « amour à longue haleine », un amour qui n'a pas eu à débuter le soir même dans un lit qu'on ne défait qu'une seule fois. Quand l'amour naît à longue haleine, c'est qu'il a du souffle et, de ce fait, on peut espérer le voir respirer sinon toujours… du moins, pour un très long parcours !

## *La galanterie...*

Vous souvenez-vous de cette belle époque pourtant pas loin derrière nous où l'homme galant était adulé des femmes ? Les garçons étaient élevés en fonction d'une galanterie qui hélas se meurt et je crains fortement que rien ne pourra désormais la faire renaître. Que s'est-il passé pour que soudain la femme n'ait plus besoin de ces petites attentions ? Se peut-il que les mouvements féministes soient responsables du décès de la politesse ? Dernièrement, alors que j'étais confortablement assis dans un wagon du métro, je remarque une jeune femme dans la trentaine avec un sac à main imposant qui vient se placer juste devant moi. Bien élevé, habitué depuis longtemps aux bonnes manières, je me lève et je lui offre mon siège. Elle me regarde sans sourire et me dit comme si je venais de l'insulter : « Non merci, je ne suis pas infirme ! » Je vous fais grâce de la petite leçon verbale que je lui servis, mais je me suis juré à partir de ce jour, de mettre à la poubelle ces élans de gentleman que les femmes d'aujourd'hui rejettent du revers de la main. Se sentent-elles diminuées ? Se voient-elles encore comme les émules du sexe faible parce que l'on est courtois ? Je sais qu'elles ne sont pas toutes de cette nature et que plusieurs jeunes filles aiment encore se voir offrir une rose. Ce sont malheureusement leurs aînées, celles qui en ont tant profité qui leur feront perdre ce droit aux égards auquel elles auraient droit. Je sais qu'on n'est plus en 1900 et que de déposer son veston sur une mare d'eau pour que la femme ne mouille pas ses jolis souliers est chose dépassée. Il faudrait cependant faire la différence entre la galanterie et l'exagération, mesdames, et je crois qu'à trop analyser vous risquez de tout perdre. À trop vouloir revendiquer ses droits, elle risque de perdre tout hommage. La galanterie se meurt… et c'est l'évolution qui l'aura tuée. Dommage, mesdames, car en refusant les égards qui vous étaient exclusifs, vous risquez aussi de perdre l'intérêt de ceux qui vous les rendaient. Les garçons d'aujourd'hui n'ouvrent plus les portières d'auto aux demoiselles, ils ne tirent plus la chaise sur laquelle elle prend place au restaurant. Ils n'ouvrent même plus la porte à leur compagne et, bien souvent, la leur laisse taper sur leur nez. Les jeunes d'aujourd'hui vont chercher une fille sans prendre la peine de se changer. Ils accompagnent leurs amies au cinéma quand ils n'ont pas un « chum » de disponible sous la main. En voulant vivre dans un monde de femmes, les belles de demain verront de plus en plus les hommes vivre dans un monde d'hommes. C'est une guerre des sexes à n'en plus finir et, si ça continue, on risque d'avoir deux mondes à part. Je pense qu'après toutes vos revendications, les hommes sont au courant que les femmes sont aussi capables d'assumer toutes les fonctions… ou presque. De grâce, ne tuez pas ce qui faisait jadis le romantisme des couples et cessez de vous battre contre les bonnes manières. Soyez fortes… mais soyez femmes, car le jour où vous n'aurez plus à prouver qu'il vous en reste le charme, les hommes auront à jamais fermé les yeux… sur la différence. Et ce serait bien malheureux !

## *Un pas vers le soleil…*

De plus en plus et particulièrement en ce temps de l'année, les aéroports sont bondés de voyageurs qui attendent fébrilement de se retrouver au soleil, les deux pieds dans le sable chaud. Une semaine ? Quinze jours ? Qu'importe… en autant qu'on coupe l'hiver en deux comme on dit. Il est certain que les chauds rayons sont tout à fait bénéfiques surtout quand le cafard s'empare de nous et qu'on se met à compter les jours. Cette chance n'est cependant pas donnée à tous. Un voyage au soleil, ça coûte cher et quand on le fait à crédit, il faut penser à le remettre. Bah ! me disait cette jeune fille, on ne vit qu'une fois et j'ai toute une année pour rembourser cet élan de regain que je suis allée chercher en Martinique. Elle n'a sans doute pas tort, mais combien d'autres ne peuvent même pas penser à franchir la rivière, assurés de ne pouvoir en absorber les frais, avant ou après ! C'est à ces gens qui n'ont pas la chance de faire un pas vers le soleil que je veux adresser mon billet optimiste en leur disant qu'il en tient peut-être à eux pour l'inventer, à quelques pas de soi. Bien sûr qu'on ne peut le commander d'un claquement de doigt s'il brille par son absence… mais au lieu d'attendre (comme moi d'ailleurs) qu'il daigne bien se montrer en avril pour mieux nous réchauffer en mai, pourquoi ne pas tenter de le discerner à travers notre quotidien ? Comment ? En allant bien au chaud voir un bon film au cinéma, un film où l'été nous est montré dans toute sa splendeur. Pourquoi ne pas prendre un bon livre, un roman, de préférence, dans lequel la trame ensoleillée vous fera oublier qu'il neige dehors. Pourquoi ne pas s'entourer d'amis, inviter ceux qui nous tiennent à cœur et passer en leur compagnie des soirées ensoleillées ? Pourquoi ne pas se pencher sur le sort des autres et oublier momentanément le sien ? Et ce coin de feu ? Ces randonnées en voiture sur les routes alors que la musique vient vous promettre des jours meilleurs ? Pourquoi ne pas sortir, se distraire et tuer le temps au lieu d'attendre que le temps nous tue ? Il y a certes ceux qui profitent des plaisirs de l'hiver, mais les autres qui me ressemblent et qui regardent avec haine le calendrier, pourquoi ne ferions-nous pas l'effort d'oublier les intempéries et tenter de les traverser d'une façon positive ? Le secret est de pouvoir s'extraire de son impatience et de se dire que si l'on n'a pas la chance de se tremper le nombril dans la mer bleue des tropiques… il est peut-être possible de tremper ses pensées dans le rêve de nos plus chers désirs. Ne vous en faites pas, quand vous aurez fait le tour de tous ces soleils d'occasion.. vous aurez déjà les pieds sur le gazon de la belle saison !

# *Quand on achète du rêve...*

L'extraordinaire phénomène qui s'est produit dernièrement avec la loto 6/49 nous prouve à quel point les gens sont avides de gains et de richesse. Je ne pensais jamais que les humains avaient à ce point besoin de chavirement dans leur vie pour acheter ainsi... du rêve. Moi qui pensais que pour être bien dans sa peau, il ne suffisait qu'un peu de bonheur, j'en ai pris pour mon rhume à voir ces longues filées de badauds devant les kiosques d'illusion qu'on trouve partout à travers le Québec. J'ai vu, à des heures très matinales, des personnes du troisième âge en train de miser des petites fortunes pour que leurs enfants, comme me le disait l'une d'elles, soient à l'abri des coups durs de la vie. Sommes-nous à ce point brimés par ce que nous sommes pour vouloir de tout cœur être d'autres personnes avec un, deux ou dix millions dans un coffre-fort ? Faut croire que oui et cette constatation m'a grandement fait peur. Le bonheur n'est-il possible qu'à coups d'argent ? Suis-je trop irréaliste pour penser encore qu'un poème ou une fleur séchée pouvait redonner à l'âme sa paix ? On m'a même dit qu'un homme avait hypothéqué sa maison pour 40 000 $, qu'il a misé cette fameuse loterie dans le but de tout rafler. Le pire, c'est qu'il n'a rien gagné et qu'il devra remettre cet emprunt à la sueur de son front, désormais. Imaginez si les casinos existaient au Québec. Avez-vous pensé à tous ceux qui y laisseraient leur pantalon ? Bien sûr qu'un billet de loterie, c'est un peu d'espoir dans son sac à main et que plusieurs pourraient ainsi se payer le petit voyage dont ils rêvent depuis longtemps. Bien sûr que ce serait là aussi le moyen de donner à ces enfants ce qu'on n'a jamais eu la chance d'avoir, mais de là à miser sur le gros lot pour s'offrir du bonheur, c'est penser sans réfléchir que l'argent apporte réponse à tous les maux. Avez-vous seulement songé que tout l'or du monde ne peut acheter ni l'amour et encore moins la santé ? Avez-vous aussi pensé à tous ces supposés amis qui s'amèneraient à vos pieds dans le seul but d'avoir une petite part de votre butin ? Vous n'avez qu'à poser la question à ceux qui ont déjà été riches et qui ont tout perdu pour entendre dire qu'une seule main suffisait à compter ceux qui étaient vraiment sincères. Le pire, c'est que chacun planifie une autre vie avec cet avoir qui leur tomberait du ciel et qu'aucun d'entre eux ne saurait probablement comment la construire. Que feriez-vous vraiment demain avec cinq ou dix millions entre les mains ? Vous avez sans doute une réponse toute prête, mais sauriez-vous seulement comment faire avec ce que vous n'avez jamais eu avant pour vivre selon vos aspirations ? Je ne suis pas contre les dons qui nous tombent des nues et je suis aussi de ceux qui font valider chaque semaine ces billets de « rêve », mais si j'étais l'heureux gagnant, j'aurais peut-être soudainement peur de ne plus être celui que j'étais avec l'argent que je gagnais et qui suffisait à mon petit bonheur. Il m'arrive même de me dire : « Ce serait trop, ça démolirait ma vie et mon idéal… » Mais j'achète quand même, quitte à prendre le risque de faire mieux que tous ceux qui se sont retrouvés riches du jour au lendemain. J'achète comme vous tous « du rêve », mais je vous avoue ne pas être déçu quand je m'aperçois que je ne gagne rien, parce que mon bonheur n'est pas entravé par un surplus qui risquerait de me faire perdre la tête. Celle que j'ai me convient et si vous êtes de ces heureux gagnants, j'espère de tout cœur que cette corne d'abondance… ne changera rien à votre paisible bonheur !

## *Au fond d'un grenier…*

Que de souvenirs peuvent s'entasser au fond d'un grenier. Comme le printemps invite à faire un ménage de sa maison, je suis monté dans mon grenier par un dimanche dans le seul but de nettoyer… pour me retrouver médusé devant le miroir de mon passé. Un vieil album poussiéreux me fit découvrir en noir et blanc, le jour de mon mariage, les premiers pas des enfants, la première communion de la petite, la belle soirée des noces d'argent de mes beaux-parents (tous deux aujourd'hui décédés), une photo de mon père (alors qu'il était paralysé) et une autre, toute jaunie celle-là, de ma mère en 19… tenant dans ses bras un gros poupon… moi ! Je sors de ce rêve et découvre dans une vieille boîte, un album en cuirette rouge, rempli de disques (des 78 tours) que je manipule adroitement (ils sont cassables) et je lis des titres tels : *Cry* par Johnny Ray, *Jezabel* par Frankie Laine, *Kiss Of Fire* de Georgia Gibbs, *Je n'ai fait que passer* par Fernand Gignac, *Mexico* de Luis Mariano et combien d'autres ! Mon adolescence vient de refaire surface et je retrouve du même coup des petites photos à vingt-cinq cents du parc Belmont, d'autres prises au parc Lafontaine, une photo de couple au *Mocambo* et, dans un album dont la couverture est en bois, les photos de mon voyage de noces à *La Sapinière* de Val David. Je pousse la curiosité un peu plus loin et trouve, dans un sac vert, les premières poupées de ma fille et le robot mécanique qui fit si peur à mon fils. Un vieux sac d'école traîne par terre et, l'entrouvrant, j'ai en main mes cahiers de devoir de neuvième année, mes dessins du Studio Salette, les dépliants *Coup de*

*Gueule* signés par Pierre Dagenais et, juste à côté, deux microsillons de Muriel Millard et un autre de Lucille Dumont. Plus loin, un vieux calendrier du Marché Riopel avec une « pin-up » en maillot de bain et la dernière page de décembre 1956. Je manque de « m'enfarger » dans une vieille couverture à carreaux qui servait pour la banquette de ma Plymouth 57 et je tombe le nez le premier sur une paire de patins à lames usées qui ont fait des ronds sur la patinoire du parc Jarry. Un poster défraîchi de Veronica Lake, un carton d'allumettes du *Faisan Bleu* et un album de la bonne chanson de l'abbé Gadbois. Ça vous rappelle des souvenirs ? J'étais monté pour nettoyer… et je n'ai touché à rien. J'ai refermé la trappe sans déranger le moindre de ces objets inanimés. Le printemps m'avait incité au ménage, mais le cœur s'y est refusé. Comment peut-on jeter à la poubelle les séquelles de ses plus belles années ? Quel bel après-midi j'ai passé là-haut. Je redescendais et il me semblait encore entendre ma fille pleurer le jour où par mégarde… elle avait brisé le bras de sa poupée !

## *Si les soldats...*

... étaient de plâtre, de plomb ou de bois, les guerres seraient de papier. On pourrait croire que j'ai voulu créer les premières lignes d'une chanson, mais ce serait trop beau. Non, ce qui s'offre à ma vue sur l'écran de télévision, c'est le massacre de tous ces jeunes gens qu'on envoie au front sans qu'ils en sachent bien souvent la raison. Bien à l'aise dans son fauteuil, on regarde ce qui se passe au Liban, en Irlande ou ailleurs et l'on assiste impuissant à ces guerres sans compter un à un ces corps qui tombent par centaines. Il en a toujours été ainsi et ce n'est pas l'ère du progrès qui en fera visualiser la fin. On s'arme de plus en plus, les munitions se multiplient et au moindre mauvais regard entre chefs de pays, on claque du doigt et des garçons, pour ne pas dire des enfants, sont envoyés de force pour faire du bruit et y laisser leur vie. Spectacle écœurant que celui des guerres. Carnage inutile que celui de ces fils de mères qui les ont fait naître pour odieusement les perdre. Des régiments entiers s'écroulent et si quelques-uns ont le malheur de survivre, on les prépare pour une prochaine guerre. J'ai vu un jour tous ces jeunes Américains qui brandissaient des pancartes pour protester contre l'armée. J'ai vu ces jeunes gens en rage de vivre, rager devant une Maison-Blanche par refus de mourir et je les ai applaudis. C'est sans aucun doute le jour où les soldats feront la grève qu'on verra la fin des guerres. Il est trop facile pour deux nations de se provoquer, de s'injurier, de se harceler dans le seul but d'écouler le trop-plein de leurs armements. Pendant ce temps, des jeunes qui n'ont même pas encore vécu sont soudainement les boucliers de ces présidents avides de puissance. Ces jeunes qui ont dix-huit ou vingt ans, ces enfants qui deviennent des hommes et qui voudraient aimer, avoir eux aussi des enfants, n'ont pas le droit de mourir avant d'avoir atteint de si nobles sentiments. Dès le primaire, on leur parle des guerres d'antan. Au secondaire, c'est en chansons qu'on leur inculque les révolutions. Que voulez-vous qu'ils chantent à vingt ans ? Ils sont déjà angoissés par le bruit sourd des mitrailleuses… et n'ont pas lu un seul poète. Qu'ils soient Américains, Chinois, Russes ou Africains, les hommes de demain doivent poursuivre leurs protestations. Quand tous les coins de la terre auront des soldats en grève, des êtres qui ont décidé de vivre et de laisser vivre, les grands n'auront plus rien à dire. Trop de mères ont pleuré leurs enfants et trop de pères sont restés songeurs devant le portrait jauni d'un fils mort à la guerre. Il est peut-être encore loin le temps où les hommes vivront d'amour, comme le chante si bien Raymond Lévesque, mais si les cœurs sont décidés de battre à tout jamais, c'est à ce moment que l'univers déposera les armes. Soldats de la Russie, soldats des États-Unis, soldats du monde, soldats de chair… c'est quand vous aurez décidé de crier « non » à l'unisson qu'on sera assuré de l'impossibilité… d'une démente guerre nucléaire !

# *Bonnes vacances...*

Je pense que je choisis bien mon moment pour vous offrir ce vœu. Il se peut que vous ayez déjà pris vos vacances et il se peut aussi que vous n'en preniez pas cette année, mais je vais tenter d'atteindre le plus de monde possible en misant sur ceux qui partent ou partiront incessamment pour une ou deux semaines de repos... quelque part. Ce n'est pas beaucoup, n'est-ce pas, une ou deux semaines sur cinquante-deux ? Ça prouve qu'on est beaucoup plus des fourmis que des cigales sur cette terre, mais que voulez-vous, c'est notre loi de la nature à nous. De toute façon, la durée n'a pas d'importance, c'est le plaisir qui importe et le profit qu'on retire de chacune de ces journées. Plusieurs s'en iront en villégiature quelque part aux États-Unis et d'autres se rendront encore plus loin... selon leurs moyens. Il y a de ces vacanciers qui s'envolent pour deux semaines « sur les ailes de leur auto » jusqu'au chalet qu'ils possèdent à la campagne et c'est leur plus grande joie. Pour d'autres c'est un tout petit camp d'été loué à un parent ou à un ami qui leur permettra d'avoir fait un voyage. J'en connais même qui se promettent les plus belles vacances de leurs vies... dans leur cour. Ces derniers ont assez d'imagination pour agrémenter leur décor d'une balançoire, d'une chaise longue, quand ce n'est pas d'une piscine. Il n'y a pas un seul moyen qui ne soit pas bon pour que les vacances soient agréables. Premièrement, il faut considérer ce congé payé comme un besoin primordial de récupérer. Ce qu'il faut, c'est faire le vide, fermer le tiroir de son cerveau sur les chiffres pour l'ouvrir sur la détente et la joie. En vacances, il faut oublier tout ce qui nous fait vivre pour pleinement vivre. Il ne faut surtout pas compter les jours jusqu'au retour au travail. Il faut faire exactement comme si ce temps qui nous appartient n'avait pas de fin. On s'entoure d'amis, on oublie tout et on partage avec ceux qu'on aime, cette liberté momentanée en prenant les heures comme elles viennent. Moi, je vous souhaite de bonnes vacances, des vacances qui vous permettront de refaire le plein en toute quiétude. Des vacances, c'est bon pour la santé quand on sait comment en profiter. Les miennes ? elles s'en viennent et je les prends dans ma cour cette année. Je n'ai pas à aller plus loin puisque je me suis fixé comme but de reprendre mon souffle, beaucoup de soleil, de fermer la porte de mes idées et d'ouvrir celle de ce laisser-aller qui a besoin d'air. À vous qui partez n'importe où, « Bonnes Vacances » et soyez heureux. À vous qui revenez, j'espère que vous avez su en profiter et à vous qui n'en n'avez pas cette année, je vous promets de vous souffler au cœur quelques parcelles de ce bonheur que j'irai cueillir dans le poirier de mon voisin !

## *Ces toits qu'on n'oublie pas...*

On se doit parfois de revivre son passé pour mieux apprécier son présent et c'est empreint d'une certaine nostalgie que j'ai fait revivre, en quelques heures, toutes les maisons qui m'ont abrité depuis ma tendre enfance. Ces maisons, ces logis qui ont été nôtres et qui existent sans doute encore ne contiennent-ils pas les pages de nos joies les plus grandes et de nos chagrins les plus lourds ? Tout en humant l'air frais de ce beau dimanche de printemps, j'ai fermé les yeux pour voir défiler devant moi les bâtiments inertes des années de ma vie. Il est sûr que je ne me souviens plus du petit logis de la rue Saint-Valier où je suis né et que j'ai quitté à l'âge de deux ans. Par contre, j'ai bonne mémoire de ce grand logement de la rue Saint-Dominique, au 8012 plus précisément où, pendant dix ans, j'ai vécu ce qu'on appelle sa « sainte enfance ». Le salon double, une chambre qu'on partageait à trois, la ruelle, le fond de cour, que de beaux souvenirs pour le petit gars que j'étais. Ensuite notre première « vraie maison » celle que mon père acheta à Bordeaux au 1750, rue Viel et dans laquelle s'écoula mon adolescence. Ce fut le site de mes premières amours et c'est non sans peine que je la quittai à vingt ans... pour me marier. Là, ce fut la folle aventure des logements. Un petit trois pièces rue Jeanne-Mance que j'habitai pendant un an, un grand cinq pièces rue Saint-Laurent où naquirent mes deux enfants et que je dus quitter après onze ans lorsque le propriétaire m'expulsa pour offrir le logis à sa fille. Triste départ et combien difficile fut la recherche du logis suivant. C'est à Chomedey, sur la 65e avenue, que je me retrouvai pour un an. Court séjour, lourds chagrins puisque cet habitat me fit vivre deux drames inoubliables. La vie a de ces moments pénibles qu'on oublie quand on repart à nouveau et c'est au 12028, rue Poincaré, que le soleil se remit à briller. Nous étions bien à l'étroit dans ce petit quatre pièces, mais combien heureux de ce nouveau toit. Enfin, à force de travail et de persévérance, notre première maison au 4360, Henri-Bourassa à Ville Saint-Laurent et déjà je ne craignais plus « le bail »... j'étais propriétaire. Un autre pas trois ans plus tard allait m'installer définitivement à Cartierville où je me trouve dans un environnement de paix et d'amour. Il me faudrait écrire un livre pour raconter tout ce que ces maisons ont eu à dire. Neuf maisons ont abrité ma vie jusqu'à aujourd'hui, neuf aventures qu'on ne peut oublier quand on fait le bilan de son passé. Toutes ces maisons sont encore là et je n'y suis plus. Qu'ont-elles gardé de moi ? Sans doute le souvenir de bien des secrets qu'elles se sont juré de ne jamais dévoiler. C'est parce que les maisons sont discrètes qu'on ne les oublie pas. Ne sont-elles pas les témoins muets de nos sentiments les plus vrais ? Il m'arrive encore de faire le tour, de les regarder une à une, de sourire ou frémir mais comme chacune a son histoire... mon cœur se doit de les revoir !

## *Feu rouge, feu vert...*

Je ne sais trop si vous l'avez remarqué, mais notre vie est semblable à un feu de circulation et chaque étape est une intersection qu'il faut traverser d'un œil averti. Doit-on faire ceci ou ne pas faire cela ? Que de fois nous sommes-nous trouvés en face de cette question à laquelle nous ne pouvions répondre sans auparavant consulter Pierre, Jean, Jacques sur la route à suivre. On dit souvent aux enfants de faire attention en traversant la rue, de regarder s'ils ont droit de passage et pendant ce temps, on traverse aveuglément la vie sans prendre le temps de penser... que nous sommes parfois encore des enfants. Si l'on se mettait bien en tête que chaque décision se doit d'être pensée, analysée tel un feu de circulation que l'on pourrait discerner, peut-être serions-nous prudents parfois et éviterions-nous des erreurs souvent irréparables ? Le feu rouge de notre vie existe et en faire fi dénote une impulsivité qui peut être fatale. On ne perd pas la vie pour autant, mais on se la complique joliment. Face à un fait, devant une situation, il faut détecter la couleur de l'entreprise et ne traverser qu'en toute sécurité ce pas d'une nouvelle aventure. Il faut être sûr de soi et le dicton qui dit qui ne risque rien n'a rien n'a pas toujours raison. S'il y a incertitude, hésitation, c'est que le feu orange n'a pas encore bifurqué vers le oui ou le non d'un geste à poser. Que ce soit pour un emploi, un achat important, une carrière, un mariage même, si le feu est rouge, si la raison est en doute et si l'on plonge dans l'aventure tête première sans réfléchir aux conséquences, on risque de se retrouver atrophié cérébralement et les blessures morales sont beaucoup plus longues à guérir que les contusions physiques. Si l'on soupesait quelque peu ses actions, les déceptions ne seraient pas si nombreuses et le « si j'avais su » ne hanterait plus nos pensées. Il est bien certain que toute erreur n'est pas inévitable et que celui qui n'en a jamais fait se lève et me l'affirme... je l'inscrirai au dictionnaire des génies. C'est par les erreurs qu'on apprend ? Sans doute !... mais à quel prix. Sans prétendre atteindre la perfection, je suis assuré qu'il est possible d'éviter quelques catastrophes qui font qu'on se retrouve plus souvent qu'à son tour avec un sédatif sur la langue. Le feu rouge est là, il suffit de lever la tête, de regarder dans son cerveau... et surtout ne pas être daltonien. Dès lors, le climat de notre vie changera et l'on pourra s'avouer que l'on savait qu'il y avait risque. Le prendre n'est pas si vilain... en autant qu'on soit assez fort pour en subir les conséquences. Traverser sur un feu rouge sans se faire écraser ne se fait pas avec un bandeau sur les yeux. Avouez qu'il est plus logique de regarder des deux côtés. Celui-là, c'est le signe qui indique que l'on n'a plus de temps à perdre et qu'il faut agir si l'on ne veut pas passer sa vie à attendre qu'il soit en panne. Il ne faudrait pas tomber dans un extrémisme qui ferait que nous soyons toujours entre deux feux. Le feu vert de notre vie indique que nous sommes prêts et que nous sommes assurés d'un succès à 90 % parce que nous y croyons. Je pense que tout être humain a le pouvoir tôt ou tard de connaître ses possibilités. Cet emploi que vous avez et qui vous déplaît fortement sachant que votre but se trouve dans une autre sphère, il faut le quitter et ramer vers la cible visée. Cet amour que vous entretenez sachant qu'il a des chances d'être pour la vie, doit se concrétiser. Cet achat qui vous semble logique, assuré que vous pourrez en verser les paiements sans inquiétude, doit s'effectuer. Ce voyage qui ne vous privera pas des soirées au cinéma, de ces habitudes qui font que votre vie n'est par terne, il faut l'entreprendre. Les feux verts de la vie sont nombreux et parfois, c'est encore avec hésitation qu'on les traverse. Feu vert équivaut à réflexion et si la motivation et les capacités s'en font les compléments, le sujet n'a qu'à foncer pour que le verbe se conjugue. Loin d'être une leçon de grammaire, loin aussi d'être une dose de psychologie, ce papier n'a pour but que de vous enlever la peur d'avoir peur quand il est temps de franchir un pas sur lequel la confiance règne. Si la semelle est ferme, le soulier ne peut que suivre. Seuls devant une décision ? Constamment face à ce feu orange qui laisse perplexe ? Il y a toujours autour de vous un être cher, un ami pour vous aider à discerner la couleur de votre brouillard. La vie est un éternel défi qu'on ne relève pas sans armure. On ne plonge pas si l'on ne sait pas nager… mais on ne reste pas assis si l'on sait valser. Il faut apprendre à faire la juste part de notre savoir-faire. Dire non quand l'évidence s'y prête et lancer un grand oui quand la tête le prescrit. Être heureux, en somme, c'est si facile quand on regarde avec ses yeux, son cœur, sa raison… ce feu de circulation qu'on a dans son âme. On ne cessera jamais de faire des erreurs, mais si ce message peut vous en éviter une… je ne l'aurai pas écrit en vain.

## *Tout comme jadis...*

Oh, comme ils sont beaux les premiers cheveux argentés qui viennent se déposer sur nos tempes. Ils arrivent un à un et il faut les prendre sans oublier toutefois qu'ils nous font signe... de faire, tout comme jadis, un dernier tour de piste. Ce tour de piste pour ne pas dire tour de force, c'est l'effort de retrouver ne serait-ce que pour un été, la vigueur et les plaisirs de ses seize ans. J'ai essayé cette année et je vous avoue me tirer encore assez bien d'affaires. Que faisais-je à seize ans que je ne peux plus faire ? Si peu... et bien souvent pour ne pas paraître ridicule, rien d'autre. J'ai fermé les yeux sur les convenances et je me suis lancé dans le tourbillon de mon adolescence. J'en avais assez d'avaler ma nostalgie ! Je suis donc remonté sur ma bicyclette et je me suis aperçu qu'après un coin de rue, les jambes suivaient toujours aussi bien et j'ai pédalé pendant une heure sur le dos de cette vieille amie. J'ai fait le tour des parcs qui ont fait les beaux jours de mon adolescence et je me suis surpris à rêver pour ensuite follement me laisser aller sur les balançoires. Là, j'avoue que mon cœur a fait tout un saut. Il n'était plus habitué à ce *up and down* d'autrefois. Je suis ensuite allé au parc Lafontaine et j'ai fait le tour en cherchant en vain la gondole qui nous promenait jadis, mais qu'importe, la verdure est toujours la même. Il y a en outre le parc Belmont qui existe depuis cinquante-huit ans et je ne me rappelle pas combien de soirs j'ai passés là à danser et à partir en fou dans les attractions les plus étourdissantes. Je vous avoue en avoir fait autant et c'est à oser qu'on s'aperçoit qu'on peut encore se permettre toutes les fantaisies de sa jeunesse. La tête à l'envers, le dos en charpie, je suis revenu chez moi, heureux de mes exploits. Une autre chose qui me tenait à cœur et dans laquelle j'excellais, est la natation. J'ai donc remis mon maillot de bain (pas le même, je suis plus gros) et j'ai tenté de faire des longueurs de piscine. Je vous avoue avoir fait piètre figure à côté des jeunes qui me damaient le pion… Dire qu'à seize ans, je traversais la rivière des Prairies en partant de Bordeaux jusqu'à Laval. Je n'ai plus le souffle que j'avais, mais quand même, je nage encore très bien. Finalement, je me suis rendu compte que, que ce soit au tennis, au patin à roulettes et même au yoyo… même si l'on n'est plus champion, on ne perd jamais son savoir-faire. Les prouesses de notre adolescence ont toujours des réminiscences prêtes à s'enflammer à nouveau… si on insiste. Tout comme jadis, j'ai fait le tour de mes grandes capacités pour m'apercevoir que lorsqu'on veut, on peut… tout en vous murmurant que j'ai dormi comme un vieil ange essoufflé ce soir-là ! Essayez donc de votre côté, vous verrez qu'après trente ans, on peut encore surprendre bien des gens !

## *Avec un peu de volonté...*

Avez-vous remarqué que c'est toujours en septembre qu'on s'aperçoit que les boutons de la chemise sont difficiles à attacher ? C'est à ce moment qu'on se rend compte de l'embonpoint qu'on a pu prendre au cours de l'été... sans bien souvent s'en rendre compte. Durant la saison chaude, on sort à peine vêtu, on se prélasse, on mange trop, on déguste une bière avec le prétexte que ça désaltère et on ne s'aperçoit pas que le « bedon » prend quelques petites rondeurs pas vraiment esthétiques. Le résultat ? C'est en septembre qu'on le constate quand on veut remettre sa cravate et qu'on s'aperçoit qu'elle nous étrangle. Ce fut mon cas cet été et j'en fais mon mea-culpa ! Que faire quand on se rend compte qu'on a un petit dix livres de trop ? L'accepter... ou s'en débarrasser ! En regardant furtivement une revue, je suis tombé pile sur une diète-surprise de neuf jours et je me suis dit que je n'avais rien à perdre en l'essayant... sinon cet excès de poids qui me gênait. Suivre une diète à la lettre, ce n'est pas facile, mais avec un peu de bonne volonté, ça finit par se prendre comme un sirop amer qu'on finit par trouver bon. Je me suis donc mis à l'œuvre et je vous avoue avoir sué à certains moments. J'ai même failli décrocher (les hommes ont si peu de volonté). Les deux premiers jours, j'ai écopé d'un mal de tête bien normal, mais le plus déplaisant était d'entendre mon ventre crier « famine » ! La solution ? J'ai toujours entendu ma mère me dire « qui dort dîne »... alors j'ai dormi pour oublier que j'avais faim. Au troisième jour, ça allait déjà mieux et je me rendais compte que moins manger était bénéfique pour la santé puisque j'avais déjà plus de souffle et que mon sommeil était de plus en plus bienfaisant. Le pire et je le crie, ce sont les annonces de la télévision qui nous incitent sans arrêt à bouffer comme ce n'est pas possible. Les gens à la diète sauront sûrement de quoi je parle quand je dis qu'assis devant mon petit écran avec deux branches de céleri, on me jette en pleine face une annonce de pizza, de MacDonald ou de poulet B.B.Q. On dirait que les gens n'ont que ça à faire, manger. Il a fallu que je sois à la diète pour me rendre compte à quel point la télévision… veut nous faire engraisser. Pour finir le plat, on nous présente en ligne deux ou trois annonces de bière suivies d'une autre sur les chips ! Avouez que lorsque vous en êtes à l'eau minérale et aux pruneaux, c'est une petite torture qu'on nous fait subir. C'est là qu'il faut avoir de la volonté et c'est là que notre courage est mis à l'épreuve. Il serait si facile de flancher ou de tricher « un tout petit peu » comme on dit. Un autre obstacle à franchir, c'est le coup de téléphone d'amis qui nous invitent à sortir. On ne nous invite pas au cinéma. Non, on nous dit : « Tiens, si on allait manger un de ces soirs. » Essayez de leur parler de votre diète. Ils répliqueront : « Bah, tu te reprendras demain ! » Vils tentateurs, démons de nos tripes ! Il faut être plus chrétien qu'un ange pour résister. Toujours est-il que j'ai résisté, que j'ai fait ma fameuse neuvaine d'une diète-surprise qui m'a agréablement surpris. Comme j'ai la bonne habitude de ne me peser qu'à la toute fin, de peur de perdre patience en chemin, ma balance accusait neuf livres en moins ! Somme toute, une livre par jour. J'ai certes bu une rivière pendant ce régime (moi, qui n'aime pas l'eau), mais paraît-il que c'est excellent pour les reins. Tout ça pour vous dire qu'avec un peu de volonté et beaucoup d'amour-propre, on peut réussir à s'aimer encore une fois. Et c'est à aimer… qu'on finit par aimer tout le monde !

## *Quand les arbres ont des feuilles…*

Quelle belle nature que celle qui s'offre à ma vue ce matin. Le soleil est éblouissant et le vent tiède agite l'herbe et les feuilles des ormes pour mieux nous faire profiter du décor. Et dire qu'il n'y a pas si longtemps, nous gelions comme des rats ! On a assisté bien sûr à la naissance des bourgeons, à l'éclosion des lilas, mais quand les arbres ont des feuilles et que les terrains ont leur plus beau manteau vert, nous sommes en plein dans la saison estivale… et Dieu sait qu'elle est courte. Remarquez qu'elle est aussi longue que les trois autres, mais comme le bonheur passe toujours plus vite, on a l'impression de le perdre avant même de l'avoir consommé. Mes voisins sont déjà dans leur piscine, je devrais même dire qu'ils y sont depuis longtemps et les bambins déambulent les trottoirs sur leur tricycle avec ce bruit familier qui me rappelle celui de mon enfance. Fin juin, début juillet… quel merveilleux temps de l'année. C'est à ce moment que j'aimerais que le temps s'arrête et que mon calendrier ne tourne plus ses pages. C'est le centre du livre des saisons, le noyau de nos plus belles émotions. Pour plusieurs, c'est le temps des vacances qui se prépare et pour les jeunes, ce n'est que le tout début de ces deux mois de congé après une dure année scolaire. Et vous, qu'allez-vous faire de ce bel été qui vient ? Avez-vous songé qu'il serait profitable de le préparer, de planifier au moins un petit quelque chose que vous vous promettez depuis longtemps ? On remet trop de choses à demain dans la vie et, parfois, il serait logique qu'on y pense. Ce petit voyage que vous avez imaginé tout l'hiver, l'avez-vous fait déjà ?.... ou s'en vient-il à petits pas ? Remarquez qu'on peut fort bien être heureux chez soi et profiter allègrement de sa balançoire et de son petit patio. Moi, c'est exactement ce que je fais et c'est en été que je m'éloigne le moins. Je n'aurais pas bonne conscience si je forçais tout le monde à prendre le large quand je ne grouille pas de ma chaise, mais remarquez que je me promène beaucoup à l'étranger l'hiver. Pour moi, l'été, c'est la période la plus sabbatique de ma vie professionnelle. C'est en quelque sorte « le repos du guerrier » et c'est à ce moment que je dévore trois ou quatre bouquins de ma bibliothèque mis au rancart faute de temps. C'est pour moi également le temps de la musique et c'est en juillet que j'use mes cassettes à la corde. Entre Mozart, Chopin, Jean Ferrat et Aznavour, je me paye le plus beau des voyages de détente et je respire cet air frais d'été si bénéfique à tous. C'est aussi le moment de devenir observateur et si l'on est curieux de nature, rien n'échappe à l'œil. On s'assoit dans un parc, on regarde les jeunes parents avec leurs enfants... et l'on se rappelle. On regarde aussi ces couples du troisième âge qui s'y promènent et l'on se voit déjà, bras dessus, bras dessous, en faire autant dans quelque temps. Quand les arbres ont des feuilles, c'est aussi le temps de mieux se nourrir, de profiter des fruits frais, de crudités... et de perdre ainsi sans effort, l'excès de poids gagné alors qu'il faisait froid. C'est aussi à ce moment qu'on repense sa vie, qu'on analyse ses ambitions et que l'on scrute ses possibilités. On avance ? On modère ? Qu'importe, en autant qu'on sache où ça nous mène. Oui, fin juin, début juillet, j'ai ce qu'on appelle un vague à l'âme qui me rend un tantinet paresseux... et peut-être un peu trop poétique, mais quand les arbres ont des feuilles, je me sens heureux. Et vous alors... ?

## *Un dimanche à tuer…*

On s'est toujours demandé ce que ça voulait dire « un dimanche ». Pour plusieurs, c'est encore le septième jour de la semaine où l'on se remet de ses efforts pendant que les normes du calendrier nous assurent que c'est le premier et qu'il nous impose le repos avant le travail. En ce qui me concerne, j'ai toujours vu, et je vois encore, le dimanche comme un jour qui sépare la semaine qui vient de finir de celle qui va commencer. Pour moi, il n'est ni le premier ni le dernier, mais la parenthèse qui nous permet de reprendre notre souffle. Quand je dis qu'on a un dimanche à tuer, c'est qu'il est important de tout mettre de côté et d'en profiter vraiment comme un jour de congé. Mais que faire par un beau dimanche, comment l'envisager ? Je me demande s'il est encore de mise de le qualifier d'un titre précis. Lors d'un certain sondage à la télévision, des gens très ancrés dans leurs vieilles habitudes le cataloguaient comme « le jour du Seigneur », pendant que les plus jeunes clamaient que c'était là, le jour de la liberté. Les premiers qui n'ont pas dérogé d'une assistance à la sainte messe, suivie d'une méditation ou d'un recueillement, n'ont certes pas à tuer cette journée qui est pour eux toujours aussi solennelle. Mais les autres ? Il est surprenant de voir à quel point on peut s'embêter… de ne pas avoir à aller travailler ! On attend chaque semaine ce jour avec anxiété pour lamentablement s'ennuyer et compter les heures qui nous feront retrouver les copains de travail. C'est insensé, mais c'est comme ça dans bien des cas. Un dimanche à tuer, c'est vingt-quatre heures de sursis entre les emplettes du samedi et les obligations du lundi. Le tuer veut tout simplement dire bien l'employer au gré de nos envies, de notre stimulus ou de notre paresse. Qu'on ne vienne surtout pas me dire que ça coûte cher de meubler un dimanche. Je me souviens qu'étant plus jeune, la meilleure façon de le passer était de partir avec ma femme et mes enfants et de profiter d'une saine détente au Jardin botanique ou sur le flanc de la montagne. Si j'étais trop fatigué pour cet effort, je choisissais un parc non loin de chez moi et, pendant que les petits s'en donnaient à cœur joie dans les balançoires, je lisais confortablement assis sur un banc. Aujourd'hui ?.... ça peut encore se faire et c'est la seule détente qui n'a pas subi le choc de l'inflation, parce que ça ne coûte rien tout comme dans mon temps ! Vous voulez d'autres suggestions à bon compte ? Une randonnée à bicyclette, une bonne marche de santé, une visite au parc Lafontaine, une balade en voiture dans le nord, une partie d'échecs sur la galerie, une p'tite bière dans sa cour, une visite familiale, une journée à la piscine publique, etc... Les plus vaillants opteront pour l'entretien des fleurs du jardin et les artistes iront peindre en pleine nature. Les nerveux iront pique-niquer quelque part et les plus fatigués pourront se contenter de leur chaise longue en humant l'air pur de cette belle journée. Tout ça pour finalement vous dire qu'un dimanche à tuer... n'est plus à tuer si on s'en sert pour bien récupérer. L'important, c'est de le prendre comme un entracte entre le rêve et la réalité. On ferme la porte de son cerveau et on ouvre les yeux sur la nature. Rien de stressant, rien de compliqué et on en arrive même à oublier que demain, la télé, les journaux et la radio vont encore nous remettre dans le bain des événements quotidiens. Si pour vous, et après tant d'années, le dimanche est encore un jour à tuer, c'est que vous êtes à court d'idées... ou vraiment entêté !

## *Savoir faire le vide...*

Rien de plus facile, selon certains qui pensent qu'un voyage arrange tout et c'est pourtant ce qu'il y a de plus difficile à faire. Quand je parle de « faire le vide » je veux vraiment dire fermer la porte sur tout ce qui s'applique à notre quotidien. Que ce soit ces dures journées de travail ou la routine familiale de la maison, voilà tout ce dont il faut s'évader parfois... mais comment ? J'ai eu le bonheur de pouvoir le réaliser dernièrement et c'est pourquoi je vous en donne la recette. Au départ, il n'est pas bon de partir seul car la solitude n'est pas bénéfique à l'évasion. Quand on est seul, on pense à tout ce qu'on est venu oublier et la thérapie devient vaine. Ce qu'il faut, au départ, c'est trouver un ou une amie qui tient aussi à faire le vide et qui accepte de partager cet éloignement du quotidien avec vous. Moi, j'ai opté pour un chalet isolé, sans voisins, sans téléphone, sans téléviseur, sans rien d'autre que le strict nécessaire et des victuailles. Il est évident qu'il nous faut avoir des affinités avec la personne qui nous accompagne, car un voyage raté pour l'un le deviendrait pour l'autre. Je revois encore ce chalet duquel j'enlevais des toiles d'araignée en arrivant tout comme je le faisais dans les camps d'été que ma mère louait jadis. Je me revois le matin en train de me faire une rôtie sur le rond du poêle avec une espèce de fourche parce qu'il n'y avait pas de grille-pain et je vous avoue avoir aimé l'expérience. C'est lors de ces dernières vacances que j'ai appris à apprécier le fait d'avoir à attendre deux heures pour prendre une douche sous un jet tiède, jamais chaud. Je regardais par la fenêtre et je pouvais voir un bel oiseau bleu que je n'ai jamais réussi à identifier, qui venait nous dire qu'il y avait vie aussi à l'extérieur. Savez-vous quel bien l'on peut retirer à marcher sur un chemin de terre et croiser sur sa route des petits suisses, des écureuils, des crapauds et d'horribles sauterelles ? Bien sûr que c'était encore l'été et que les feuilles n'étaient pas encore au point de tomber. Ce que nous avions apporté ? Des recueils de poésie, un appareil radio et de multiples cassettes de musique classique et poèmes récités tantôt par Gérard Philippe, tantôt par Maria Casares. Le dialogue était presque inexistant et chacun vaquait à ses écrits, à ses occupations, à ses lectures, à « son vide » qui se faisait au gré des heures et des jours. J'ai pu lire en entier la vie trépidante de madame de Montespan et j'ai écouté religieusement tout ce que Mozart avait composé, de son premier opéra jusqu'à sa messe de Requiem. Dans de tels moments, je me suis rendu compte que l'on mange peu et mieux, parce que le corps au repos n'est pas nerveux et que l'esprit qui se nourrit de mots n'a pas besoin de cidre. Le soir, un feu de cheminée, un jeu de patience, un journal intime à rédiger et la nuit nous emporte avant même qu'on lui fasse signe. Aucune insomnie, aucun réveil brutal sinon celui d'un violent orage qui finit par s'amalgamer à un allégro de Beethoven. Oui, je me suis enfui et j'ai fait le vide. J'ai réussi pendant cinq jours à oublier le bureau, la cravate, la paperasse, la maison, les taxes à payer, la commande d'épicerie et j'ai vécu égoïstement la plus belle thérapie de défoulement. J'étais loin du brouhaha de Hollywood et des grands hôtels de New York city. J'étais tout simplement « moi » pour une petite fois. « Moi » avec cette liberté d'être, de respirer, de me sentir dégagé, de ne pas avoir à me raser. Oui, je l'ai fait ce vide, pour mieux refaire le plein qui m'attendait. Je ne me suis jamais senti aussi bien pour presque rien, et pas très loin.

## *Au gré de ses souvenirs...*

Ne vous arrive-t-il pas de vous asseoir près du feu, de fermer les yeux et de repasser, dans votre tête, le livre d'images de vos amours de jeunesse ? C'est curieux comme la mémoire peut être bonne quand il s'agit d'énumérer les noms des filles qu'on a aimées. Je dis « filles » parce que je parle ici de moi, mais je suis sûr, mesdames, que nous n'avez oublié aucun nom de tous vos « chums » d'école ou d'adolescence. Moi, si je refais le tour de mon jardin en commençant par celui de mon enfance, je me souviens d'une jolie petite blonde qui s'appelait Huguette Lamoureux et avec qui j'ai fait ma Première Communion en l'église Saint-Vincent-Ferrier. Elle habitait sur la rue Henri-Julien, si je ne me trompe, et je me rappelle avoir dit à ma mère : « Regarde, comme elle a de beaux boudins ! » Comme j'en ai rêvé par la suite. J'étais sûr d'avoir la plus belle à mes côtés. Très précoce (hum !), j'ai eu bien sûr d'autres amoureuses d'enfance, telles Denise Chartier de la rue Saint-Dominique et les sœurs Mercedes et Micheline Gadbois avec qui je lisais tous les « comics » de *La Patrie* à l'époque. Il y eut ensuite Danielle Généreux qui sautait très bien à la corde et une certaine Lise Lalumière que j'attendais souvent au coin de la rue. Les années passent et je déménage dans Bordeaux qu'on appelait à l'époque « la campagne ». Là j'ai connu d'autres belles jeunes filles telles Solange Brissette, Andrée Pagé et celle qui devait devenir le premier grand amour de ma vie, Francine Chalifoux. J'avais treize ans, si ma mémoire est bonne, et lorsque Francine me boudait, j'en profitais pour sortir avec sa sœur Louise qui était également très ravissante. C'est d'ailleurs à cette époque que je connus Micheline qui devait devenir mon épouse, mais en gamin non apprivoisé, il m'arrivait de fureter ailleurs comme avec une certaine patineuse de fantaisie du nom de Claudette Régnier et une petite blonde nommée Monique Ste-Marie que je retrouvais au parc Belmont. À dix-sept ans, toujours célibataire, je m'épris d'une fille beaucoup plus vieille que moi (vingt-trois ans) du nom de Jeannette Mongeau et je me rappelle comment ma mère m'avait engueulé pour avoir osé sortir avec une fille de cet âge, et qui fumait en plus ! Deux ans plus tard, je me mariais et j'arrête donc la nomenclature ici. Pensez donc, je ne donnerai jamais la chance à ma femme de me dire que j'ai pu lui être infidèle ! Vous qui avez comme moi en mémoire des visages inoubliables, vous êtes-vous seulement demandé ce que sont devenus ces êtres qu'on a pu aimer ? Si vous me lisez, jolies filles de ma jeunesse, auriez-vous l'obligeance de m'écrire, ne serait-ce que pour me dire ce que vous êtes devenues ? La nostalgie m'habite et j'aimerais tellement savoir où vous êtes, ce que vous faites. Quels beaux échanges nous pourrions avoir par une courte missive. Quand on revit ses souvenirs, on pense et on espère… que rien n'est tout à fait mort !

## *À l'aube de la froidure…*

Il y a belle lurette qu'il n'y a plus de feuilles aux arbres et que les écureuils ont enterré leurs provisions pour l'hiver. Il y a déjà longtemps que le parasol sommeille dans la remise et que les bancs publics demeurent vacants. Hé oui ! c'est l'hiver qui vient, cette saison toujours plus longue que les autres quoique de même durée. Les jours sont courts, les nuits sont longues, et nous, derrière nos fenêtres, nous regardons cette nature nous faire la grimace, sachant fort bien qu'il nous faudra compter les mois avant de se retrouver dans la balançoire du jardin. Que faire ? Se terrer telles des marmottes ? profiter du plein air ? lire ou dormir ? prendre « son mal » en patience ? mourir pour mieux renaître ? Que d'hypothèses saugrenues quant on est bien au chaud et que la santé nous habite de la tête aux pieds ! Ce n'est certes pas gai un hiver pour ceux qui n'en font rien, mais ce n'est guère tragique quand on l'empoigne de ses mains. Non, je ne suis pas un skieur, non, je n'aime pas le traîneau et je suis comme plusieurs à la merci du froid et des intempéries. Je me console par contre, conscient que j'ai à portée de la main tout ce qu'il faut pour hiberner en toute quiétude. Ne sommes-nous pas munis d'un chauffage adéquat ? d'un manteau ? de l'électricité ? N'avons-nous pas la télévision ? de la lecture plein la maison et un frigo bien garni ? De quoi se plaint-on finalement, quand nos ancêtres avaient à combattre le froid. Dans de tels moments, quand s'amène la plus givrée des saisons de Vivaldi, je me dis : « Heureux que je suis, quand je pense à tous ces démunis ! » Oui, je me le répète, non en guise de consolation, mais avec un sentiment de sympathie duquel je ne peux me détacher. Pendant qu'on est là à se plaindre le ventre plein, comme on dit, d'autres se battent courageusement contre la famine, la pauvreté et le froid qui les glace dans leur chaumière de bois. L'essentiel de la survie inexistant, ils sont des milliers à lutter pour le tiers de notre confort. Pour eux, même l'eau chaude est denrée rare et nous sommes à nous dire « sale hiver » devant le doux secours de notre grosse cafetière. Nous avons le moral bas de ne pas être à Miami sans penser un instant à tous ces malades qui longent les corridors des hôpitaux, en proie à la tristesse de leurs durs ennuis. On a le moral à terre parce que c'est l'hiver ? Dieu qu'ils ont du courage ceux qui, d'un lit aussi blanc que la neige, rêvent d'une nuit de sommeil sans douleur, accrochés au seul espoir de jours meilleurs. Dans d'autres instituts, des enfants se meurent lentement et nous plaignons les nôtres d'avoir les joues trop rouges à construire un bonhomme de neige. Nous osons à peine mettre un pied dehors, pourtant bien chaussés et le pas très alerte, pendant que de vieilles personnes restent recluses de peur de se briser les os sur des trottoirs glissants. On se plaint déjà, un verre de vin à la main, pendant que des malades sourient, accrochés à des sacs de sérum. On lésine sur le choix de « sa dinde » et de pauvres hères crèvent de faim dans la misère d'un taudis de parcours. C'est en visionnant ces images que j'ai compris que notre sort était enviable et que notre hiver allait s'avérer aussi doux qu'un mois d'août. Dès lors, j'ai cessé de me plaindre, de maudire le froid, de haïr cette saison qui vient, parce que j'ai compris que j'étais l'un des privilégiés du genre humain. Qu'il vienne cet hiver que je ne vois plus du même œil. Qu'il s'amène avec tous ses menus problèmes que je vaincrai sans mérite… dans le seul espoir qu'il en soit ainsi, pour les défavorisés de la vie !

## *Le rêve n'a point d'âge...*

Comme ils sont beaux les soirs de ce dernier mois de l'hiver où l'on peut s'asseoir près du feu et penser, songer... pour ne pas dire rêver. On dirait parfois qu'on a peur de s'avouer qu'on rêve encore, comme si ce merveilleux néant n'était permis qu'aux enfants. Puisqu'on a fini par comprendre que l'amour n'avait pas d'âge, pourquoi faudrait-il s'en défendre face au rêve ? Moi, je dis que le jour où l'on ne rêve plus, c'est qu'on a atteint la sagesse, mot que je redoute même s'il se veut très positif pour certains. J'avais douze ans, je rêvais, j'avais vingt ans, je rêvais aussi, j'avais trente et un ans, je rêvais encore et voilà... que je rêve de plus belle ! À quoi ? À qui ? Les rêves ont-ils besoin de visages ? Ne dit-on pas que rêver, c'est être dans les vapeurs entre l'irréel et le précis ? Non, moi quand je rêve, je m'évade tout simplement de la réalité, du quotidien, du tangible et je me dirige à tâtons vers ce que la main n'atteint jamais. Rêver, pour moi, c'est aussi une grande musique inhabituelle, un livre datant d'un siècle défunt, un poème jauni par les ans, une jeunesse à jamais évanouie, un présent que je voudrais différent de celui que je vis... et un avenir auquel je n'ose même pas rêver de peur de sombrer dans un abîme désenchanteur. Ah, si tout ce que j'imagine prenait forme, ah ! si seulement tout ce que je peins avec le pourpre de mon cœur s'étalait à la vue de tous, comme il serait merveilleux le rêve qu'on pourrait enfin palper d'un index maladroit. Il faut rêver sans cesse, croyez-moi. Ne laissez jamais cette flamme qui vacille au fond de vos pensées s'éteindre brusquement. Ce serait abdiquer devant le plus bel espoir d'un bonheur parfois impossible. Il est évident qu'on n'obtient pas toujours ce que l'on désire, mais faut-il s'y attendre quand l'âme fait ses pas de deux sur le nuage des songes ? On dit que l'impossible peut s'avérer possible et j'y crois. Les rêves ne sont pas toujours au-dessus des lois et se transforment parfois en de très douces réalités. Heureux êtres que ceux qui peuvent vivre, ne serait-ce qu'un instant, une telle transition. Heureux moment que celui qu'on imaginait et qui prend vie. C'est comme si toutes les danseuses des toiles de Degas se mettaient à faire des pointes alors qu'on les voit sans cesse inanimées. C'est comme si j'avais aujourd'hui douze ou treize ans et qu'un homme passait sa main dans mes cheveux blonds de jadis… en guise de geste paternel jamais ressenti. C'est comme si à vingt ans, j'avais pu sourire au regard doux qui me quémandait une tendresse et pleurer devant l'autre qui mimait sa tristesse. C'est comme si certains tête-à-tête étaient sans fin, que la chandelle n'arrive jamais au bout de sa cire et qu'on n'en soit jamais au « bonsoir et à demain ». N'est-ce pas à partir de là que se construit le rêve qui meurt avant de prendre vie ? Pour d'autres, c'est le voyage qui se fait rêve. On se voit déjà, deux corps au soleil, loin de tout, près d'être bien et de ne plus avoir à calculer le temps. On s'imagine sous le froid d'un ailleurs où il ferait plus chaud que dans son piètre état d'esprit. Il ne faut pas se leurrer, on rêve bien souvent… parce qu'on aime ! On rêve aussi parce qu'on aime souffrir, s'octroyer de douces blessures et les panser d'un nocturne de Chopin. On rêve parfois parce qu'on est seul et que le songe est le plus doux compagnon de notre tour d'ivoire. N'a-t-on pas dit que les rêves étaient les clés pour sortir de nous-mêmes ? On se sert de soi pour entrer dans l'autre, celui qu'on voudrait être, celui à qui l'on voudrait prêter sa vie, l'espace d'une nostalgie. Non, le rêve n'a point d'âge. Cheveux blonds, cheveux gris, cheveux blancs, il vous sera toujours permis, ce doux enchantement. Ce monde moderne où le rêve se vend à travers l'évolution n'a-t-il pas pour but premier de nous garder la tête en bonne santé ? Évidemment qu'on ne rêve pas tous de la même façon et que pendant que Lise rêve au son d'un violon, Pierre rêve de deux ou trois millions. Les couples séparés rêvent d'un autre amour et les jouvencelles, d'un prince charmant. Moi, comme plusieurs sans doute, je rêve constamment de sentiments. Un tout petit rien venant du cœur ne vaut-il pas parfois les richesses d'un palais ? Heureux amants, mal aimés du moment, rêvons, c'est l'heure. Non, il n'y a point d'âge pour le rêve et Jean Cocteau n'avait-il pas raison de dire à madame Maurois : « Plus je vieillis, plus je vois que ce qui ne s'évanouit pas, ce sont les rêves ! » Paix à ses cendres, puisqu'il est mort m'a-t-on dit… en rêvant tel un enfant !

# Avec la vie…

## *Dans l'temps du jour de l'An…*

Vieille rengaine que nous chantait La Bolduc et qui m'incite encore à vous décrire que tout ce qui est possible doit se lever sous l'égide du positivisme. Eh oui ! on tourne la page et l'on replace sur son mur un autre calendrier. Tel un joyeux poupon, ne vient-il pas nous suggérer que le bonheur ne se construit qu'au prix de son bon vouloir ? Il est donc inutile de faire le bilan de l'année qui vient de disparaître puisqu'on ne peut rien y changer. Nous avons tous eu des joies et des peines, des petites misères et de bonnes fortunes. Qu'importe le total si l'on ne fait la division que de ses joies. Là, c'est autre chose et c'est à neuf qu'on repart encore plus armé, parce qu'on a un an d'expérience de plus à son crédit. À la merci du destin ? Pas toujours… si on sait lui faire gentiment la cour. Moi, en ce premier de l'An, je sais que je vais me lever allègrement et non à mon corps défendant. Je sais qu'il va me falloir recommencer un autre journal intime dans lequel s'aligneront d'autres pensées, d'autres réflexions et sans doute un autre mode de vie. Je m'arrête ici sur ce point, car vous ayant dit qu'il ne fallait pas revenir sur ce qui s'éteint, je ne voudrais pas non plus présumer quoi que ce soit de ce qui pourrait arriver. C'est donc aujourd'hui qu'il faut vivre entièrement ce jour de l'An. Pas hier, ni demain, mais maintenant. Je suis certain que vous avez tous encore au four une tourtière dont l'odeur vous taquine déjà les narines. Je sens aussi d'ici le bel arôme du repas principal, soit un bon ragoût de boulettes et de pattes ou, peut-être, si vous en avez encore, les timbales d'un restant de dinde. Qu'importe le menu puisque la joie se fête sans prétention, au rythme de nos plus belles traditions. Il y aura sûrement, et pourquoi pas, un bon petit vin blanc pour rehausser les plats et allez-y, buvez à la santé de tous ceux que vous aimez et tant qu'à y être, du monde entier ! Le jour de l'An, c'est aussi le temps de la visite qu'on attend et de celle qu'on n'attend pas. Comme disait ma mère : « C'est le temps des retrouvailles, ne barrez surtout pas la porte ! » Il y a comme ça des gens qu'on ne voit qu'une fois l'an. C'est comme si la coutume voulait qu'ils se manifestent pour vous souhaiter la « Bonne Année », pour ensuite s'effacer pendant les douze prochains mois. À la bonne franquette, comme on disait, il y a toujours une place et une assiette ! Le jour de l'An, c'est le jour où l'espoir devrait inonder le cœur sans interruption pendant vingt-quatre heures. On se doit de tout oublier, de rire, de chanter, de pardonner et surtout d'aimer. S'il n'est pas gai pour tous, ce premier jour qui se lève, c'est à nous de faire en sorte que les sourires fusent sur les visages de plus démunis. Avec un brin d'effort, on peut même oublier ses maladies… quitte à les reprendre demain. L'important, c'est qu'on soit encore là et bien en vie. Les tracas ? les soucis ? les chagrins ? pouah !… on les enterre pour aujourd'hui ! Gardons au cœur l'espérance et vivons ce jour dans la plus candide insouciance. Ne parlons de rien d'autre que du bien et laissons la musique nous guider sur le chemin de la gaieté. Est-il possible qu'on puisse agir de la sorte un jour ? Sûrement !… si vous laissez à la porte le moindre de vos petits tourments. Si l'on se lève avec le bonheur, on ne peut faire autrement que de s'endormir dans la joie. Demain ?… advienne que pourra, mais aujourd'hui, en ce premier janvier, si on se donne la main et si l'on s'embrasse, La Bolduc aura vu des cieux sa chanson… laisser enfin sa trace !

## *Reprendre son souffle...*

Cloué sur un lit d'hôpital, sérum dans le bras, prises de sang, investigations de la tête aux pieds, injections, diagnostic incertain... et l'on se croit fini. On se dit: «Ça y est, c'est à mon tour d'y passer» et l'on s'imagine être victime de la pire des maladies. D'un médecin à l'autre on questionne, on veut savoir et on va jusqu'à leur dire: «Ne me cachez rien»... quand il n'est question parfois que de reprendre son souffle. J'ai déjà vécu de ces moments et j'en ai vu plusieurs les vivre encore plus nerveusement. Comme si le corps humain n'avait pas le droit parfois d'appliquer les freins. Quand votre voiture ne fonctionne pas à votre goût, qu'elle est fatiguée par un dur hiver, hésitez-vous à l'entrer au garage pour une vérification ? Il en est de même pour nous et Dieu merci nous avons tous, un jour ou l'autre, ce que j'appelle «l'avertissement». On se croit immuable parce qu'on n'a eu qu'un rhume depuis dix ans. On ne s'imagine pas un instant qu'après tant d'hivers on ait besoin aussi d'une bonne mise au point. Non, pas moi, se dit-on, je n'ai jamais été malade. Bien sûr qu'on ne l'a jamais été avant de l'être, mais c'est là qu'il faut remettre sa santé en question et faire le bilan de ses énergies. A-t-on encore le plein d'énergie ? Peut-on répéter sans cesse la journée de la veille sans jamais subir de blocage ? C'est comme si vous demandiez à un coureur de marathon de faire son quarante kilomètres et de recommencer sans même reprendre son souffle. Le corps humain a ses capacités et ses limites, mais ça, personne ne veut l'admettre. Avouer qu'on n'a plus la force d'il y a dix ans est trop humiliant, allons ! On s'en défend bien et l'on continue comme si nous avions toujours la verdeur de nos vingt ans. C'est absurde, mais c'est ainsi que l'orgueil mène le bal. L'abcès finit par crever, le feu rouge s'allume et l'on est tout surpris de se retrouver sur une civière. Si l'on avait seulement la modestie d'admettre qu'on s'use avec le temps, ce dernier n'aurait pas à nous le rappeler aussi radicalement. Reprendre son souffle ne veut pas dire tout arrêter, au contraire. Reprendre son souffle veut dire analyser sa force et ses capacités et fonctionner désormais au gré de sa carcasse réparée. Moi, à vingt ans, je traversais la rivière à la nage et aujourd'hui, j'ai peine à faire une longueur de piscine… et je ne crains pas de le dire. À vingt ans, je pouvais sortir tous les soirs jusqu'aux petites heures et aujourd'hui, je bâille après dix heures. Devrais-je tenter les mêmes prouesses dans le seul but de me prouver quelque chose ? Prouver quoi ? Que je n'en suis plus capable ? Non, je préfère de beaucoup l'admettre honnêtement et laisser ces bravades à ceux qui me succèdent. Quand on a l'intelligence de s'arrêter à temps, de réduire ses tâches et ses activités, de se remettre sur pieds pendant qu'il en est encore temps, on peut dès lors reprendre son souffle et faire un autre bon bout de chemin, mais différemment cette fois. Personne n'a besoin d'une « médaille de bravoure »… six pieds sous terre. Quand un feu rouge s'allume, sachez vous arrêter et découvrez ce qu'il vous reste de force. À ce moment, vous en ferez un peu moins, mais le rendement sera à la hauteur de vos moyens. Le reste du parcours sera ainsi plus doux, plus bénéfique et plus rentable pour ceux qui misent encore sur vous. « Il est mort, sueurs au front ! » dira-t-on. « Comme un fou ! » aurais-je envie d'ajouter pour n'avoir su reprendre son souffle alors qu'il était encore debout. C'est quand on y pense à temps, que l'espoir nourrit encore nos ambitions !

## *La vie commence à...*

On entend souvent dire que la vie commence à quarante ans, quand ce n'est pas à cinquante, et c'est l'espoir qui s'installe au cœur de ceux qui renaissent de cette façon. Pour moi, la vie commence dès qu'on sort du ventre de sa mère et, comme le prônait un psychologue, elle se poursuit de façon différente tous les dix ans. C'est toujours la même vie qui suit son cheminement, mais les « moi, j'ai commencé à vivre à... » ou « je me suis senti renaître à... » viennent tout simplement du fait que c'est à un certain moment que l'individu trouve « sa raison de vivre ». Dès qu'on passe à travers une grosse difficulté, dès qu'on trouve sa voie sur le plan professionnel, il est sûr qu'on s'écrie que la vie vient de commencer. Pourtant, c'est tout au plus un autre tournant que l'on prend, une autre allée de son existence. C'est la lumière qui s'allume, le déclic qui se fait et chaque cas a son âge bien particulier pour prôner sa renaissance. J'ai entendu dire par certains que leur vie avait commencé à vingt ans tandis qu'un autre me disait : « Moi, j'ai commencé à vivre à soixante ans ! » Pour ce dernier, c'est très tardivement qu'il a trouvé sa véritable raison de vivre tandis que l'autre a eu la chance de découvrir ses valeurs au seuil de la vingtaine. Ce qu'il faut comprendre, c'est que la vie n'est jamais la même d'une décennie à l'autre. Il est certain que l'être humain ne se comporte plus à quarante ans comme il le faisait à trente et que le septuagénaire sourira en revivant de mémoire ses quarante ans. Au troisième âge, on les trouve bien jeunes les gens de quarante ans et ceux de la quarantaine se diront avec plaisir qu'à vingt ans... on n'est encore qu'un enfant. À chaque génération, ses plaisirs et ses aspirations. Vingt ans, c'est pour moi l'âge du rêve et des projets. Dans la trentaine, c'est la recherche de son idéal et la grande remise en question d'un chemin pas trop facile à suivre. C'est l'âge des changements, des défis, de la découverte. À quarante ans, c'est le temps de se mettre à l'œuvre, de peindre sa vie et non plus d'en faire une esquisse. C'est la décennie la plus forte de la vie, les années les plus solides de l'être humain selon certaines études et le don de soi pour atteindre ses objectifs. À cinquante ? Il paraît que c'est la poursuite de son idéal, la maîtrise de ses capacités et la certitude de savoir qui l'on est et ce dont on est capable. Ce n'est plus l'âge des grands défis mais celui de la concrétisation de son talent. Après ? C'est la sagesse, la réduction de ses tâches, la paisible sérénité et le départ de cette troisième route fleurie d'un bonheur calme et bénéfique. C'est vivre pour soi, pour son bonheur en se remémorant les dures années de labeur. La vie commence à… ? Non, c'est toujours la même qui se poursuit avec escales, changements de rames et de chaloupes. Moi, ma vie commence chaque matin dès que je me lève au gré de la génération que je traverse. Je sais que c'est toujours la même vie que depuis que je suis tout petit… mais j'ai eu comme vous l'impression d'une nouvelle vie chaque fois que je me sentais heureux. C'est sans doute ce qui nous fait passer du plus joli rêve… à la douce réalité !

## *Et si le cœur se donnait… ?*

Non, voilà ce qu'il ne faut surtout pas faire en ce jour de la Saint-Valentin. Le donner serait le perdre à tout jamais sans savoir si nous n'en aurons pas besoin pour quelqu'un d'autre un jour. La coutume bien établie veut que l'on « prête » son cœur à la personne de son choix et qu'on lui laisse savoir par ce geste qu'il ou qu'elle en est l'heureux élu. Le gentil Cupidon ne vous a-t-il pas avisé par des flèches lancées de tous côtés que vous aviez plus d'une cible à atteindre dans l'ardeur de vos amours ? Loin de moi de vous donner l'envie d'être frivole, surtout si une seule personne est la douce perdrix de vos sentiments. Ce que je veux dire, c'est que le cœur qu'on a peut facilement se diviser en plusieurs parties qu'on peut souffler sur les êtres qui nous sont chers. Pourriez-vous, madame, donner en ce jour votre cœur tout entier à votre mari sans en garder quelques morceaux pour votre père et vos enfants ? Certes, non ! Le but de la Saint-Valentin est de répandre dans le cœur des autres tout ce qui émane du vôtre et, n'en doutez point, il est grand ce cœur que nous avons en nous. Assez grand, dirais-je, pour qu'une douce grand-maman, une amie, un confident, un frère ou une sœur en reçoive une juste part. On pense bien souvent que tout ce branle-bas n'est destiné qu'à ceux qui ont vingt ans ou encore aux enfants qui s'échangent entre eux des petits valentins amusants et sans prétention. Non, il n'y a pas d'âge pour ce jeu passionnant qui revient une fois l'an et qui nous enivre de toutes les idées folâtres qui nous passent par la tête. Vous allez sans doute me dire : « Le faites-vous encore à votre âge, monsieur ? » Je vous répondrai : « Bien sûr et encore avec plus de sincérité que lorsque j'avais vingt ans et que j'accompagnais mon valentin d'une boîte de chocolats. » Ce n'est pas parce qu'on voit naître à l'orée de ses tempes quelques cheveux d'argent que de tels plaisirs doivent être finis. L'austère sagesse ne m'a pas encore mis en garde contre cette belle tradition qui remonte au temps de ma jeunesse. J'irai bien sûr trouver quelque part un joli cœur rouge que j'offrirai à la femme que j'aime, et une rose pour la fille qu'elle m'a donnée et qui a pris, elle aussi, une grande partie de cet organe qui bat dans ma poitrine. J'en offrirai même un à mon fils avec tous les sentiments que j'ai pour lui et un autre à sa fiancée que j'aime beaucoup, sachant qu'elle le rend heureux. Un autre de couleur encore plus vive ira à ma vieille maman et ce sera sans doute, quoi qu'on en dise, le plus tendre en tant que mots que je pourrai y déverser. J'ai aussi des amis que j'aime et qui recevront, sous d'autres formes, les marques d'affection qu'ils m'inspirent. Une rose ? Un sachet parfumé ? Peut-être… mais avant tout, des mots que seul un cœur heureux peut inventer. Prêter son cœur, c'est le diviser en mille pièces et, ne craignez rien, ceux qui en recueilleront les miettes seront peut-être les mieux nourris de ma tendresse. Cette fête qui existe depuis je ne sais combien de temps persiste et pour cause. C'est la seule journée de l'année où l'on peut vraiment dire à quelqu'un d'autre : « C'est à ton tour de te laisser parler d'amour ! » Si dire « je t'aime » est parfois gênant, l'écrire devient si palpitant qu'on ne risque guère de friser le ridicule. Si vous croyez que c'est passé de mode, c'est que le romantisme a fait place à la banalité dans votre cœur. Allons, soyez vous-mêmes et ne vous sentez pas si grands. Ne sommes-nous pas toujours d'éternels enfants ?

## *Vivre en dépit de...*

De quoi, me demanderez-vous ? De la crise économique vous répondrai-je ! Je ne sais pas si vous pensez comme moi, mais cette fameuse crise économique finira par prendre l'aspect d'une coqueluche, si on continue de la répandre comme un virus mortel. Je veux bien croire que les temps sont durs, que nous sommes en pleine récession et que les emplois ne courent pas les rues, mais il ne faut pas s'arrêter de vivre pour autant et attendre qu'un miracle universel se produise. Le pire, c'est que ce ne sont pas ceux qui en sont affectés mais les bien portants qui craignent le plus un naufrage... mettant ainsi un frein dévastateur au progrès de l'économie. Bien sûr qu'on doit se serrer la ceinture, mais ne l'a-t-on pas toujours fait ? Je me souviens vous avoir déjà dit d'être prudent pour votre propre bien-être et non par flair de cette crise qui venait. Depuis qu'on l'a proclamée officielle, la crise économique a tout chambardé... et à tel point, que certaines personnes en abusent à leur avantage. Les riches s'arrangent pour prendre les pauvres à la gorge et leur acheter leurs maisons pour des « peanuts » ! Les gens d'affaires font de bonnes affaires et le plus petit voit tout son avoir partir en miettes avec la peur de ne jamais plus retrouver son petit compte de banque rassurant. Avez-vous jamais pensé que vous avez toujours vécu comme si nous étions en crise pour parvenir à mettre un peu de sécurité de côté ? N'avez-vous pas fait au cours de votre vie de multiples sacrifices pour en arriver à être confortables ? Faut-il que l'influence des médias soit forte pour que, soudain, on prenne peur à ce point quand on a toujours eu fondamentalement peur des lendemains. Il est devenu pénible de voir des gens qui n'ont jamais manqué de rien se mettre à gratter au cas où... Ces gens ont pourtant le même travail, le même salaire, sinon plus, et ce n'est sûrement pas l'échelle des augmentations qui leur fait craindre le pire à ce point. Se « serrer la ceinture », ça ne veut pas dire prendre panique et ne plus vivre. On doit bien sûr vivre intelligemment et couper un peu sur ses petits plaisirs, mais de là à tous devenir plus pingres qu'un Séraphin Poudrier il y a un monde. Une dame pas encore affectée par « la crise » me disait qu'elle avait réussi à tenir quinze jours sur un marché d'épicerie d'une semaine. Une autre a vendu son chalet parce que l'autoroute à péage était rendue à 0,50 $, mais elle ne se prive pas pour autant d'un repas à 80 $ tous les samedis dans un chic restaurant. La juste mesure, c'est quoi finalement. Je suis d'accord avec les coupures, je suis le premier à en faire... mais intelligemment. Par contre, je ne m'empêche pas de vivre pour autant et ce n'est pas parce que les films sont passés de 4,50 $ à 5,75 $ dans les cinémas que je vais me priver de ce bon plaisir de façon radicale. Si tous et chacun analysaient le bons sens de leur train de vie, je suis certain que le commerce ne s'en ressentirait pas pour autant et qu'ils vivraient dans une quiétude et un confort à la mesure de leur pouvoir. On n'a pas le droit de faire « des folies » dit-on. Moi, je dirais qu'on n'a jamais eu ce droit, même il y a vingt ans. Si seulement nous avions été plus conscients de nos besoins avant... nous n'en serions pas à blâmer une crise actuellement. La crise est devenue la poubelle de nos pauvres excuses tout simplement. Vivez donc comme vous auriez toujours dû vivre et vous verrez que la crise n'est pas une maladie, mais le plus bel examen de conscience qu'il nous est possible de faire !

## *Dans mon temps…*

Comme je me sens vieux d'avoir écrit ce titre qui n'est pourtant pas si loin derrière moi. Moi, qui ne pensais jamais avoir à l'écrire, me voilà presque à regretter qu'il ne soit plus là ! Dans mon temps… c'était l'époque où les filles en crinoline s'appuyaient tendrement au bras des garçons en rêvant d'avoir un mari et des enfants. On se mariait très jeune en ces années cinquante. Dès l'âge (très adulte) de dix-neuf ou vingt ans, nous osions, avec un salaire de 45 $ à 50 $ par semaine, franchir le pas d'un long bail, sans penser un instant que le risque était grand. Nous n'imaginions pas que ça allait être difficile parce que nous n'étions pas exigeants et qu'un rien pouvait satisfaire cette vie envisagée avec les yeux du cœur et non ceux de la finance. Bien souvent, un enfant arrivait comme ça, à l'improviste, au gré de la volonté du bon Dieu. Bien sûr que ce n'était pas facile, mais la joie était si grande qu'il n'y avait pas place pour la déception. Dans mon temps… c'était un petit logement avec un balcon arrière et un autre en avant. C'était le pâté chinois (sans vin ni digestif) et les petits pots de bébé. C'était la balade du dimanche au Jardin botanique, ou le tour de la ville confortablement assis dans un autobus. C'était le cinéma une fois par semaine et un Saint-Hubert B.B.Q. une fois de temps en temps. Les robes de madame ne se comptaient pas à la douzaine et mes habits (un ou deux) étaient achetés à crédit au coût de 4 $ par mois. Une maison ? Aucun jeune couple n'osait y penser et une auto était le plus grand des luxes. On payait ses dettes cependant et on s'enrichissait graduellement avec de petites économies à raison de 20 $ par mois quand nous étions assez chanceux pour ne pas avoir à défrayer de maladies. S'arrachant parfois les cheveux, bûchant pour arriver à payer le loyer, nous n'en perdions pas pour autant le sourire, parce que dans mon temps… on prenait le temps de s'aimer. C'est d'ailleurs dans la force de ce verbe qu'on puisait tout le courage qu'il nous fallait pour ne pas nous alarmer. Les Noëls étaient plus discrets, les jouets moins nombreux… et je n'ai jamais vu mes enfants malheureux. Quelques chansons à son oreille, un conte pour l'endormir et ma petite trouvait le plus doux des sommeils. Dans mon temps… c'était beau, parce que ma femme et moi prenions le temps de rêver à tout ce qui pourrait un jour nous arriver. Pour le meilleur et pour le pire, se disait-on le jour des noces ? Comme nous le respections ce pacte ! Le pire est passé et comme tous les couples de ces années, nous voici maintenant « installés » dans un bien-être mérité. Rien n'est tombé du ciel… et ce statut, on l'a gagné à la sueur du front de nos plus belles années. Et ces enfants devenus grands ? Ne sont-ils pas notre plus grande richesse ? Oui, je le regrette ce temps, parce que tout était plus simple, plus vrai et finalement plus grand. À l'été de ma vie, je revivrais ce printemps avec tout ce qu'il a comporté sans n'y rien changer. Et en dépit de l'ère nouvelle, je persiste à dire qu'il est possible pour les jeunes couples d'aujourd'hui de vivre aussi de très beaux jours… s'ils ont dans le cœur autant de vouloir et d'amour. Qui sait si dans vingt ans ils ne s'écrieront pas à leur tour : « Tu sais, moi dans mon temps… » C'est encore avec des grains de sable qu'on érige sa montagne… quand on ne fait pas du moindre souci, le plus grand des drames !

## *Le monde vu du ciel…*

Drôle de titre pour un billet, direz-vous, et avec raison puisqu'on pourrait croire que j'ai voulu composer une chanson. Ce que je veux dire cependant est bien simple et je vous assure que personne n'osera dire que j'ai tout à fait tort. Je vous annonçais la semaine dernière que je revenais d'un long voyage en Californie et je ne reviendrai pas sur le sujet. Ce qui m'amène à vous parler de ce titre abstrait, c'est qu'il m'a été donné de faire une franche analyse du monde dans lequel je vivais… alors que j'étais à bord de ce gros avion, entre ciel et terre. Quand on voit le monde du ciel, la dimension n'est plus la même et l'importance qu'on accorde à ce que l'on croit grand devient en réalité banalité. Là où je l'ai entièrement réalisé, c'est lors du retour quand nous étions à quinze minutes de la piste d'atterrissage de Dorval. Il faisait encore jour et, de mon hublot, je me suis mis à regarder de très haut la carte géographique qui se dessinait sous mes yeux. Plus j'approchais de la terre, plus je voyais un monde miniature prendre vie. On aurait dit à certains moments une maquette pour un projet futur d'environnement quelconque. Nous descendions et je voyais, peu à peu, les autos qui bougeaient comme les petites autos qu'on achète aux enfants. Je me disais : « Dire que, dans chaque voiture, il y a des êtres qui s'en retournent à la maison avec leurs joies, leurs peines… » Je me sentais tellement au-dessus de tout cela que j'ai eu peur un instant de ne plus appartenir au monde des vivants. Entre ciel et terre, la vie n'est plus la même puisque nous sommes des corps en orbite qui doivent se concentrer vraiment pour se sentir encore de la race des humains. C'est là d'ailleurs que le cœur entre en jeu pour que s'ouvrent nos yeux. Tant de fourmis dont nous faisons partie et l'on a presque le goût de ne plus se poser tellement ça nous semble insensé. On vient de quitter un continent où des milliers d'êtres humains se côtoyaient sans se connaître, on a fait presque le tour du globe et voilà qu'on se pose sur un sol encore peuplé de milliers de piétons. Qui sommes-nous donc finalement et que venons-nous faire parmi ces milliers de personnes ? Il m'a été possible de sortir de cette grave analyse quand j'ai réalisé que « mon monde, mon univers » était beaucoup plus grand que tout ce que je voyais du ciel. Ce qui importe finalement, c'est le pourquoi de notre retour sur terre. Meublé de trois ou quatre cœurs qui battent pour nous ou ne serait-ce que d'un seul, déjà, c'est l'infini qui nous attend. Je voyais les gens à l'aéroport qui, dédaignant la foule, cherchaient des yeux un ou deux êtres qui les attendaient avec amour. Finalement, le monde de chacun est très minime et immense à la fois. J'ai compris qu'il suffisait de peu de gens pour qu'en nous habite un peuple. J'ai aussi compris que tout ce qui était important sur terre était ce qui nous entourait de très près. Qu'importe les millions de fourmis dont je parlais, si une seule cigale chante votre retour. Quand on voit le monde du ciel, il faut vite se fermer les yeux et ne voir dans sa tête que les seuls êtres qui nous tiennent à cœur et pour lesquels… il fait bon revenir sur terre !

# *Mourir quand on doit vivre...*

Un jeune homme de vingt-deux ans est retrouvé pendu dans le garage de son père. Pas de lettre, pas d'adieu. Il était sans emploi, paraît-il, et, en proie au découragement le plus total, il a tout simplement décidé d'en finir. Quelques jours plus tard, dans une autre ville, une très belle fille de bonne famille âgée de vingt ans s'enlève à son tour la vie en s'asphyxiant au gaz. Dans son journal intime, on peut lire qu'elle ne blâme pas ses parents qui ont tout fait pour elle, mais qu'étant à la recherche de la perfection et ne pouvant la trouver, elle a préféré disparaître de la carte des vivants. Au même moment ou presque, une adolescente de dix-huit ans avale un flacon de sédatifs et part pour l'au-delà parce que son petit ami l'a quittée. Un fils de millionnaire, âgé de vingt-cinq ans, se tire une balle en plein front à Paris... parce que sa vie est sans but pour lui. La liste pourrait s'allonger jusqu'à demain si je n'arrêtais pas ici la nomenclature de ces suicides déplorables. Que c'est triste ! Comme c'est dommage de mourir ainsi. Au seuil de leur vie, ces jeunes sautent le pas pendant que des vieillards s'accrochent désespérément à leur dernier souffle après avoir pourtant souffert de sacrifices et de privations. Les jeunes n'ont plus peur de la mort. Est-ce faire preuve de courage ? Ils ont cependant peur de la vie... et c'est peut-être là faire preuve de lâcheté. Se peut-il que des jeunes, au printemps de leur existence, choisissent bêtement d'y mettre un frein à la moindre contrariété ? Se peut-il qu'au moment où la Providence leur tend une main, ils se servent de l'autre pour ne plus avoir à combattre ? La vague de suicides chez les jeunes fait-elle partie du progrès d'une société ? Dieu ait leur âme… mais que peut-on faire pour sauver de ce triste sort tous ceux qui croient peut-être que la fin facilite les moyens. À vingt ans, c'est le berceau de la vie adulte et les premiers bourgeons des déceptions de la vie. Si nous, vos aînés, avons pu y faire face et traverser ce périple de peine et de misère, vous le pouvez aussi, jeunes d'aujourd'hui. Si, au lieu de déposer les armes à la moindre défaillance, vous releviez la tête avec la conviction que Dieu vient en aide à tous ceux qui le prient, il n'y aurait plus de si jeunes tombeaux dans les cimetières. La vie a toujours été et sera toujours un combat de chaque jour. Chacun de nous a ses heures sombres et des lendemains qui viennent tout arranger. Ce qu'il faut, c'est ne pas désespérer et se dire que le temps, qui est le plus grand des maîtres, arrangera tout. Que c'est triste pour ceux qui restent de voir de si jeunes combattants partir en plein champ de bataille. Qui d'entre nous n'a pas eu au moins une fois dans sa vie une bonne raison de vouloir en finir ? Nous sommes pourtant tous là ou presque… à nous remémorer ces jours mesquins et fiers de constater que le courage est venu à bout des pire défaites. C'est à se battre avec la vie qu'on devient des hommes et à en abdiquer qu'on devient des cadavres. Si seulement tous ces jeunes se tournaient vers Dieu dans leur désespoir, je suis certain qu'aucun d'entre eux n'aurait la folle envie d'ouvrir un flacon. De rose ou de noir, voilà comment s'habille la vie et, entre ces deux teintes, c'est de vert, la couleur de l'espoir, que doit se parer le cœur. Allez, jeunes qui nous suivez, cessez ce massacre de vos vingt ans et vivez ! Vivez pour que demain vous puissiez sourire de vos plus noirs propos. Plus tard, qui sait si, comme tous les vieillards, vous n'aurez pas vous aussi une hantise de la mort. C'est quand on a beaucoup souffert dit-on… qu'on craint le plus l'enfer !

# *Des Pâques fleuries…*

Le temps peut bien passer vite avec un hiver aussi rigoureux que celui qui vient de s'éteindre. C'est comme si nous en étions réduits à ne vivre que six beaux mois par année. Imaginez comme l'âge change de chiffre rapidement à ce rythme ! De toutes les fêtes solennelles de l'année, le dimanche de Pâques a toujours obtenu ma faveur… et pour cause ! Non seulement, c'est la résurrection du Christ que l'on célèbre, mais aussi la renaissance de la nature et de tout ce qui, soudain, nous rend optimiste. Les arbres sont en fleurs, les jardins prennent vie, la joie illumine les visages, les oiseaux sont enclins à nous émerveiller de leur chant… et le chocolat nous redonne l'énergie nécessaire à tout entreprendre avec un « ouf » de soulagement, quand on pense qu'il y a à peine un mois… Les toilettes d'autrefois, dont se paraient les dames en ce beau dimanche, ne sont plus de rigueur, les chapeaux de paille ne sont plus nécessaires pour la messe du matin, mais l'euphorie reste la même. Tout comme la marmotte, on se montre le bout du nez et on ne craint plus la récidive du froid et des intempéries. On respire enfin cet air qu'on a souhaité et le petit Jésus du 25 décembre, déjà devenu homme et crucifié, ressuscite en nos cœurs tel un élan d'espoir. Comme il est bon d'avoir la foi, de croire en tout ce que l'Évangile nous enseigne depuis que le monde est monde, quand le décor s'ajoute à nos convictions. Bien peu de gens hélas, honorent le carême, trop peu respectent encore la semaine sainte qui précède la réjouissance, mais ce dimanche, personne ne voudrait le vivre dans l'indifférence. On a le goût de revivre encore plus intensément, justement parce que le Christ, par son heureux retour à la vie, nous y invite et nous le suggère fortement. En un dimanche comme celui-ci, même les malades et les démunis de la vie retrouvent la force de vaincre et d'être de la fête. C'est comme si le miracle de jadis se répétait pour allumer en nous ce goût de vivre et de partager, avec tous, cette paix intérieure que nous ressentons avec ferveur. Les églises, tout comme les parterres, sont fleuris de lilas, de lys, de roses et de mimosas. On doit d'abord penser au culte de la résurrection du Seigneur, imbiber nos cœurs de cette image à jamais ancrée en nous et prier pour que les premières heures de la journée s'avèrent le prélude des joies nouvelles. Par la suite, il nous est suggéré de festoyer, de visiter la parenté, de se retrouver ensemble et de jouir sainement des plus beaux moments de cette précieuse journée. Le jambon est encore à l'honneur, les souhaits sont émis directement du cœur et l'on s'embrasse avec confiance et amour au nom de la féerie de ce jour. Pâques, c'est finalement ce que nous en faisons, ce que nous y trouvons et quelles que soient les raisons qui nous font nous lever du bon pied, le cliché doit demeurer aussi jeune et vrai qu'il l'a toujours été. Certains ont gardé la tradition de peindre les œufs de teintes vives, d'autres adoptent encore des poussins qui deviendront poules… et moi, je me contente d'absorber des yeux toute la magie de ces belles stratégies. Comment allons-nous le passer, ce dimanche ? Dans la joie qu'on retrouve dans les yeux des enfants ? Dans un parc à mûrir sérieusement le bel été qui va suivre ? Dans un foyer du troisième âge à combler de douceurs un père ou une mère ? Dans un hôpital à encourager au bonheur de la vie un patient cloué sur un lit ? Ce qui importe, c'est le partage, et le Christ s'en veut le plus beau gage.

## *Déjà vingt-cinq ans…*

Déjà vingt-cinq ans… et voilà qu'ils sont rassemblés devant vous, ceux qui vous aiment parce que vous avez si bien su les aimer. Est-ce avec une larme de joie ou de regret qu'on traverse ce jour de ses noces d'argent ? Sans doute les deux à la fois puisque toutes ces années vous ont donné tant d'émois qu'il vous a fallu avec le temps un parapluie pour vous abriter des larmes de chagrin ou de joie. Ce qui compte cependant et ce qui est remarquable, c'est de voir qu'après ce long cheminement, vous êtes là tous les deux, encore ensemble, encore heureux. A-t-il été long le parcours de ces jeunes mariés d'hier ? Sans doute pas puisque je suis sûr qu'ils vous répondraient qu'ils n'ont pas vu le temps passer. C'est sans doute avec une certaine nostalgie qu'ils se souviennent de ce beau jour où ils se passaient tous deux l'anneau au doigt. C'est aussi avec une infinie tendresse qu'ils se revoient avec leur premier enfant sur les genoux, et le second qui n'allait pas tarder à arriver. Ah ! ces jeunes parents d'hier, comme ils sont vite devenus de grandes personnes. Oui, parce qu'ils ont appris au fur et à mesure des ans à s'oublier pour ne penser qu'à leurs enfants, à mettre même l'amour au second plan pour ouvrir plus largement leurs bras à ceux qui s'y blottissaient pour y trouver quiétude et sécurité. Que de sacrifices imposés, que d'énergie déployée et le pire, c'est que vingt-cinq ans plus tard, on ne s'en souvient pas. On ne cherche même pas à faire le bilan de ses efforts, parce que le plus beau cadeau, c'est encore de voir dans les yeux de ceux qu'ils ont aimés, ce flot d'amour qui leur est aujourd'hui rendu. Déjà vingt-cinq ans… et comme il est vrai que le dur labeur ne nous tient pas rigueur. Vous êtes-vous regardé dans un miroir ? N'êtes-vous pas plus beau en ce jour que celui de votre entrée dans une vie à deux ? Allons !… quelques petites rides ? la naissance de quelques cheveux gris ? Et puis ? Ces doux changements ne sont-ils pas les archives d'un valeureux passé ? Prendre de l'âge avec autant de beauté, c'est un privilège, surtout quand ils sont tous là, réunis autour de vous, ceux à qui vous devez ce très beau quart de siècle. Oui, ils sont là, bien souvent sans rien dire, juste là à vous regarder, à vous sourire, à vous embrasser. Si vous saviez par contre, tout ce que leurs cœurs ont à vous dire. Si seulement vous pouviez saisir dans la prunelle de leurs yeux, tous ces mots d'amour qu'ils n'osent vous avouer de peur de vous faire pleurer d'émotion. Non, ils se taisent pour que votre sourire soit encore plus évident, pour que votre main, dans celle de votre conjoint, soit encore plus ferme. Ils se taisent pour que vous puissiez vous dire tout comme autrefois « je t'aime ». Ils sont même prêts à s'effacer pour que ce jour ne soit qu'à vous et que vous puissiez en revivre la trame sur les sillons de vos plus doux souvenirs. Déjà vingt-cinq ans… et il est à vous, ce jour, entièrement à vous. Bien sûr qu'on vous fête, bien sûr qu'on s'allie à votre bonheur et pour sûr qu'on pleurera en se jetant dans vos bras. Mais la fête terminée, alors que tous reprendront le chemin de leur nid d'amour, vous regagnerez le vôtre en vous regardant dans les yeux, émus, confus, ne sachant trop que dire. Le silence tout comme autrefois deviendra le cachet qui scellera encore une fois, et à tout jamais, le parchemin de votre amour. Vingt-cinq ans déjà… et vous avez réussi la plus importante partie de votre vie. L'autre versant qui vient ne saura qu'être doux pour que dans vingt-cinq ans, main dans la main, cheveux plus blancs, vous puissiez vous murmurer tendrement « Dis donc… déjà cinquante ans ! »

## *Avec le temps…*

Hier soir, je parlais à un ami qui venait de subir, il y a quelques jours, une intervention chirurgicale et qui semblait angoissé par la triste image que lui reflétait son miroir. Je lui ai dit : « Tu te sens mieux qu'hier, non ? » Ce à quoi il répondit : « Pour ça, oui, mais je me sens encore très faible et je me demande combien ça va prendre de temps… » Le temps ! voilà le facteur important de tout ce qui nous arrive dans la vie. Si seulement on se le donnait ce fameux temps ! La réaction de mon ami était normale, j'en conviens, mais il avait oublié déjà qu'il venait de passer le pire et qu'il se dirigeait maintenant vers le meilleur. Sur une table d'opération, on remet sa vie entre les mains de la science. S'en sortir vivant est déjà un précieux cadeau qu'on oublie trop souvent. On sait que le malaise est dissipé et qu'il ne nous reste plus qu'à attendre le rétablissement complet de notre petite personne. Quand on est sauvé, réchappé… et même rapiécé, c'est déjà un grand pas de fait puisque nous avons les yeux bien ouverts sur la vie et qu'on peut voir de sa chambre les premiers bourgeons éclore au printemps. Si la patience est une vertu, c'est là qu'elle devrait être mise en pratique. Et cet ami, ce malade passager… oubliait, en se penchant sur sa douleur, celle de tous ceux qui luttent avec un mince filet d'espoir. Quand je relis tous ces cas vécus, je me dis que le courage est un mot auquel nous devons croire. Ces gens qui luttent contre un cancer et qui se battent avec le temps feraient rougir de honte ceux qui n'ont qu'à l'emprunter pour être de nouveau en forme. Et pourtant ce sont les plus gravement atteints qui font le plus confiance au destin. Une dame très sérieusement atteinte m'avait dit lors d'une entrevue : « Monsieur, tant qu'il y a de la vie, il y a de l'espoir. » J'ai appris qu'elle était morte en s'accrochant encore à cette noble pensée. Quelle dignité ! Le moment était venu sans pour autant… qu'elle se laisse aller en déposant l'armure de son courage. Et que dire de tous ces handicapés qui ont réappris à vivre avec le temps qui ne sera jamais plus le même pour eux ? Parfois, on se dit comme ça : « J'sais pas ce que je ferais à leur place » et s'il fallait que nous l'occupions, cette place, je suis assuré que notre ligne de pensée rejoindrait exactement la leur. Nous miserions tout comme eux sur le temps pour nous sortir de cette impasse. Nous prierions, nous en serions aussi à espérer le miracle. L'homme est ainsi fait qu'il prétend préférer mourir plutôt que de souffrir… pour immédiatement s'accrocher à la vie dès la moindre petite crise du foie. On a peur, on ne veut plus et ce qu'on avait dit en pleine santé n'a plus de sens en état de maladie. J'ai été le premier à prêcher sur ce ton et il m'aura fallu, à un certain moment, une première opération pour me rendre compte à quel point je tenais à la vie. Que vous soyez dans un hôpital, dans un centre pour convalescents ou tout simplement à la maison, sachez que le temps viendra à bout de vos désagréments. Que vous ayez vingt ou quatre-vingts ans, que votre cas soit banal ou très grave, laissez le temps se charger de votre destinée. La seule façon de l'aider cependant, c'est de croire en soi et d'avoir la force et le courage de l'admettre. C'est dès lors que le vaincu fait place au vainqueur. Quand on veut, on peut. Mon ami ira encore mieux demain et, dans quelques mois, il aura oublié cet épisode. Se rappellera-t-il seulement… que tout s'est arrangé avec le temps ?

## *Être mère…*

Les citations des poètes ont toujours été fort élogieuses à l'égard des mères. Il ne m'a jamais été donné de lire quoi que ce soit de négatif sur le rôle d'une mère et pour cause. Être mère, c'est faire le don le plus complet de soi. Dès qu'une femme met un enfant au monde, elle consacre sa vie au bonheur de ce petit être qu'elle vient d'enfanter. Elle ne vit plus en fonction d'elle, elle respire dès lors pour ce petit auquel elle a donné la vie. Son cœur se partage, son dévouement grandit et sa fierté se retrouve dans le sourire de cet enfant qu'elle a porté avec amour et qu'elle suivra des yeux jusqu'à la fin de ses jours. Les mères d'antan avaient bien du mérite à élever sept, huit ou douze enfants. Elles n'avaient que deux mains, mais leur cœur pouvait aisément se partager en dix pour que chacun en ait sa juste part. Elles sacrifiaient la liberté de toute une vie pour que ceux qui la regardent avec tendresse puissent lui dire de temps en temps, « merci, maman ! » Les temps ont changé et les jeunes mamans d'aujourd'hui n'ont plus de telles progénitures, mais leur mérite n'en est pas moins grand. Être mère, en un siècle où tant de raisons incitent à ne plus l'être… c'est le plus beau geste d'amour qui soit. Cette ère de la femme moderne prive encore plus de tous ses droits une mère qui n'a pas pour seule vocation que celle d'élever des enfants. Les mamans d'aujourd'hui travaillent à l'extérieur, contribuent au pain quotidien et reviennent le soir, pantelantes, reprendre ce rôle que personne d'autre ne peut tenir à leur place. Jadis, les mères avaient les bras bien lourds à porter tous ces petits qui s'y accrochaient, mais leurs journées entières s'écoulaient auprès d'eux, sans que rien vienne entraver cet élan du cœur. La mère d'aujourd'hui se voit obligée d'être séparée de son enfant pour boucler les fins de mois, et c'est faire preuve de beaucoup de courage que d'allier les deux emplois du temps. Un enfant qui pleure la nuit, c'est sa mère qu'il réclame. Un enfant fiévreux, c'est la main de sa mère qu'il désire sur son front. On a beau dire que les hommes mettent aussi la main à la pâte, mais la nature veut et voudra toujours que l'enfant qui sommeille ne soit heureux que sur le sein de sa mère. Les temps modernes et l'émancipation ne réussiront jamais à couper ce cordon ombilical qui relie l'enfant à sa mère. Un enfant ne naît pas avec en lui, les ingrédients d'une évolution. Il vient au monde de la même façon que nous venions jadis, avec cet instinct bien naturel qui le porte vers sa mère. Et que dire de ces femmes qui, seules à élever leurs enfants, remplissent beaucoup plus que deux rôles à la fois ? Quel mérite et quelle force… et comme je les admire d'avoir autant de cœur. Être mère, c'est un bien dur labeur parfois, mais combien grande est la récompense quand les enfants devenus grands vous font savoir qu'un tel dévouement ne s'oublie pas. Combien merveilleuse est la rançon quand les fleurs s'amènent en guise d'affection. Les mains sont peut-être gercées, mais le cœur n'a aucune ride parce qu'un cœur ne vieillit pas… à tant donner. Mamans d'autrefois, mamans d'aujourd'hui, soyez toutes bénies. Que ce jour qu'on a créé pour vous parsème vos heures de cette gratitude qui vous est due. Oh ! me diront certaines, « on ne donne pas pour recevoir »… et je le sais, mais sachez que ces gestes de tendresse qui émanent de vos enfants ne sont pas des remises. En leur donnant la vie, vous leur avez aussi donné votre cœur, avec ce même amour… qu'ils vous rendent en ce jour !

## *La joie de se prolonger…*

C'est incroyable, mais même si tous les couples semblent avoir peur de vieillir, ou plutôt de prendre de l'âge, c'est comme s'ils prenaient un « coup de jeune » lorsqu'ils ont la joie d'être grands-parents pour la première fois. Est-ce la magnifique sensation de voir cette prolongation de soi-même à travers ce petit être qui naît ? C'est un peu ce que le comédien Gérard Poirier me disait lors d'une entrevue, alors que sa fille venait tout juste de le rendre grand-père. Plus près de moi, un directeur des ventes m'annonçait avec une joie immense le plaisir qu'il avait éprouvé à serrer tout récemment dans ses bras, son premier petit-enfant. Son épouse, tout aussi heureuse, m'écrivait même pour me remercier du billet que j'avais écrit sur les grands-mamans. J'avoue être surpris de cet enchantement quand, pour moi qui n'ai pas encore « cet honneur » d'être grand-père, il est synonyme de troisième âge ou presque. Je suis pourtant assez bon psychologue à mes heures et fort compréhensif face aux faits de la vie, mais se peut-il que la joie soit si grande qu'on finisse par s'oublier en vertu de ces petits êtres qui naissent afin de poursuivre notre lignée ? L'un de mes frères, âgé d'à peine un an de plus que moi, est déjà grand-père trois fois et ça ne semble le déranger nullement, sauf qu'il ne s'était pas rendu compte (cela dit en riant) qu'il couchait maintenant avec une grand-mère ! D'un autre côté, là où je ne suis pas très bien ce doux manège, c'est lorsque vient le temps où l'enfant prononce ses premiers mots. J'ai vu plus d'une grand-maman refuser ce titre de la bouche de leurs petits-enfants et préférer être appelées « mamie » ou tout simplement par leur prénom. Pourquoi, leur ai-je demandé ? « C'est que ça fait moins vieux que grand-maman », me répondit l'une d'elles. Et pourtant, cette dame d'à peine cinquante ans était folle de joie il y a deux ans de crier sur tous les toits qu'elle était « grand-mère » ! La coquetterie revient-elle à la surface dès que l'euphorie s'estompe ? J'avoue qu'il n'est plus tellement de mise d'appeler sa grand-mère « mémère », comme ma propre mère l'a désiré il y a une trentaine d'années. Pour mes enfants, il y avait « mémère » d'un bord et « grand-mère » de l'autre. C'était la même chose pour les paternels, il va sans dire. Moi, je l'avoue sans gêne, j'ai des enfants assez vieux pour me coiffer de ce titre. Il est vrai qu'à se marier à vingt ans, on devient éligible en peu de temps. Fort heureusement, ils sont tous deux encore à l'université et ne songent nullement à fonder une famille pour l'instant. Vous dire que j'ai hâte d'être grand-père serait sûrement vous mentir. Non, ça ne me tente pas plus que ça et ce n'est pas parce que je n'aime pas les enfants. J'aurai sans doute la joie qu'éprouvent tous les grands-parents qui passent par là, mais je sais qu'en même temps, j'entre dans la décennie où ce sera à notre tour de nous laisser parler d'amour autour d'un gâteau de noces d'or. Je n'ai rien contre le fait de prendre de l'âge. Y pouvons-nous quelque chose ? Par contre, je ne me meurs pas d'envie d'être grand-père et il me semble que tant que je ne suis que « père »... je sauve du temps sur le temps. Illusion sans doute, mais laissez-la moi, je ne suis pas parfait, je vous l'ai dit déjà, et le second tournant de la vie ne m'attire pas particulièrement. Je changerai sans doute d'idée quand l'un de mes enfants déposera un beau petit bébé entre mes bras, mais d'ici là, laissez-moi ce qu'il me reste de ma jeunesse. Une chose cependant, quand ce jour arrivera, je vous jure que je ne refuserai pas qu'on m'appelle grand-papa !

## *Chacun son tour…*

J'entendais dernièrement un père de famille s'écrier en parlant de son fils : « Qu'il fasse comme moi et qu'il se débrouille. Moi, à son âge, je gagnais 20 $ par semaine et j'avais une pension à payer, et j'ai passé à travers tout ça sans broncher. Un homme, c'est comme ça que ça se forme… » Je regrette, monsieur, mais si vous avez mis des enfants au monde pour qu'ils mangent la même m… que vous, vous êtes indigne d'être père et en plein le genre d'homme qui avait besoin d'un souffre-douleur pour y déverser son ressentiment. Je vous avoue avoir été révolté d'une telle attitude. Je suis moi-même père de deux grands enfants et je ne les ai pas voulus pour qu'ils « mangent la même misère » que moi comme on dit. Est-ce possible de penser ainsi ? Ne veut-on pas pour ses enfants tout ce qu'on n'a pas eu, et plus encore ? Ne veut-on pas qu'ils évitent les trous noirs dans lesquels on a posé parfois les deux pieds. Le malheur doit-il être héréditaire ? Je n'ose le croire, mais à entendre parler certains parents, car ce monsieur n'est pas seul à penser ainsi, on dirait que les adultes de demain doivent être formés à la dure école de ceux qui n'ont pu faire mieux. Moi, monsieur, parce que c'est surtout à vous que je parle, je n'ai pas fait des enfants pour qu'ils aient tous mes soucis et mes maux de dents. Je n'ai pas fait des enfants pour qu'ils aient à gratter le fond de leur poche pour un « cinq cennes » si je peux leur éviter cette angoisse. Je n'ai pas fait des enfants pour qu'ils passent des années dans un collège avec des sœurs grises, à manger de la soupane avec une croûte dessus. Non, monsieur, moi j'ai fait des enfants pour qu'ils soient heureux et j'ai vu à leur éviter tout ce que j'ai pu et qui m'est tombé dessus alors que j'avais leur âge. Je ne les ai pas gâtés « pourris » pour autant, croyez-moi, je ne les ai qu'aimés en leur prodiguant tout ce que la vie m'a fait gagner pour eux. Premièrement, j'ai deux enfants et non six ou huit comme c'était la mode autrefois. Déjà, le partage est moins grand et les parents n'ont pas à les envoyer sur le marché du travail à quinze ans pour rapporter « une pension » à la maison. Nous, monsieur, on se mariait jeunes dans le temps parce qu'on n'avait pas d'autre choix. Nous étions trop nombreux sous le même toit. De nos jours, ils ont cette liberté de demeurer plus longtemps avec nous, d'avoir moins de soucis financiers, donc moins d'anxiété face à la vie. Ils étudient plus longtemps que nous avons pu le faire et finissent par faire leur vie tout comme nous avec les mêmes responsabilités, mais sans doute pas le même ressentiment. Bien sûr que mes enfants ont eu une plus belle adolescence que moi. Bien sûr qu'ils n'ont pas eu à travailler à quinze ans pour s'acheter un vêtement… et c'est exactement ce que j'ai voulu. Si vous saviez la fierté que j'éprouve à savoir que « j'ai réussi » à leur éviter de précoces angoisses. C'est comme si je célébrais ma propre réussite en tant que père, parce que ce terme ne veut pas simplement dire « procréer » ! Si l'on désire ses enfants plus beaux que soi, comment peut-on d'un autre côté souhaiter qu'ils traversent le même chemin ? Autres temps, autres mœurs, non ? Moi, je sais que mon père en a arraché plus que moi et mes enfants savent très bien que j'en ai arraché plus qu'eux pour défricher mon sentier. Ils le savent si bien que je ressens toute leur gratitude face à ce que je fais pour eux. Un jour, ces enfants ne sont plus des enfants et ne vous en faites pas, ils se souviennent. Chacun son tour ?…. d'être plus heureux, oui… sans pour autant s'entrer les mêmes échardes dans les pieds !

## *Donner… pour sauver !*

On entend parfois un enfant dire : « Je guérirai si quelqu'un me donne un rein », pendant qu'un brave père de famille attend, en priant, le cœur qu'on pourra lui greffer et qu'un aveugle n'attend qu'un œil pour recouvrer ce sens que la vie lui a ravi. Pendant ce temps, on entend d'autre part : « Moi, mon père, il est mort avec tous ses morceaux ! » C'est bien beau… mais il est mort quand même et rien ne le ramènera à la vie. Avez-vous songé à tout ce que pourrait faire la science, si l'on pensait un peu plus à faire don de ses organes au lieu de les emporter sous terre. Je me disais : « Comment se fait-il qu'avec tous ces accidents de la route, il n'y ait pas plus de donneurs ? » Je me suis fait répondre : « Je pense, monsieur, qu'on n'a pas assez réclamé des vivants, c'est là, la lacune. » Est-il possible que l'on puisse songer un seul instant à emporter avec soi, dans le feu d'un incinérateur, ce qui pourrait sauver la vie d'un enfant ? Il faut, paraît-il, inscrire sur notre permis de conduire, l'organe dont on veut faire don pour qu'il soit prélevé. C'est inconcevable et je pense qu'avec un peu de jugement, on pourrait créer un organisme qui pourrait voir de plus près à ces dons… pour la plupart jamais recueillis. Si j'avais à mourir demain, pensez-vous que je ne serais pas heureux de savoir qu'on a prélevé un rein, un poumon ou que sais-je encore sur ma carcasse pour illuminer la joie de vivre de quelqu'un qui reste ? Mort, je suis mort et rien ne me ranimera. Pourquoi devrais-je partir dans l'au-delà en habit du dimanche ? Je lis chaque semaine dans *Le Lundi*, des cas vécus qui n'attendent que ce don des autres pour jouir enfin d'un peu de bonheur sur terre. Ils sont des milliers à attendre que le destin les favorise d'une telle offrande et nous n'en savons presque rien. Je ne nous traite pas d'égoïstes, loin de là, car j'étais le premier à ignorer cet ultime recours auquel s'accrochent des êtres en détresse. Je ne savais pas que « tant de vivants » se fiaient sur « les morts » pour regarder l'avenir avec un sourire. On peut, me dit-on, mais je n'en suis pas sûr, s'adresser aux hôpitaux pour faire don de ses membres en cas de mort tragique. On peut aussi donner son corps à l'université et faire part de ses dernières volontés. On peut beaucoup de choses finalement, mais la plupart des êtres bien portants veulent être enterrés en grande pompe sans le moindre prélèvement. On a peur de la mutilation, de la profanation et pourtant, morts, que valons-nous sinon le pouvoir de redonner l'espoir et la vie à quelqu'un d'autre ? Donner pour sauver, peut-il y avoir plus belle forme d'altruisme ? Savoir que mon cœur bat dans le corps d'une jeune maman. Savoir que mon rein a remis sur pied ce pauvre père depuis des années alité. Savoir que mes yeux reverront dans l'orbite d'un autre ? Non, je n'en saurai rien puisque je ne serai plus là, mais le savoir de mon vivant, c'est déjà savoir que je pourrai me prolonger dans l'existence d'un être humain qui aura, à son tour, sa part de bonheur. L'information pour les dons d'organes devrait se faire par la télévision, par des conférences, par des médias. Je suis assuré que la plupart des gens n'hésiteraient pas à donner pour sauver, advenant un accident subit. On nous demande beaucoup d'argent pour les téléthons, mais a-t-on déjà seulement fait un marathon pour une telle cause ? Donner quelque chose de soi ne coûte rien et le cœur est plus souvent accessible que la bourse quand on le touche. Moi, quand je mourrai, je ne veux rien emporter qui vaille encore. Que d'autres en profitent, ne serait-ce que pour amoindrir leur peine. C'est peut-être là notre Ciel, finalement !

## *Pitié pour ces enfants…*

Je suis encore en état de choc et ce que je viens de lire me révolte au plus haut point. Je me refuse à croire que dans une société dite évoluée, des bébés naissants soient devenus des jouets qu'on achète et qu'on retourne « à la marchande » avec un genre de mention « marchandise défectueuse ». Je m'explique. Un couple des États-Unis, brimé dans le fait de ne pas avoir d'enfant, a eu recours à une mère prêteuse de son corps pour en fabriquer un avec le sperme de « monsieur ». Jusqu'ici, vous me direz que c'est un fait établi et accepté par la loi et vous aurez raison même si je condamne cette formule nouvelle de mode de procréation. Toujours est-il que la maman-objet avait accepté, pour la somme de 10 000 $, de porter l'enfant qu'elle remettrait au couple qui l'attendait pour le chérir. Elle avait grand besoin d'argent, paraît-il. Dernièrement, à terme et à temps, la jeune femme accoucha d'un petit garçon que la science déclara malade, atteint selon les médecins de légère débilité mentale. Le scénario qui suit est inhumain. Le couple en question refuse carrément de prendre cet enfant. Ils ont commandé un bébé en santé selon eux et non un « petit monstre » défectueux. La mère porteuse se retrouve donc aux prises avec cet enfant qu'elle ne veut pas, prétextant qu'elle n'avait que conclu le marché et qu'elle n'avait en aucun temps ressenti le moindre élan maternel tout au long de sa grossesse. Le fait s'étend jusque devant les tribunaux. Les « acheteurs » ont gain de cause et ne sont pas obligés de payer la mère. La mère a aussi gain de cause n'étant que le « moule commercial » à fabriquer l'enfant et on lui demande de signer des papiers de renoncement à cet enfant... avant de le foutre le plus simplement du monde dans une institution spécialisée. C'est aberrant, immonde et je ne trouve pas de mots assez vils pour qualifier ces actes et encore moins la société qui les approuve. Imaginez ! Parce qu'il n'est pas en santé, on le rejette, on n'en veut pas, tout comme s'il s'agissait d'un mobilier mal rembourré qu'on retourne au magasin du coin. C'est pourtant d'un enfant dont il s'agit, d'un être humain avec de la vie, un avenir, un droit d'être. A-t-il demandé cet enfant d'être le produit fini d'un tel complot ? Est-ce de sa faute s'il n'est pas de premier ordre ? Est-ce humain de le rejeter ainsi comme un toutou mécanique dont la pile ferait défaut ? C'est ignoble et cette situation devrait faire réfléchir grandement les dirigeants d'une société devenue infecte à ce point. J'ai toujours été contre ce procédé. Il a fallu que ce rejet se produise pour que j'en sois davantage dégoûté. Une femme qui reçoit le sperme d'un inconnu et qui porte « son bébé » ne le fait que pour l'appât du gain. Et qui dit que la dame du monsieur accueillera avec amour cet enfant auquel elle n'a en rien contribué ? Peut-on accepter avec instinct maternel un enfant conçu avec une partie du mari et l'autre d'une inconnue ? Pourra-t-elle sentir vibrer son cœur quand l'enfant ressemblera à cette mère empruntée ? Des enfants préfabriqués de la sorte peuvent devenir les petites victimes de toutes les déceptions possibles. On n'a pas le droit de jouer ainsi avec la vie. On n'a pas le droit de « marchander » ainsi la vie et je trouve l'époque du marché noir des enfants, qu'on a condamnée, moins révoltante que celle-ci. De par le monde, des milliers d'enfants créés dans l'amour de la main de Dieu crèvent de faim. Ils n'attendent qu'une mère pour les aimer. De grâce, pitié pour ces bébés qu'on achète d'avance et qui risquent de finir sans foyer, sans amour. J'en suis encore dégoûté ! Se fait-on faire des chiens sur commande ?

## *Dis donc, papa…*

Savais-tu que, sans toi, je ne serais pas l'être que je suis aujourd'hui. Savais-tu aussi que tu avais droit à mes pensées affectueuses tout comme maman, le mois dernier ? On dirait que, parce que tu es un homme, il devient plus gênant de te dire que je t'aime, de t'avouer que tu es très important à mes yeux et d'ajouter que tu me rends chaque jour au comble de la joie. C'est pas normal, disent certains, de parler à son père avec des mots qu'on emprunte aux poètes. Et pourquoi donc ? leur dirais-je. Je n'irai pas jusqu'à t'acheter des fleurs, tu ne saurais en prendre soin. Mais les mots… ceux de mon cœur, je suis certain que tu pourras les cultiver avec l'essence de ta grande tendresse. Pendant que mère s'affairait pour m'apporter le bien-être, ne t'en fais pas, papa, je sais bien que c'est toi qui veillais à ma sécurité. Tu m'as toujours appris à rendre à César ce qui lui appartenait… c'est donc à toi que je rends cet hommage qui te revient de droit. Dis donc papa, tu n'as pas été hésitant à me dire que tu m'aimais quand j'étais enfant ? Pourquoi donc le serais-je maintenant que j'ai à te le dire ? Je te dois beaucoup et même si tous tes gestes sont gratuits, je te remercie vivement d'avoir été là quand j'avais besoin de toi. Dans l'ombre de maman, il y avait toujours enfoui dans ton regard, l'affection et les sentiments dont je me souviens encore. Merci papa, merci mille fois d'être l'homme que tu es. J'ai été comblé par ta présence, sois-le de ma reconnaissance. C'est la fête des pères, chers lecteurs, voilà les mots qu'il faut leur dire avec le cœur. Ce sont exactement ceux que je lui dirais tendrement… si seulement mon père était encore vivant !

## *Le Dieu de tous les hommes...*

On m'écrivait dernièrement pour me demander ce que je pensais des différentes religions, de celle à laquelle j'appartenais, ce que je pensais de l'Église en général, bref, on me demandait mon avis sur tout ce qui s'appelle croyance de nos jours et où l'on pouvait retrouver Dieu dans tout ça. Je n'ai rien d'un curé et n'ai suivi aucun cours en théologie, mais je peux vous affirmer qu'à mon humble avis, Dieu se trouve dans toutes les religions quel que soit le nom qu'on lui donne. Moi, je suis catholique, chère madame, un catholique qui a été baptisé et confirmé dans notre sainte Église et qui a gardé sa foi et ses convictions en la Vierge Marie tout comme à saint Joseph, au Sacré-Cœur, à saint Pierre, à Bernadette Soubirous, etc. Je suis de ce qu'on appelle « la vieille école » et j'y reste, parce que cette foi me sert bien et que je n'ai besoin de rien d'autre pour m'affirmer, me bien conduire et gagner mon ciel à la fin de mes jours. Le Dieu des hommes, il est partout selon la Bible et l'on peut aussi bien le trouver chez les mormons, les témoins de Jéhovah, les bouddhistes, etc. Toutes ces religions ont le même but, celui de prôner l'existence d'un être suprême, qu'on appelle Jésus, Mahomet, Bouddha, qu'on voit sous forme d'un soleil, d'une colombe ou d'un sentiment d'être soi-même Dieu puisqu'il nous habite. Catholique, protestant ou orthodoxe, ça n'a vraiment pas d'importance. Ce qui importe, c'est de croire qu'il y a au-dessus de nous quelque chose de très fort, une espèce de mystère qui nous envahit et qui guide notre âme vers de hautes aspirations. Mettre tout ça en doute, ce n'est pas un péché, puisque dans le doute, on finit toujours par trouver une part de vérité. Ce qui est triste, c'est de ne plus croire en rien et se retrouver athée, sans but, sans promesse, risquant de trouver la vie absurde, étant certain que tout se termine six pieds sous terre. Je ne les condamne pas, je les plains ceux qui n'ont plus la foi, car sans prières, sans espoir, sans lumière, on perd toute forme de courage. Donc, jusqu'ici, toutes les religions se valent, mais là où je ne suis pas d'accord, c'est quand le fait de croire rend certaines gens plus catholiques que le pape, plus prêcheurs que Moïse. Qui trop embrasse mal étreint et dans la religion, le dicton a sa place. Je regarde toutes ces émissions américaines où des prédicateurs « plus riches que Crésus » viennent bourrer le crâne des braves gens et ça me révolte. Je vois la femme du supposé pasteur maquillée comme une vedette et habillée comme une poule de luxe, et je me demande comment on peut encore prier avec eux sans pouffer de rire. La même chose s'applique ici quand on vient sonner chez moi le dimanche pour me « vendre » une religion ou une autre. Il y a un bon Dieu partout, certes, mais pas au point qu'on s'en serve pour en faire un trafic de miracles. Les Églises de scientologie, les mouvements charismatiques, les témoins de ci, de ça, c'est trop à la fin et à s'y laisser prendre, on risque d'y perdre son équilibre. J'ai vu des gens si croyants soudainement… qu'il a fallu les désintoxiquer pour les remettre en santé. Le Dieu des hommes ne devrait pas être pris comme une drogue à doses massives. Ce n'est pas en devenant des « illuminés » qu'on verra « la lumière » ! Qu'on se contente d'être bon, d'être honnête, de faire sa religion à l'intérieur de soi-même, d'être pratiquant si le cœur est de la partie, de s'agenouiller parfois pour les autres, de vivre et laisser vivre, et je vous assure que le bon Dieu ne vous en demande pas plus pour vous ouvrir… la porte des cieux !

## *Un sac d'école, une pomme et un chemin…*

Ce tout petit bonhomme, cette toute petite bonne femme, c'est la première fois qu'ils empruntent le chemin des écoliers ? Je ne sais pas pourquoi, mais ce qui devrait réjouir les parents les rend tristes. Je me souviens des premiers pas de mes enfants vers l'école, et aussi fier pouvais-je l'être, j'avais l'impression de les perdre un peu. Je me souviens de ma petite Sylvie qui fréquentait l'école primaire à deux pas de chez moi. Je la regardais de la fenêtre et je la voyais adossée au mur de la cour de récréation, seule, triste à faire pleurer, comme si nous l'avions, ma femme et moi, incarcérée. Il s'en est suffi de peu pour que je descende la chercher pour la serrer entre mes bras en lui disant que son cauchemar était fini. Mais c'eut été là une bien grave erreur. L'apprentissage de la vie, c'est d'abord et avant tout à l'école qu'il commence. C'est là que l'enfant devient autonome, qu'il apprend de lui-même, sans se fier sur ses parents, les lois et édits de la vie. C'est là qu'il prouve enfin ce qu'il sait faire, ce qu'on ne lui permet pas toujours à la maison. Je me souviens de certains jours de septembre où je voyais les enfants pleurer, crier de rage, accrochés à la robe de leur mère pour ne pas franchir la « fameuse muraille » de la cour d'école. Il n'y a pas si longtemps, ce problème existait encore et je suis certain que, malgré l'évolution, il est fort possible de voir ces scènes déchirantes se répéter encore cette année. Le danger est cependant moins probable qu'auparavant parce que, de nos jours, les enfants apprennent très jeunes à quitter leur mère. Comme les couples doivent tous deux travailler, ils sont dès leur naissance ou presque, placés en garderie et c'est là, au milieu d'autres enfants, qu'ils grandissent, apprenant très tôt que le nid familial s'étend au-delà de la maison qui les abrite le soir. De plus, ils ont de nos jours ce qu'on appelle la prématernelle, la maternelle et ensuite l'expérience scolaire proprement dite. Sac au dos, pomme à la main, c'est allègrement qu'ils empruntent le chemin de l'école, parce qu'ils ont déjà « l'expérience » (hum) de plusieurs préambules scolaires. Il s'en trouve tout de même, des « couvés » comme je les appelle, qui n'ont pas quitté leur mère et qui trouveront la phase difficile. Ce genre de maman qui n'a jamais voulu se départir de son petit est à plaindre, car c'est elle qui souffrira de la dure transition qu'aura à franchir son enfant. Quand j'étais jeune, je ne peux compter les fois où j'ai dû aller courir après mon petit frère Jean qui se sauvait sans cesse de l'école. Ma mère avait tellement gâté son p'tit dernier qu'il n'a jamais voulu subir les lois de mademoiselle Cardinal, pourtant gentille. C'est loin tout ça, mais je parie que, dans certaines familles, ça se passe encore de cette façon. Tout cela pour vous dire que les vacances sont finies et que c'est la rentrée pour tout le monde. Quelques élèves passent en secondaire, d'autres au cégep et d'autres à l'université. Et pendant ce temps, pendant que tourne la roue, c'est aussi la rentrée pour nous, gens du *Lundi*, qui attendions votre retour des vacances. Oui, c'est aussi pour nous le temps de la rentrée comme chaque année avec, en moins… un sac au dos et une pomme dans la main !

## *Quand la passion s'éteint…*

Que ce soit au travail, en amour, dans un ménage ou dans une discipline, quand la passion s'éteint, rien ne peut la réanimer. Pour certaines personnes, cette philosophie est incohérente et pourtant, c'est la plus sage des maximes. Se lever de mauvais pied, prendre le volant de sa voiture en maugréant, rentrer au bureau et s'asseoir derrière son pupitre parce qu'on a un salaire à aller chercher… ça fait pitié ! Pour rien au monde je ne voudrais vivre une telle situation et si tel était le cas, je vous avoue que j'aimerais mieux vomir devant l'édifice plutôt que d'en franchir la porte. On n'a pas le droit de se meurtrir et de meurtrir les autres si plus rien ne nous attire. Il est inadmissible qu'un être humain puisse s'imposer une telle corvée parce qu'il a un loyer à payer. Ces fins de mois, c'est au prix de ses angoisses qu'un jour il devra les débourser. Ce qu'il faut faire, c'est prendre son chapeau et trouver un autre clou où l'accrocher. Moins payant peut-être, mais moins stressant et plus à la hauteur de nos sentiments. Rien n'est la fin du monde et ce qui se passe aujourd'hui dans vos vies n'aura plus d'importance dans un an ou deux. Si vous en souffrez, pourquoi prolonger le mal ? Avez-vous jamais tenté de vous évaluer, de vous dire qu'ailleurs vous pourriez être heureux ? Il vaudrait mieux à ce moment partir sans rien avoir en avant de vous. Une autre porte s'ouvrira bien, tôt ou tard, mais en attendant, vous aurez sauvé votre santé et épargné de votre austère présence des gens qui, eux, se sentent à l'aise dans ce milieu qui vous donne la nausée. S'imposer un sursis ne fait que souffler un vent violent sur l'intempérie. Dans un tel cas, le départ seul est la solution et je ne peux comprendre qu'on hésite, qu'on s'accroche, qu'on insiste. Le même manège s'applique en amour. On dirait qu'il y a des gens qui sont nés pour ne jamais rien comprendre. Je pense qu'il est assez facile de détecter que plus rien ne va, que plus rien n'est comme avant… pour ne pas dire que tout est fini. Une attitude, ça se renifle, ça s'étudie, ça se compare, non ? Ne faites que comparer votre printemps à celui de l'an dernier et voyez si le regard est encore le même, si les élans sont inchangés et si le cœur subit encore les mêmes vertiges. Si l'amour a fait place à l'amitié, si les chansons n'ont plus les mêmes mélodies, on accepte ou on décroche tout simplement. On ne se dit pas que tout va revenir comme avant… quand la bougie est éteinte. Ce qui se voulait grandiose et sans fin vient de subir la loi de l'épilogue. On n'y peut rien et mieux vaut s'incliner que d'insister sur ce qui risque fort de nous blesser davantage. Ce qui pour l'autre était féerique, pour ne pas dire magique, a perdu son essence. Le mea-culpa de la situation nous revient souvent de droit, mais quand la passion s'éteint et qu'on le sait, qu'on en fasse son deuil. Aznavour a chanté « il est trop tard désormais » et il savait sûrement ce qu'il disait. Adamo a renchéri avec « elle est finie notre romance, nous avons joué de malchance ». Que pouvons-nous ajouter aux quatrains de ces refrains ? Sachons être bons perdants dans de tels cas et buvons ensemble… à notre souvenir. J'insiste et je le répète : quand la passion s'éteint, plus rien ne peut la réanimer. Personne ne veut le croire, mais tous ont eu un jour ou l'autre à l'expérimenter. La vie est une longue histoire. Une histoire avec des pages roses, des pages noires… et des pages blanches. Il arrive de ces moments où ne rien écrire se veut un chef-d'œuvre… quand on comprend !

## *Le bien-être des vieillards…*

Il m'a été pénible d'entendre l'autre jour cette réflexion : « Tu penses pas qu'ils sont pas bien les vieux. Ils ont tout à moitié prix. Le cinéma, l'autobus, les voyages, etc., pendant que nous on paye le plein prix. Ils ont pourtant plus d'argent que nous et ça leur coûte rien ou presque pour manger. » Navrant n'est-ce pas ? Cette dame avait sans doute oublié toutes les privations qu'ont eu à subir ces doyens de notre planète et tous les sacrifices qu'ils se sont imposés pour enfin avoir le droit de jouir d'un petit bien-être privilégié. La plupart des gens du troisième âge, chère madame, ont eu à tirer le diable par la queue toute leur vie et vous leur reprochez de jouir un peu des quelques années qu'il leur reste ? Impardonnable ! Si on regarde bien les faits en face, la plupart des gens du troisième âge n'ont que leur pension de vieillesse pour vivre. Comment voulez-vous qu'ils parviennent à nous suivre dans le combat de l'inflation sans cesse grandissant. Les économies, ce n'était guère pour eux en ces années où la femme devait rester à la maison pour élever six ou huit enfants et faire des miracles avec la maigre pitance du pauvre mari. Les gens très à l'aise chez nos aînés est une denrée des plus rare et quand ils le sont, c'est bien souvent qu'ils l'ont toujours été, croyez-moi. On leur accorde des privilèges ? On leur offre des soirées gratuites ? On les fait voyager à prix minime ? Tant mieux ! Comment pourrait-on exiger d'eux qu'ils y mettent le même prix que nous, quand ils n'ont plus les moyens ni la force de gagner leur vie. N'ont-ils pas tout sacrifié pour arriver à mériter ces petites gâteries ? Si ce n'était que de moi, je les installerais dans un palais aux frais du gouvernement, dans le seul but de leur témoigner que c'est à eux que nous devons d'être là. Si les temps sont durs pour nous, imaginez ce qu'ils peuvent être pour eux. Le pire, c'est qu'à l'époque où ils avaient notre âge, ils n'avaient même pas les moyens de se payer le cinéma du coin. La plupart se contentaient du petit appareil de radio, économisant ainsi les quelques sous qui ont permis que nous soyons les gens instruits que nous sommes aujourd'hui. Nous nous plaignons et pourtant, nous avons dans la force de l'âge encore plus de privilèges que nous leur en octroyons à l'hiver de leur vie. De nos jours, la médecine est gratuite et le Bien-être social ne laisse personne crever de faim… ce qui n'était pas le cas dans leur temps. On se plaint des droits qu'ils ont, aussi minimes soient-ils, et on ne se prive pas pour autant d'aller se gaver dans les grands restaurants et arroser le tout des meilleurs crus. Ces braves mamans d'autrefois n'avaient pas de lave-vaisselle, de sécheuses et de laveuses automatiques. C'était le moulin à tordeur et la corde à linge. Elles n'avaient pas un enfant ou deux à chausser pour la rentrée des classes, mais six et parfois dix, au détriment de leurs propres souliers qu'elles faisaient ressemeler. Non, c'est trop ingrat à la fin de même discuter du petit bien-être que leur offre la vie alors qu'elles ont les cheveux gris. Vous n'avez qu'à regarder leurs mains usées par le dur labeur pour avoir honte de dire, madame, que les vieux font une maudite belle vie ! Ils ont passé à travers tout ce que nous passons et en dix fois pire. Est-il possible que des gens puissent leur en vouloir d'avoir enfin de petits bénéfices étatisés ? Si vous êtes de ceux-là, vous avez sans doute oublié qu'un jour vous en serez là à votre tour… à vous faire lapider d'ingratitude par ceux qui vous suivront. C'est la grâce… que je ne vous souhaite pas !

## *Le courage des personnes handicapées…*

Vous me l'accordez cette petite minute que je vous réclame ? Merci bien… je savais qu'on était fait pour s'entendre. Lors d'un récent sondage, nous avons constaté que vous aimiez beaucoup les cas vécus et les témoignages émouvants que nous vous présentons assez régulièrement. Ces cas, des plus saisissants, nous n'allons pas les chercher dans les hôpitaux, loin de là. La plupart du temps, ce sont des gens aux prises avec une affliction qui nous écrivent, qui nous téléphonent pour nous soumettre, à cœur ouvert, une expérience qui pourrait servir d'exemple à ceux qui ont parfois besoin de cette petite dose de courage. C'est sans prétention, et surtout pas en quête de sensations, qu'une personne handicapée offre son combat aux yeux des lecteurs dans le seul but (comme me disait cette dame) d'atteindre ne serait-ce qu'un seul de vos lecteurs à qui ça pourrait servir de stimulant. Ces gens qui veulent s'exposer, nous raconter l'histoire de leur vie, ils viennent à nous parce qu'ils savent que par nous, ils peuvent vous atteindre et semer au fond de vos cœurs cet élan qui leur permet d'être bien dans leur peau. C'est à lire les pensées de ceux qui souffrent qu'on puise la force nécessaire à faire face à ce que nous croyions un problème. À lire ces témoignages, on se trouve bien souvent intimidé d'avoir à se plaindre d'une courbature ou d'un mal de tête. Quand des personnes handicapées nous offrent un sourire, on ne peut que rougir de honte devant « ses petits malaises » sur lesquels on s'apitoie désespérément. Ces pages ne servent pas « d'affiche »... elles ont tout simplement le pouvoir de ressusciter l'espoir dans l'âme de ceux qui se tiennent à l'écart. Le nombre de lettres que nous recevons nous prouve que, chaque fois, la récolte est fructueuse et que le geste a réussi à rendre nombre de personnes plus heureuses. Un paraplégique qui s'accepte, un aveugle qui a réussi à se tailler une place au soleil, un nain qui a appris à vivre dans le monde des grands, une diabétique qui vous offre sa journée, que d'espoir pour sortir de leur torpeur ceux qui n'ont pas raison d'avoir peur. Et pour les autres, ceux qui n'en sont pas atteints, quelle leçon d'amour et de courage. C'est grâce à tous ces appels que nous recevons, à tous ces reportages que nous faisons que le sourire a repris place sur des centaines de visages. Le témoignage constant d'un Claude St-Jean en est la preuve. Un seul cas, et la lutte s'engage par des milliers qui la partagent. Aider les autres vaudra toujours... son pesant d'or !

## *De jour en jour…*

On se dit « je ne m'en remettrai jamais » ou « il n'y a plus rien à faire » pour s'apercevoir qu'avec le temps on finit par passer à travers toutes nos épreuves. Au moment précis d'une déception, d'un ennui, on a tendance à paniquer et à se voir au bout du fil. On perd espoir, on ne croit plus en demain, on s'imagine qu'on écrit la dernière page de son journal intime… et quelques mois plus tard on se replace, on assume son état et on finit non pas par oublier, mais par accepter les fatalités de la vie. Ce qui nous arrive ne nous est pas exclusif… ça arrive aussi à d'autres. Si le soleil brillait chaque jour, peut-être n'aurions-nous pas la force de vaincre les orages et encore moins le courage de faire face à ses déboires lorsqu'ils surgissent. Un accident, la perte d'un être cher, les congédiements, la maladie, les romans d'amour qui s'éteignent, les passions qui s'estompent sont des « downers » dont personne n'est épargné. Chacun son tour, comme dit le dicton, et c'est là que l'expérience entre en cause. Il se trouve toujours quelqu'un sur notre route qui a vu pire et qui nous remonte le moral. Rien n'est mortel pour le vivant… qui veut bien continuer de vivre en dépit de ces ténébreux passages de la vie. Pendant que l'on panse lentement ses blessures, d'autres font face aux intempéries et la roue machiavélique de la malchance s'abat ailleurs. Le plus important, c'est de combattre les inconvénients, de s'agripper à ses forces et de laisser le temps cicatriser la plaie. Tout ce qu'il faut pour vaincre ses épreuves, c'est prendre son courage à deux mains, attendre que la mer agitée de nos idées se calme et s'ouvrir à nouveau à de paisibles lendemains.

## *Si j'ai peur de la mort... ?*

Tiens ! voilà un sujet qui vaut certes un billet, d'autant plus qu'une lectrice me posait directement la question dans une lettre. Je vous avoue qu'étant plus jeune, la mort me faisait peur, la mort des autres surtout, parce que je n'admettais pas qu'on puisse partir aussi vite et aussi bêtement qu'en se noyant ou dans un stupide accident de la route. Je me disais : « Est-ce que ça vaut la peine de vivre si on doit mourir ? » Il m'aura fallu une certaine maturité pour comprendre que c'était inévitable et que chaque pas dans la vie en était un vers la mort. De là, à force de lire, d'étudier le sujet, d'en analyser tous les angles, j'en suis venu à l'accepter comme on accepte un voyage que l'on ferait de force sans en connaître le parcours et encore moins l'issue. Il est évident que je trouve toujours aussi navrant et bête de voir des jeunes partir pour un monde que l'on dit meilleur avant même d'avoir eu droit à un réel passage sur terre. Il est sûr que la mort d'un enfant me fait sérieusement jongler sur le sens de la vie et que je me demande s'il est perdant ou gagnant en partant si tôt. Il est plus que certain que je ne m'explique pas les guerres qui tuent du jour au lendemain des milliers de gens, pas plus que les séismes qui font de multiples victimes. Finalement, ce que je n'accepte pas, ce n'est pas la mort, mais plutôt la façon parfois abrupte dont certaines personnes nous quittent. Si on ne parle que de la mort, de l'événement en lui-même (parce que c'est tout un événement que de partir sans avoir la clé du mystère), là, ça ne me fait pas peur et j'ai réussi à me conditionner face à ma propre mort en me disant le plus naïvement possible...

que j'étais mort avant d'être né ! Mais oui, où étais-je donc pendant qu'on dansait le charleston en 1925 ? Dans le ventre de la terre comme dirait Brel ou quelque part dans le ciel comme dirait ma mère ? J'ai donc accepté ma mort comme celle des autres depuis que j'ai compris que le fait d'être vivant était passager. J'ai vu mon père partir, mon frère partir et j'en verrai sans doute d'autres, à moins que je ne sois le suivant de la famille. Qu'importe le numéro puisque nous devons tous en prendre un ! J'ai vu des amis partir pour l'au-delà et même si je criais de toute mon âme, je ne pourrai jamais entraver la main du destin qui m'en ravira d'autres avant de se saisir de moi. Je ne crains plus la mort et je veux même y faire face un jour avec le même espoir que je ressens face à la vie. Ce qui importe le plus, c'est de vivre intensément pendant qu'on est vivant. Oui, il nous faut vivre sainement, avec joie au cœur, optimisme et confiance, car un jour il nous faudra, comme tous ceux qui nous ont précédés, fermer les yeux sur la vie et se retrouver dans l'éternité des temps. À ce moment, nos enfants seront là pour nous survivre et, après eux, il y aura leurs enfants et la roue tournera inlassablement ravissant, tour à tour, chaque être qui voit le jour. Je vous mentirais si je vous disais que j'ai hâte de mourir. Pas actuellement, parce que je me sens bien et que j'ai tant de choses à faire. Un jour, j'en serai peut-être à attendre avec un sourire cette fin d'une vie bien remplie. Qu'en sais-je ? Non, madame, je n'ai pas peur de la mort parce que je n'ai pas eu peur de la vie. Tout être intelligent devrait l'envisager avec sang-froid parce qu'un jour, elle viendra pour chacun d'entre nous. D'ailleurs, puisqu'on nous dit qu'après, c'est le ciel, quel qu'il soit ce ciel, de quoi pourrais-je avoir peur ? C'est pourquoi je vis tranquillement ma petite vie éternelle !

## *Les animaux abandonnés*

L'autre matin, alors que la tempête faisait rage dehors, un pauvre petit chat miaulait de tout son être sur ma galerie. Je le fis entrer, lui donnai un peu de lait et la petite bête alla vite se réfugier dans la chaleur d'une vieille pantoufle. Ne pouvant le garder à cause d'allergies, je réussis tant bien que mal à le caser chez une amie qui le prit sous sa tutelle. Il est étrange et navrant de constater à quel point les animaux peuvent être abandonnés par des maîtres d'occasion dès qu'arrive le mauvais temps. On s'approprie un petit chien ou un petit chat pour égayer son enfant durant l'été et après, sans pitié, on l'écarte quelque part quand on ne le laisse pas errer en peine dans les champs avoisinants d'un chalet qu'on ferme pour l'hiver. Un préposé de la Société protectrice des animaux m'avouait dernièrement qu'ils recueillaient à la pelle ces animaux qui n'avaient plus de gîte dès que septembre se montrait le bout du nez. Les plus habiles, ceux qu'on ne repère pas, réussissent tant bien que mal à survivre jusqu'à l'hiver en rampant d'une poubelle à l'autre. J'ai vu de mes yeux un chien défoncer mon sac à ordures pour s'emparer de pelures de pommes de terre gelées qu'il croquait à pleines dents. Je tentai de l'approcher pour lui offrir mieux et il se sauva craignant sans doute d'être battu, se sentant en faute. Non, vraiment, c'est impardonnable ! Il faut vraiment ne pas avoir de cœur pour laisser des animaux à un si triste sort. Ils ont faim, ils ont froid et la seule friandise qui les attend, c'est l'os dur et gelé qu'ils trouvent dans un banc de neige. Comme j'ai déjà dit, quelques phrases plus haut, ce que je pensais de ceux qui les abandonnaient, je veux maintenant m'adresser à vous qui les voyez errer sans poser un geste. Si vous n'avez pas le loisir de les recueillir, ayez au moins la bonté de les retenir jusqu'à ce que vous puissiez les confier à la Société protectrice qui leur trouvera sûrement un logis. Ils sont là, par centaines, à chercher encore un endroit où se loger et on les regarde passer… en se disant que le voisin s'en chargera peut-être bien. D'une rue à l'autre, ils espèrent en vain la porte qui s'ouvrira. Bien au chaud dans nos maisons, nous regardons l'hiver de nos fenêtres et nos cœurs deviennent de glace aussi sûrement que les vitres. Les oiseaux qui n'émigrent pas cherchent le morceau de pain que vous leur donniez l'été et le petit écureuil, dans la neige jusqu'au cou, vous regarde à votre table dans l'espoir d'avoir ne serait-ce qu'une arachide. Pénible portrait que celui de cette nature morte, de cet hiver qui s'arrête au seuil de la porte et qui nous empêche hélas de voir… que dehors de petits quadrupèdes crient famine au nez de notre indifférence. Il serait peut-être temps qu'on y pense… !

## *En pleine dénatalité...*

Je lisais dernièrement les statistiques ayant trait à cette fameuse dénatalité que le Québec vit en ce moment et dont personne ne semble s'inquiéter. En l'an 2000, nous serons si peu nombreux, à moins qu'un régiment de réfugiés vienne s'installer parmi nous, qu'on se demande qui travaillera alors pour payer les pensions de vieillesse... que nous n'aurons sans doute plus. Si la solution s'avère à ouvrir les portes de l'immigration, le Québec n'aura jamais été aussi cosmopolite et nos enfants seront les premiers à se plaindre de ne plus se sentir chez eux. Bon, quelle serait donc la solution à ce moment ! II n'est pas facile à régler ce fameux problème de dénatalité, car si j'avais moi aussi vingt ans, je me demande si en un siècle aussi perturbé où l'inflation croît sans cesse, je serais intéressé à fonder « une grosse famille de trois ou quatre enfants » ! Ce qu'il faut analyser et comprendre au départ, c'est que les jeunes couples d'aujourd'hui ont besoin de deux salaires pour réussir à vivre convenablement. Vous me direz qu'il y a parfois exagération et qu'ils n'ont pas besoin de deux voitures et de la maison avec foyer. J'en conviens, mais les jeunes couples d'aujourd'hui ne sont plus ceux que nous étions hier. Il ne faut pas oublier que nous les avons gâtés, ces enfants, et qu'à leur place, peut-être serions-nous tout aussi exigeants. Dans notre temps un petit loyer, l'autobus, le petit balcon et notre marmaille... c'était ça le bonheur, l'heureux temps que celui où un rien savait nous contenter, mais il n'en est plus ainsi et notre relève aura des cheveux gris bien avant nous. Avec tout ce bavardage, je n'ai pas encore réglé le problème et je vais tenter de soumettre, à la bonne foi du gouvernement, une solution qui pourrait peut-être s'avérer fructueuse. Il se donne chaque mois des sommes considérables en guise de bien-être social à des gens qui se moquent éperdument de se chercher du travail, même en pétant de santé. Pour être explicite, pourquoi ne favoriserions-nous pas ces petites femmes qui accepteraient d'être mères à part entière en leur versant ce que j'appellerais un salaire.. pour que nous puissions nous multiplier. Imaginez ! J'ai une nièce qui a trois enfants sur les bras et un mari qui en arrache en tirant le diable par la queue pour les faire vivre. Le pire, c'est que, pendant les années où ils n'étaient pas mariés, elle recevait une assistance sociale. Là, parce qu'elle a légalisé son union, plus rien, et les besoins sont pourtant les mêmes ? On réclame des mariages, des unions solides, des enfants pour assurer la relève et l'on ne fait rien pour encourager ces bâtisseurs de demain. Au contraire, on va même jusqu'à geler les allocations familiales qui sont tout juste utiles à payer le beurre d'arachides et la poudre Johnson. Pendant ce temps, on verse chaque mois des montants substantiels à des parasites qui se pavanent, croyez-le ou non, sur les berges de la Floride en charter en plein mois de janvier. Aucune étude sérieuse n'est faite dans la plupart des cas et c'est nous qui payons bêtement cette farce monumentale. Tant qu'à payer, je serais beaucoup plus heureux de savoir que mon argent s'en va vers une maman qui vient de mettre un autre enfant au monde pour enrayer le fléau de la dénatalité. Ne pensez-vous pas que la mère au foyer qui en est à trois ou quatre enfants pour la survie d'un peuple ne mériterait pas d'être rémunérée par ce même peuple duquel elle assurera la relève… et nos pensions de vieillesse ? C'est peut-être pas encore là, « la solution », mais je me dis que c'est pas plus bête que toutes les gaffes qu'ils font. On veut des enfants ? Qu'on vienne en aide aux mamans !

# *J'ai un an de plus…*

Eh oui… comme vous tous, j'ai un an de plus cette semaine et ça m'a fait prendre conscience que c'est seulement quand ça nous arrive qu'on se permet d'analyser la situation de très près. J'ai toujours entendu dire qu'il fallait se mettre en tête qu'on n'a que l'âge de son cœur, mais n'empêche qu'on ne peut faire autrement que de se regarder dans un miroir. On se lève donc de bon pied, on se fait souhaiter « Bonne Fête » par son entourage, on reçoit des cadeaux, des hommages et quand on se retrouve seul, on ne peut faire autrement que de se dire « pas déjà rendu là ». Il est évident que pour vieillir en beauté il ne faut prendre que le côté positif de son anniversaire. S'il nous fallait regarder notre album de photos, on serait peut-être enclin à regretter certaines images de notre passé, ne serait-ce que sur le plan visuel. Vieillir en beauté ? C'est sûr qu'on ne vieillit pas strictement en s'enlaidissant, mais il serait plus sage de dire « vieillir en sagesse ». Mon miroir m'a laissé voir ce matin quelques cernes, une ou deux rides de plus et peut-être trois ou quatre cheveux gris que je n'avais pas l'année dernière. Mon tour de taille accuse un pouce de plus et les veines sur mes mains sont, je dirais, plus proéminentes. Le cou se relâche un peu et j'éloigne de plus en plus ma feuille… pour lire sans lunettes. Si c'est ça qu'on appelle vieillir en beauté, laissez-moi vous dire que, dans mon cas, j'appelle ça vieillir au gré de son impuissance face au fait. On ne peut pas avoir toujours vingt ans, ni trente (ce serait trop beau), mais comme c'est la seule justice qui soit la même pour tout le monde, mieux vaut en tirer le meilleur parti et se dire que s'il y a des plus jeunes que nous… il y a aussi des plus vieux. Chacun son tour, dirait ma mère… et place aux autres. Redevenons sérieux. Vieillir allègrement, c'est accepter l'automne de sa vie après avoir bougrement profité de l'été. Chaque être humain vous dira : « Moi, je ne voudrais pas tout recommencer » et je suis bien d'accord. Ça prendrait tout un courage pour retraverser tous les ans qu'on a derrière nous, surtout s'il nous était impossible d'en éviter quelques-uns. Vieillir avec sagesse, c'est se rendre compte qu'on a encore une santé qui nous suit, une expérience qui nous sert et des projets qui nous garderont aussi jeunes que nous voulons bien l'être. C'est aussi prendre conscience que les enfants qu'on a faits sont rendus au printemps de leur vie et que c'est à leur tour d'éprouver l'avalanche de nos petites folies. Quand on leur dit, « tu sais, moi à ton âge », c'est qu'on admet qu'on ne l'a plus. On oublie trop facilement, parce que mûrs, que nous avons été aussi « verts » qu'ils le sont et aussi inconscients de nos erreurs. N'a-t-on pas appris avec les ans ce que nous savons aujourd'hui ? Si l'on est moins beau physiquement qu'à vingt ans, chaque âge a son charme et je tiens à ce dicton… puisqu'il me sert bien au départ et qu'avoir du charme, c'est beaucoup plus mystérieux qu'être strictement beau. Je n'ai peut-être plus le souffle que j'avais pour traverser une rivière à la nage, mais combien plus grand peut être le cœur quand tant d'hivers sont passés sur nos têtes. J'ai un an de plus et je l'accepte. Je m'en servirai donc à bon escient et au meilleur de mes capacités. Ai-je un choix plus logique à faire ? Vous tous qui célébrez cet an de plus qui est inévitable, ayez la même forme de pensée et vous verrez qu'il n'est pas si pénible après tout d'entendre les jeunes vous vouvoyer. J'ai l'âge du respect et je m'en glorifie… mais de grâce, ne me demandez pas à quel âge j'en suis !

# *Et l'on s'en va...*

En ouvrant mon courrier ce matin, j'ai trouvé un écrit d'une dame qui décriait tristement le fait qu'elle avait cinquante ans. Signée du pseudonyme « Scorpion », cette missive des plus déprimante m'a fait prendre conscience une fois de plus que bien des gens vieillissent mal ou refusent tout simplement de vieillir. Quand j'ai lu : « Ne me dites pas que la vie commence à cinquante ans... », j'ai souri d'émotion. Non madame, la vie ne commence pas à cinquante ans elle se poursuit tout simplement. Quand vous parlez, madame, de doigts ridés qu'on appelle encore doigts de fée, ça vous fait rire ? Les grands-mamans ont pourtant les mains les plus habiles qui soient, des mains créatrices et non seulement aptes à changer les couches des enfants. Que d'amertume dans cet écrit, que de regrets et combien peu d'espoir. Bien sûr, madame, qu'on ne peut bondir de joie à découvrir dans son miroir des plis qui s'ajoutent aux coins des lèvres. Il est certain aussi qu'on ne peut crier « eurêka » quand on trouve son premier cheveu gris. On sent dès lors que la jeunesse fait place à la maturité et c'est de façon positive qu'il faut envisager ce tournant de notre vie auquel personne n'échappe. Ce qui ne se voit pas pourtant, et qui devrait nous réjouir, c'est l'immense volcan de tendresse qui s'est ouvert au creux des ans en plein milieu de notre cœur. Cette éruption soudaine s'appelle l'expérience, le savoir, la logique et que sais-je encore. Avoir cinquante ans, c'est sans doute la pause-café entre le dur labeur de la jeunesse et le repos du guerrier de la vieillesse. C'est le moment où la main doit encore se nourrir au présent des séquelles du passé et des semences de demain. C'est le moment de faire le point sur sa vie, de sourire de ses erreurs et de s'imbiber les poumons de l'air pur de notre sagesse. Bien sûr que le corps flétrit, que l'œil est moins fort et que le pas est déjà moins rapide, mais n'est-ce pas là le signe qu'il faut prendre le temps d'analyser ce temps qu'il nous reste ? En voulant trop s'ancrer dans un négativisme, on signe déjà le plus violent des pactes de suicide… et pourtant. Cinquante ans, madame, c'est la parenthèse de toute la vie prolifique. C'est l'intermède entre le déjà-vu et tout ce qui reste à découvrir. C'est à vieillir aussi mal qu'on se fait le plus de mal et cette tuerie de soi-même n'est pas permise. Pourquoi faut-il qu'on ait si peur de cet âge et que vingt ans plus tard on se dise en y songeant : « Ah ! comme j'étais jeune encore ! » Cette révolte intime, madame, ne vous est pas exclusive. Tous ceux qui vous ont précédée vous diront qu'ils l'ont vécue… pour ensuite en sourire. La vie, madame, est un aller sans retour. Un aller avec des joies, des peines, des regrets et encore des projets. Si les grands écrivains avaient accroché leur plume à cinquante ans, je me demande bien ce que nous aurions à lire aujourd'hui. Si les musiciens avaient refermé le clavier de leur piano, qu'aurions-nous à écouter ? On a un jour vingt ans, trente, puis quarante et peu à peu l'on s'en va sur l'heureux parcours de la vie, mais sans jamais y déposer les armes. Chaque décennie a ses déboires et ses victoires et rien ne vient y mettre un frein si on cesse de se regarder maladroitement dans le miroir tous les matins. Si l'on ferme les yeux sur ses rides et qu'on les ouvre sur son cœur, on y puisera toujours la sève qui fait qu'à tout âge on déborde de jeunesse. Et l'on s'en va, bien sûr, mais d'un pas très alerte quand les rides, les cheveux blancs, le cafard, les tourments, bref… quand rien ne nous arrête !

## *Les enfants de l'avenir...*

Depuis que je vois régulièrement dans nos pages, ces dernières semaines, les photos de ces chérubins, je vous avoue que ça m'a donné le goût d'être père à nouveau. Je regarde ces beaux bébés et je me rappelle avec nostalgie la joie que m'ont procurée les miens lorsqu'ils avaient cet âge. Chacun son tour... et puisque pour ma femme et moi la manufacture est fermée (science à l'appui), je me demande comment font les couples d'aujourd'hui pour vivre à deux sans planifier d'être trois. Les jeunes couples veulent une maison, une auto, des voyages... et après des enfants ! Ce qu'ils oublient, c'est que lorsqu'on a tout ça, il est parfois trop tard pour avoir des enfants ! Une jeune femme me disait récemment : « Vous pensez que nous sommes dans un siècle pour mettre des enfants au monde ? On ne sait même pas où l'on s'en va ! » Comme si nous le savions... quand nous avons fait les nôtres ! Ne vous en faites pas, petites dames, la terre tournera encore longtemps et vos enfants se feront bien les défenseurs du globe et de leur prospérité... si seulement vous en faites. Et le coût de la vie ? me disait une autre, qu'en faites-vous ? Bien oui, c'est cher de nos jours, mais les salaires sont en conséquence. Il n'était guère plus facile dans mon temps d'élever des enfants avec 50 $ par semaine et pourtant j'y suis parvenu. Nous ne sommes plus victimes des enfants « par accident ». De nos jours, il y a le contrôle des naissances et les enfants qui naissent sont la plupart du temps désirés par les parents. Autrefois, on les avait à la suite l'un de l'autre et je vous avoue que la pauvre mère qui en était à sa sixième grossesse n'était pas la femme la plus heureuse du monde. Je ne veux pas prôner le retour fulgurant des berceaux, mais un ménage sans enfant, c'est un duo sans complément. J'ai voulu trois enfants, j'en ai eu deux (en fait, c'est ma femme qui les a eus). Il y a eu bien sûr des sacrifices à s'imposer avec ces petits qui réclamaient beaucoup de notre temps et de notre argent, je n'ai pu me payer une maison avant qu'ils soient grands. Les voyages n'étaient pas à l'horaire et l'auto a été troquée pour l'autobus pendant longtemps… mais la joie que les enfants nous donnent vaut bien tous ces contretemps à nos petits caprices. Les miens, je les ai élevés sur une galerie et leur terrain de jeu était la cour arrière. Leur piscine était « publique » et en dépit de ce manque de luxe, il est réconfortant de les entendre me dire aujourd'hui qu'ils ont eu une belle jeunesse. L'amour, la tendresse, l'affection qu'ils nous donnent valent bien tous les voyages au soleil qu'on ne peut se permettre. Quand un enfant vous encercle de ses petits bras, qu'il dépose sur votre joue le baiser de la sécurité, ça vous donne l'impression d'être le plus riche des pères. Les enfants de l'avenir… ceux qui voudraient tout comme vous sentir l'arôme d'une fleur, le toucher d'un arbre, sont coincés dans vos rêves irréalisés. Le son d'une guitare, l'éclosion d'un printemps… que de choses dont ils n'auront jamais conscience si on ne leur donne pas vie. Si c'était à refaire, j'aurais encore deux enfants, peut-être trois cette fois, et je referais le parcours de mes plus belles années. Donner la vie, leur transmettre les émotions intenses de nos sentiments, n'est-ce pas là conjuguer au pluriel ce que l'on ressent au singulier ? Les enfants de l'avenir n'attendent que votre bon vouloir pour perpétuer à tout jamais nos plus grands espoirs. Sommes-nous égoïstes au point de fermer les yeux sur… leur demain ?

## *Ces doyens de la vie...*

Encore une fois, ce merveilleux troisième dimanche de juin vient nous suggérer d'honorer plus que jamais « notre père ». Pas celui qu'on dit aux cieux, mais bien celui qui est là, à nos côtés, sans jamais rien demander, sans rien attendre en guise de gratitude. Les pères n'ont pas d'âge et, tout comme les mamans, il faut savoir les reconnaître dès qu'on leur dépose un enfant dans les bras, jusqu'au jour où ils sont les chênes solides d'une forêt d'arbustes qu'ils ont su ensemencer. Je n'ai rien contre le tout jeune papa d'un poupon, c'est aussi sa fête et il est certain que sa petite épouse le comblera au nom de l'enfant. Je n'ai rien aussi contre ces pères d'un âge moyen dont je fais partie et qui sont à mi-chemin entre le départ et la fin de cette longue route parsemée de cailloux. Je suis un père et je serais le plus vil des menteurs si je vous disais que je ne suis pas comblé par mes enfants. Ils le font si bien que ça me gêne parfois, comme tout homme peu habitué à ces marques d'affection. Je prêche au nom de tous les autres mais, croyez-moi, je ne suis pas épargné quand vient le temps de rougir comme un enfant devant les présents. Ceux que je voudrais surtout honorer en ce jour, ce sont les doyens de ces arbres de la vie, ces merveilleux grands-pères dont on parle peu et qui, discrets, fumant leur pipe, ne savent même pas que c'est aujourd'hui « la fête des Pères » et qu'ils en font partie. C'est comme si cette fête ne leur appartenait plus et j'en ai entendu me dire : « Bah ! on a fait ça pour les jeunes. Nous, on a fini notre tâche et nous combler, ce serait de l'argent gaspillé ! » N'est-ce pas immonde que de ne pas se sentir de ce beau gala quand on a œuvré jusqu'à s'en gercer les mains ? N'est-ce pas impensable de se sentir hors du groupe de ceux qui méritent plus que tous les autres d'être royalement couronnés par leurs descendants ? S'ils se sentent ainsi ces chers grands-papas de la vie d'aujourd'hui c'est peut être parce que nous ne leur laissons pas savoir suffisamment la place qu'ils occupent dans notre vie. Moi, je n'ai plus de père et encore moins de grands-pères. Ils sont morts tous les deux alors que j'étais encore enfant, mais si j'avais eu cette chance, comme il me serait plaisant de leur offrir une blague à tabac, un foulard, une peinture, une montre, un je ne sais quoi qui saurait prouver à quel point ils valent d'être aimés. On se retient parce qu'on se dit qu'un grand-père ce n'est pas sensible, que ça ne s'émeut pas, que ça ne pleure pas de joie et que ça reste indifférent aux petites attentions. Ce qu'on oublie, c'est que ce sont des hommes d'une autre époque. Des hommes à qui on a appris à camoufler le moindre émoi, des hommes à qui on a dit qu'un homme, ça ne devait jamais pleurer. Et pourtant, à l'âge où les cheveux blancs l'emportent sur les conventions, à l'âge où la main tremble de joie quand elle ouvre un présent, ils ne sont que des enfants, ces braves vieux qui se cachent dans leur chambre pour essuyer une larme. Grand-maman pourrait certes vous le dire… si grand-papa ne l'avait pas suppliée de n'en souffler mot. Les yeux bridés, les joues flasques, les cheveux parfois épars, il n'y a que leurs yeux pour trahir toute l'émotion qui les étrangle. On s'arrête sans cesse à la tendresse des grands-mamans parce qu'on nous a dit, hélas maladroitement, qu'un grand-père ne pouvait avoir un cœur de guimauve. Laissez-moi vous dire qu'aussi forts que soient ces doyens de la vie, ils ont gardé, tout au fond de leur cœur de père, une sensibilité de porcelaine… qu'on fracasse parfois d'un baiser !

# *Quand minuit sonne…*

Les bottillons de ces dames dansant la claquette sur le parvis de l'église et les messieurs respectueux retirent déjà leur chapeau. Douce odeur d'antan que celle de la messe de minuit, douce odeur d'encens que j'aimais déjà, enfant. Comment pourrais-je manquer un moment aussi solennel. Non, je ne vais pas à la messe tous les dimanches. Il y a des jours où la paresse et le courage l'emportent sur ma bonne volonté, mais cette naissance du Sauveur que nous célébrons une fois l'an ne peut être enfreinte. Je me surprends, tout comme autrefois, à allumer un gigantesque lampion pour ceux que j'ai aimés et qui ne sont plus et pour ceux que j'aime et pour qui je désire toutes les joies de la terre. Instants sublimes que ceux où les chantres entament *Les Anges dans nos campagnes*, *Ça Bergers* et le *Minuit chrétien*. J'en ai des frissons que je ne peux contrôler et je ressens une paix intérieure qui se mêle au chagrin de penser que plusieurs ne sont plus là, hélas, pour savourer cet angélique récital. Je m'ébahis devant les visages radieux des enfants, devant la joie de ces grands-papas bedonnants qui, plus tard, feront honneur à la tourtière. Je revis en quelques secondes les plus belles pages de mon enfance et j'ai parfois regret d'être trop grand pour porter les petites mitaines qui me faisaient déposer mon obole dans la languette de l'ange qui inclinait la tête en guise de remerciement. Que c'est beau Noël, quand le cœur n'a rien perdu de la magie qu'il a mise en conserve. Que c'est vibrant un Noël quand la foi, l'humilité et le pardon s'ajoutent à la tradition. Je me souviens de ce temps où ma mère disait : « C'est le temps de la parenté qui revient. » Je me demandais certes ce qu'elle voulait dire et ce n'est qu'avec les ans que j'ai compris que ce temps était celui des indulgences, des égards, de l'oubli d'une rancune, de l'étreinte pure et vraie de ceux qui s'aiment. C'est comme si le porte-poussière avait ramassé d'un seul coup toutes les séquelles de nos petits accrocs. Quand minuit sonne en ce 25 décembre, c'est le coup de grâce que Dieu donne pour nous unir dans l'entité d'un bonheur trop souvent négligé. Il y a bien sûr des gens qui pleurent pendant que d'autres rient de bon cœur mais, au fond de l'âme, il y a, dans la tristesse ou la joie, ce sentiment de bien-être que seul un *credo* pourrait expliquer. Que le tapis soit blanc de neige ou gris de pluie, c'est toujours avec le cœur en liesse qu'on regagne sa demeure pour se dire ouvertement qu'on s'aime sans avoir à le murmurer entre parenthèses. Dès lors, le sapin s'illumine, la parenté s'amène pour le réveillon, les cadeaux sont déballés et l'on s'unit à la grande Fête. Les tables sont bien garnies, le foyer crépite de chaleur et l'on explose enfin d'avoir tant rêvé de ce moment divin. Il se peut que l'on soit vingt à table comme il se peut que l'on soit deux dans un gentil tête-à-tête, mais la lueur des chandelles illumine la circonstance de la même manière. Il se peut aussi que l'on soit seul avec ses pensées, alité dans un lit douillet, abandonné parfois, mais est-on vraiment seul quand l'Enfant-Dieu nous anime de sa présence ? C'est pour nous tous et chacun d'entre nous qu'il est un jour venu sur terre, et c'est encore en chacun de nos cœurs qu'il dépose chaque fois le baume spirituel de ses plus grandes faveurs. Quand minuit sonne ? Moi, je vis. Je vis intensément la plus belle des nuits parce que je sais qu'elle se veut solennelle et remplie de respect. Minuit a sonné ? J'ouvre les yeux, je contemple une étoile dans le ciel et je vous dis : « Joyeux Noël ! »

## *Vivre pour vivre…*

Quel drôle de titre ! Du cinéma ? Je sais qu'on a déjà fait un film qui portait ce titre, mais loin de moi l'idée de plagier un scénario. Quand je parle de vivre pour vivre, je veux tout simplement dire vivre sa vie au temps présent, tourner la page sur hier et ne pas s'en faire avec demain. La majorité des dépressions nerveuses sont dues au fait qu'on se penche sur son passé ou qu'on pense à son avenir. Vivre, c'est se lever chaque matin et se lancer dans l'aventure d'une journée. On n'a pas le droit de se coucher le soir en se disant comme dans la belle chanson de Diane Juster : « Ce matin, je m'suis levé pour rien ! » Si ça nous arrive, c'est qu'on n'a rien provoqué pour qu'il se produise quelque chose, ne serait-ce qu'un fait qu'on peut inscrire dans son journal intime. J'entends à longueur de journée des gens me dire qu'ils ont préparé leur retraite, qu'ils ont tout fait pour que leur vieillesse ne soit pas démunie de confort. C'est bien beau, très équilibré, mais pendant qu'on entasse ses sous, qu'on grossit son compte en banque, on oublie de vivre au temps présent. Je peux vous sembler fataliste, je lc suis. Ce qui doit arriver… arrivera. Sans être inconscient, sans être d'un je-m'enfoutisme à outrance, je profite largement de mon avoir, aussi minime soit-il, pour jouir de ma vie actuelle. L'avenir ? j'y pense comme tous, mais je ne m'empêche pas de vivre pour autant. J'ai vu certains de mes amis vivre plus intensément alors qu'ils étaient sans le sou que depuis qu'ils ont de l'argent. Ils ont atteint le « quatre chiffres » et ne veulent surtout pas retomber à trois. On me disait : « Je ne veux plus jamais avoir à compter ma paye comme autrefois, j'en ai trop souffert. » Erreur… car c'était à ce moment qu'ils étaient de bons vivants. Ils sortaient, se payaient le luxe d'un gentil repas au restaurant, invitaient des amis, s'amusaient, profitaient de la vie. Ils vivaient donc leur vie. Aujourd'hui, ce même couple qui possède maison, « char de l'année », bons d'épargne à 10 % d'intérêts (ils s'en régalent) attendent je ne sais quoi… mais sont devenus des êtres amorphes, sans joie, sans peine. Ils sont à l'aise… et mal à l'aise dans leur peau. Ils sont devenus pingres, entassent, prévoient, comme ils disent. Ils se meublent à neuf, s'enferment dans leur vivoir, admirent leurs luxueuses tentures, écoutent la télévision et attendent… en se flattant la bedaine, leur confortable vieillesse. Ils ne font plus partie d'une société active, ils sont devenus leurs propres esclaves ! Vivre sa vie, c'est tirer le rideau sur les temps durs, profiter avec bon sens du temps fructueux et tout simplement se munir d'une petite réserve pour faire face à l'imprévu. Ce n'est pas au crépuscule de sa vie qu'il faut penser à la vivre… elle s'éteint doucement. On a travaillé fort, on atteint cinquante ans, on est à l'aise, vivons pendant qu'il en est encore temps. Si pour certains, vivre pour vivre c'est attendre sa mort, je le déplore. Le coffre-fort ne suit jamais le corbillard !

# *Table des matières*

AVEC LE CŒUR…

AVEC LE RÊVE…



AVEC LA VIE…

Achevé d'imprimer
au Canada
en septembre 2004